Y Tu Mewn i Gartrefi Cymru

Inside Welsh Hom

CW00736244

Ffigur 1 (y tudalen blaenorol). Plasty gwledig a godwyd yn wreiddiol tua 1770 yw Llanarth Court. Fe'i hailwampiwyd yn yr arddull Eidalaidd ffasiynol rhwng 1849 a 1851 gan y penseiri lleol W. & E. Habershon, a dyna pryd y gosodwyd y lle tân hwn ynddo. Mae'r silff ben tân wedi'i defnyddio i arddangos eitemau addurnol a chofroddion personol. Tynnwyd y llun ym 1941. Ym 1948 cyflwynwyd y tŷ i'r Eglwys Gatholig Rufeinig. Ysbyty preifat sydd yno bellach.

Figure 1 (previous page). Llanarth Court is a country house originally built in about 1770. It was remodelled in the fashionable Italianate style between 1849 and 1851 by local architects W. & E. Habershon, which was when this fireplace was installed. The mantelpiece has been used to display decorative items and personal mementoes. This photograph was taken in 1941. In 1948 the house was given to the Roman Catholic Church. It is now used as a private hospital.

Ffigur 2 (de). Yn y Faerdref ger Llanfair Talhaearn, mae pared pyst-a-phaneli'n gwahanu prif ran y tŷ a'r parlwr mwy preifat y tu hwnt iddo. Adeg tynnu'r llun hwn, yr oedd cwpwrdd ochr addurnol wedi'i osod yn erbyn y pared a chawsai llestri arian y cartref eu rhoi arno i'w harddangos i ymwelwyr.

Figure 2 (right). At Fardre near Llanfair Talhaearn, a post-and-panel partition divides the main area of the house from a more private parlour beyond. At the time this photograph was taken, a decorative side-cupboard was placed against the partition, displaying the household silver to guests of the house.

Y Tu Mewn i Gartrefi Cymru
Inside Welsh Homes

Rachael Barnwell & Richard Suggett
gyda chyfraniadau gan / with contributions by Helen Rowe

LLUNIAU O GOFNOD HENEBION CENEDLAETHOL CYMRU
IMAGES FROM THE NATIONAL MONUMENTS RECORD OF WALES

COMISIWN BRENHINOL HENEBION CYMRU
ROYAL COMMISSION ON THE ANCIENT AND HISTORICAL MONUMENTS OF WALES

Y COMISYYNWYR BRENHINOL - ROYAL COMMISSIONERS

CADEIRYDD - CHAIRMAN
Dr Eurwyn Wiliam MA, PhD, FSA

IS-GADEIRYDD - VICE-CHAIRMAN
Mr Henry Owen-John BA, MIFA, FSA

YSGRIFENNYDD - SECRETARY
Dr Peter Wakelin BA, MSocSc, PhD, FSA

Mrs Anne S. Eastham BA, FSA
Ms Catherine Hardman BA, MA
Mr Jonathan Mathews Hudson MBCS, CITP
Mr Thomas Lloyd OBE, MA, FSA, DL
Dr Mark Redknap BA, PhD, MIFA, FSA
Professor C. M. Williams BA, PhD, FRHistS

ISBN 978-1-871184-46-4

Manylion Catalogio (CIP) y Llyfrgell Brydeinig. Mae cofnod catalogio'r llyfr hwn ar gael o'r Llyfrgell Brydeinig.

British Library Cataloguing in Publication Data. A catalogue record for this book is available from the British Library.

© Hawlfraint y Goron CBHC 2012. Cedwir pob hawl. © Crown Copyright. RCAHMW 2012. All rights reserved.

Ni chaniateir atgynhyrchu unrhyw ran o'r llyfr hwn na'i gadw mewn cyfundrefn adferadwy na'i drosglwyddo mewn unrhyw ddull na thrwy unrhyw gyfrwng electronig, mecanyddol, llungopïo, recordio, sganio nac fel arall heb gael caniatâd ymlaen llaw gan y cyhoeddwr:

No part of this book may be reproduced, stored in a retrieval system or transmitted in any form or by any means, electronic, mechanical, photocopying, recording, scanning or otherwise, without permission from the publisher:

Comisiwn Brenhinol Henebion Cymru
Royal Commission on the Ancient and Historical Monuments of Wales
Crown Building, Plas Crug, Aberystwyth, Ceredigion, SY23 1NJ
Ffôn - *Telephone:* 01970 621200, *ebost:* chc.cymru@cbhc.gov.uk email - nmr.wales@rcahmw.gov.uk
Gwefan: www.cbhc.gov.uk Website: www.rcahmw.gov.uk

DIOLCHIADAU

Rhan o archif sy'n ffrwyth canrif a rhagor o gasglu yw'r lluniau yn y llyfr hwn. Mae'n dibynnu ar waith dwsinau o ffotograffwyr ac artistiaid, ymchwilwyr, archifwyr a haneswyr yn ogystal â chasgliadau a roddwyd, yn hael iawn, i'r Comisiwn Brenhinol. Yr ydym yn arbennig o ddiolchgar i holl berchnogion a phreswylwyr y cartrefi am ganiatáu i ni gynnwys lluniau o'u tai yn y llyfr hwn. Gwnaed pob ymdrech i gysylltu â pherchnogion y tai ac â pherchennog pob hawlfraint.

Hoffai'r awduron ddiolch i Dr Eurwyn Wiliam, yr Athro Christopher Williams, Thomas Lloyd a Toby Driver am eu sylwadau manwl a threiddgar ar y testun ac, yn arbennig, i Helen Rowe am ei gwaith ymchwil ac am lunio'r capsiynau ar gyfer y bennod ar 'geginau' yn y llyfr. Yn ystod cyfnod ymchwil y prosiect hwn, rhoes Cheryl Griffiths gymorth amhrisiadwy drwy chwilio am eitemau yn yr archif a'u cyrchu. Cyfrannodd Dr Peter Wakelin, Penny Icke, Helen Rowe a Fleur James yn fawr iawn at ddethol y lluniau yn y llyfr. Bu Fleur James hefyd yn gyfrifol am sganio'r holl luniau ac am eu paratoi'n derfynol. Bu ei sylwadau adeiladol a'i chyngor proffesiynol yn anhepgor wrth lunio'r gyfrol. Cwblhaodd John Johnston batrwm y gwaith.

Hoffai Rachael Barnwell ddiolch hefyd i'w theulu a'i chyfeillion am eu cymorth parhaus.

ACKNOWLEDGEMENTS

The images featured in this book are part of an archive more than a century in the making. The book relies on the work of dozens of photographers and artists, researchers, archivists and historians, as well as collections generously donated to the Royal Commission. We are grateful to all the home owners and occupiers who gave permission for us to feature their houses in this book. Every effort has been made to contact home owners and copyright holders.

The authors would like to thank Dr Eurwyn Wiliam, Professor Christopher Williams, Thomas Lloyd and Toby Driver for their detailed and insightful comments on the text, and the particular contribution of Helen Rowe who researched and wrote the captions for the 'kitchens' chapter of the book. In the research stages of this project, Cheryl Griffiths provided invaluable aid in searching and accessing items in the archive. Dr Peter Wakelin, Penny Icke, Helen Rowe and Fleur James had important critical input in the selection of images for the book. Fleur James was also responsible for scanning and the final preparation of all the images featured. Her constructive comments and professional advice were indispensable in the composition of this volume. John Johnston completed the layout.

Rachael Barnwell would like to thank her family and friends for their continued support.

Cynnwys Contents

Ffigur 3. Ffermdy o ddiwedd yr unfed ganrif ar bymtheg yn Llanfair, Meirionnydd, yw Tyddyn-y-Felin. Mae ystafelloedd yr atig wedi'u defnyddio i storio llyfrau, hen set deledu, a chadair farddol o 1917.

Figure 3. Tyddyn-y-Felin is a late sixteenth-century farmhouse in Llanfair, Merioneth. The attic rooms have been used to store books, a disused television and a bardic chair dating from 1917.

Rhagair - O'r Bôn i'r Brig
Foreword - From Top to Bottom

Caiff pawb flas ar fusnesa yng nghartrefi pobl eraill – cyrraedd y parti sy'n cychwyn drwy gael croeso caredig wrth y drws, cerdded yn sylwgar drwy'r cyntedd, cael cip ar garped y grisiau, gwau drwy'r dorf yn y lolfa fawr nes cyrraedd y gegin a mentro allan i'r pwt o ardd cyn troi'n ôl a dringo i'r ystafell ymolchi a'r tŷ bach a rhoi'n pig yn llechwraidd i mewn i'r ystafelloedd gwely. Yr atig yw'r unig le sydd y tu hwnt i lygad chwilotgar y rhai sy'n dod i'r parti. I gael gweld y cartref cyfan, bydd angen cael asiant tai a chaniatâd cyn gallu llunio rhestr feddyliol a gweledol o'r cynnwys a mynd adref i ddwys ystyried y cymariaethau.

Dyna braf, felly, yw cael asiantau tai sydd hefyd yn dywyswyr hanesyddol ac yn briswyr diwylliant i osod y cyfan ger ein bron. Yn nwylo medrus a thrwy lygaid craff Rachael Barnwell a Richard Suggett o Gomisiwn Brenhinol Henebion Cymru, gwyddom fod gwledd o'n blaen wrth i ni agor drws eu llyfr cyfareddol, *Y Tu Mewn i Gartrefi Cymru*. Mae'r lluniau yn y gyfrol yn tynnu ar y casgliad aruthrol ac amhrisiadwy y mae'r Comisiwn Brenhinol wedi'i gasglu ynghyd am ganrif a rhagor i greu archif o luniau, cynlluniau a ffotograffau. Gallwn ni weld sut olwg sydd wedi bod ar dai Cymru o ran byw ynddynt, a'u datblygiad, o oes yr arth a'r blaidd hyd at lu delweddau ein presennol ni. Ond fe wnaiff yr awduron lawer mwy na chynnull a chydosod gwybodaeth am eu bod nhw, fel y gwerthwyr tai gorau, yn mynd â ni i mewn ac allan - o'r bôn i'r brig ac yn ôl - ac o ystafell i ystafell. Ym mhob un, fe ddysgwn ni'n glir am y pwys a roddai'r gwahanol ganrifoedd a dosbarthiadau ar y ffordd y dewisent, dyweder, gyd-gysgu a chydgyfarfod a chyd-fwyta (neu beidio) ac am y ffordd yr esgorodd cyfoeth ar ddiogelwch yn yr oesoedd cynnar ac ar breifatrwydd maes o law. Cawn ni gipolwg unigryw ar hanes cartrefi'r Cymry, cipolwg sy'n cynnig tipyn mwy na manion bywyd beunyddiol y cartref.

Gadewch i ni gychwyn o'r newydd – wrth y rhiniog y tro hwn – am fod rhaid cael gwahoddiad i ddechrau. Perthyn grym i ofod y cyntedd am mai yno y camwn ni o le cyhoeddus i fannau preifat. Dyma'r ffin bendant sy'n mynnu bod rhaid wrth gais neu ganiatâd penodol i'w chroesi. I briodasferch newydd, yn ogystal â'r teulu ehangach, mae ei chroesi'n un o gamau mawr bywyd. Yn hytrach nag efelychu twll mynediad cartrefi un-ystafell ein hynafiaid cynharaf neu fynedfa ddiaddurn y bythynnod cyn-ddiwydiannol,

Everyone likes a nose around in other people's houses — that party which starts with the measured welcome at the door, the circumspect passage through the hallway, the glance up the carpeted stairs, the crush in the knock-through lounge to the gravitational pull of the kitchen and out to the pocket-size garden before the reverse sweep, up to the bathroom-cum-lavatory and quick illicit forays into the bedrooms. Only the attic, or 'loft' as we now say, evades the party-peepers' nosiness. For the full tour an estate agent will be needed, with permission to make an inventory, mental and visual, before going home to dwell on comparisons.

What a joy, then, to have all this laid out before us by estate agents who double up as historical guides and cultural valuers. In the skilled hands and through the perceptive eyes of Rachael Barnwell and Richard Suggett of the Royal Commission on the Ancient and Historical Monuments of Wales we know we are in for a treat as soon as we open the door of their entrancing book, *Inside Welsh Homes*. The volume is illustrated by drawing on the immense and invaluable archive that the Royal Commission has gathered together for over a century, of drawings, plans and photographs. We can truly see what the Welsh house has been like, to live in and as it developed, from times only recoverable by archaeology right up to our own image-saturated present. But the authors do much more than compile and assemble, for like all the best house vendors they take us inside and outside, from bottom to top and back again, from room to room. At each stop we learn, in lucid sequence, of the significance different centuries and diverse classes assigned to, say, the way in which they chose to sleep and meet and eat together (or not) and how wealth brought early security and late privacy. This is a unique window onto the domestic history of the Welsh, but it is not confined to the trivia of domesticity.

Let's start again, on the doorstep this time, for after all we cannot enter if we are not invited. The space around the entrance is for power-broking, a conduit from what is held in public to what is guarded in private. It is an explicit border requiring an implicit passport and, for new brides as well as wider family, a rite of passage. Far from being just the utilitarian entry-hole of our earliest ancestors' one-room houses or the duck-in of pre-industrial cottages, later doors would be highly symbolic, decorative perhaps,

Ffigur 4. Cymerwyd y llun hwn o animeiddiad adlunio 3D a ddangosai ddatblygiad Plasauduon, Caersŵs. Mae'r llun llonydd yn dangos y llawr patrymog o gerrig ar eu cant a osodwyd yn wreiddiol yn y prif fan byw yn y tŷ.

Figure 4. This image was taken from a 3D reconstruction animation showing the development of Plasauduon in Caersws. This still shot shows the patterned, pitched-stone floor that was originally laid in the main living area of the house.

Ffigur 5. Tŷ deulawr o'r unfed ganrif ar bymtheg yw Pant Glas Uchaf yng Nghlynnog, Sir Gaernarfon. Tynnwyd y llun hwn yn gynnar yn y 1960au gan y ffotograffydd G.B. Mason. Y ddynes yn y llun yw ei wraig, ac yno hefyd mae eu ci, Scamp.

Figure 5. Pant Glas Uchaf is a sixteenth-century storyed house in Clynnog, Caernarfonshire. This photograph was taken in the early 1960s by photographer G.B. Mason. The woman in the photo is his wife, pictured with their dog Scamp.

tyfai drysau'n symbolau pwysig yn y man ac efallai yr eid ati i'w haddurno. Yn sicr fe'u neilltuid ar gyfer pobl heblaw'r gweision a'r morynion a oedd â'u grisiau a'u mynedfeydd eu hunain i'w cadw o'r golwg. O gam i gam yn y llyfr hwn cawn ein tywys i weld y gwahanu a fu rhwng y dosbarthiadau wrth i soffistigeiddrwydd y dechnoleg a ddefnyddid i godi tai gynyddu ac adlewyrchu mwy a mwy ar drefn y gymdeithas ehangach y tu allan.

Drwyddo draw, mae'r llyfr yn rhoi dealltwriaeth ddynamig i ni o'r *Amserau* yr ydym wedi byw drwyddynt drwy hoelio'i sylw ar y Gofod y buom ni gan mwyaf yn byw ynddo. Wrth ddweud hynny, wrth gwrs, golygaf mai'r tŷ, boed grand neu ddinod, yw'r nyth lle cawsom ni'n cenhedlu, ein magu a'n diogelu a lle mae'r mwyafrif ohonom, tan yn ddiweddar, hefyd wedi marw a chael troi heibio'n cyrff. Meddyliwch mor werthfawr fu'r gallu, pa mor gyfyngedig bynnag y bu, i ddynodi peth o'r gofod at ddibenion neilltuol a pharchus - yr Ystafell Wely Gefn a'r cwrlid arbennig ar y gwely ynddi, neu Ystafell Ffrynt enwog tai teras y trefi diwydiannol lle'r oedd arogl nodedig cwyr y celfi, disgleirdeb y canwyllbrennau pres a llewyrch y jygiau lystar yn cyfleu 'taclusrwydd' a ffrwyth byw'n ddarbodus cyn yr ymadawiad olaf. Poenai'n hynafiaid lai na ni am y prosesau corfforol anochel a ddigwyddai'n ddieithriad, yn eu hachos hwy, o dan yr unto.

Yn wir, mae ein llenyddiaeth ni, llawn cymaint â diddordeb amlycach y celfyddydau gweledol mewn ystafelloedd a thu mewn adeiladau, wedi ymddiddori'n ddwys yng nghydgysylltiadau bywyd a'r mannau lle caiff ei fyw. Yng ngwaith y nofelydd Rhys Davies (1901-1978) gwelir ei gymeriadau ar ddechrau'r ugeinfed ganrif yn byw yn y Rhondda yn ôl patrwm o fodolaeth feunyddiol a dyheadau domestig digon di-fflach, fel yn ei stori fer ym 1927, '*Mrs Evans Number Six*'.

> *There were twenty houses in Ash-Tip Row, all joined together in a coating of dirty grey cement, each containing four rooms, and at the back a strip of barren earth with the water-closet standing at the end .... It was a little community to itself..... Number 6 was spotlessly clean. Mrs Evans worked at her home with fury, and her husband, coming home from the pit, was always greeted with her shrill voice: 'Wipe your dirty feet, Dai Evans', though there was always a carpet of newspaper down until six o'clock .... Her house, she knew, was the best in the Row – no one had curtains like hers, she had Venetian blinds, a row of brass candlesticks on the living-room mantelpiece, and hers was the only house that had linoleum over the stone of the passageway.*

Ac aeth ein meddyliwr arbenicaf – yn ei astudiaethau beirniadol o'r rhyngweithio rhwng Diwylliant (neu fynegiant cymdeithasol) a Chymdeithas – ati i beri i'r gofod domestig fod yn awgrymog o gynrychioliadol o weithredoedd ac emosiynau pobl yn ei holl waith ffuglennol neu ddychmygus. Teitl stori fer gynnar o 1948 gan Raymond Williams (1921-1988) oedd '*A Fine Room to be Ill In*',

and certainly reserved for other than servants for whom internal staircases and back-entrances separated out their functions and denied their visibility. Throughout this book we are given a *vade mecum* of the physical remove between the classes as house-building grows more technically sophisticated and more overtly reflective of wider, outside society.

The whole book gives us a dynamic understanding of the *Times* we have passed through by its close concentration on the Space we have mostly inhabited. I mean, of course, that the house, however grand or mean, has been the nest in which we have been conceived, bred and protected; and where most of us, until recently, have also died and been laid out for our last inspection. How precious has been the ability, however limited, to demarcate some of the space for special, respectful purposes — the Back Bedroom with a special coverlet on the bed, or the famed Front Room of the industrial and urban terraced home where the signal smell of beeswax polish, the dazzle of brass candlesticks and the glint of lustre jugs proclaimed 'tidiness' and the fruits of thrift before the final departure. Our ancestors were less squeamish than we are about the inexorable physical cycles that, in their case, invariably happened under one and the same roof.

Indeed our literature, no less than the more obvious fascination with rooms and interiors in the visual arts, has been obsessive about the interconnectedness of life and where it is lived. The novelist Rhys Davies (1901-1978) dances his early-twentieth-century Rhondda marionettes to the rhythm of a sullen workday existence and domestic aspiration, as in his 1927 short story, '*Mrs Evans Number Six*'.

> *There were twenty houses in Ash-Tip Row, all joined together in a coating of dirty grey cement, each containing four rooms, and at the back a strip of barren earth with the water-closet standing at the end .... It was a little community to itself..... Number 6 was spotlessly clean. Mrs Evans worked at her home with fury, and her husband, coming home from the pit, was always greeted with her shrill voice: 'Wipe your dirty feet, Dai Evans', though there was always a carpet of newspaper down until six o'clock .... Her house, she knew, was the best in the Row – no one had curtains like hers, she had Venetian blinds, a row of brass candlesticks on the living-room mantelpiece, and hers was the only house that had linoleum over the stone of the passageway.*

And our most distinctive thinker – in his critical studies on the interaction of Culture (or social expressiveness) and Society – made the domestic space tellingly representative of human action and emotion in all of his fictional or imaginative work. So, Raymond Williams (1921-1988) called an early short story of 1948 '*A Fine Room to be Ill In*', and his 1960 novel *Border Country* revolves around the pre-1914 brick workshop that had been converted into two, misshapen cottages, one of which Harry Price, railway signalman, rents in 1920:

a chanolbwynt ei nofel *Border Country* ym 1960 yw gweithdy a godwyd o frics cyn 1914 ac yna'i droi'n ddau fwthyn digon di-sut. Un o'r rheiny y mae Harry Price, signalwr ar y rheilffordd, yn ei rentu ym 1920:

> *The ... end, into which Harry and Ellen moved, was slightly the larger of the two. On the ground floor, it had a built-on back kitchen, which was entered from the long porch by a door beside the main door; the kitchen had no other communication with the rest of the cottage. From the main door a narrow passage ran to the stairs, and from the landing opened three bedrooms, one of which was over the (neighbour's) kitchen. Downstairs, the living room, with two windows, opened off the passage, and at the far end of the living room (always called simply 'the room') was a dark pantry – at the extreme end of the cottage from the kitchen. The pantry was matched by another extremely small room, which had a door to it and was a room in everything but size.*

Disgrifiad manwl o gartref Williams ei hun yn y Pandy ger y Fenni o 1921 tan 1939 yw hwnnw. Dewiswyd y celfi a'r defnyddiau ynddo'n ofalus i leddfu anghyfleuster siâp a maint yr ystafelloedd a'u culni tywyll. Diolch i ddyfodiad gwaith cyflog a'r modd, felly, i brynu pethau materol, nid mater o arddangos eiddo'n ymffrostgar oedd bywyd y cartref. Gwarineb cynnil ydoedd, atsain o'r ysblander y trigai preswylwyr y maenordai ynddo gynt, ac erbyn y 1930au yr oedd yn adlais o gyffyrddusrwydd y bywyd maestrefol a'i ddŵr tap, ei nwy a'i drydan a'r offer perthnasol i hwyluso coginio, golchi a gwresogi. Fel cartrefi cynifer o deuluoedd eraill eu cenhedlaeth yng Nghymru, chafodd cartref y Williamsiaid mo'i gysylltu â'r un o'r cyfleusterau hynny tan ymhell wedi'r Ail Ryfel Byd.

Dydy hi ddim yn syndod o gwbl, felly, i Raymond Williams allu cyfuno'r ffordd arbennig honno o fyw ag ystyr haniaethol rôl ystafell ym mywyd unrhyw unigolyn a'i gweld hi, yn llythrennol ac yn symbolaidd, yn ofod lle gallai drama bywyd ddigwydd. Yn ei ddarlith allweddol 'Drama in a Dramatised Society' ym 1984 fe ysgrifennodd: 'The room on the stage, this enclosed living room, where important things happen and where quite another order of importance arrives as news from a shut-off outside world; this room is a convention, now a habit, of theatre; but it is also, subtly and persistently, a personage, an actor; a set that defines us and can trap us.'

Teitl Gwyn Thomas (1913-1981), yr awdur o'r Rhondda, ar ei ddrama fawr ym 1962 – dwli teuluol lle mae rhythmau ataliol a gormesol yn parlysu gweithredoedd ei gymeriadau – yw *The Keep*, sef y lloches neu'r noddfa lle bydd bodau dynol yn crefu diogelwch ac felly'n swatio yno dan do.

Ac eto, fel y gwelwn ni droeon yn *Y Tu Mewn i Gartrefi Cymru*, does dim modd gweithredu'n gwbl ddilyffethair yn y cartref. Yn sylwadau gwych Barnwell a Suggett ar setiau llwyfan a mecanweithiau domestig cartrefi Cymru ar hyd yr oesoedd, fe

> *The .... end, into which Harry and Ellen moved, was slightly the larger of the two. On the ground floor, it had a built-on back kitchen, which was entered from the long porch by a door beside the main door; the kitchen had no other communication with the rest of the cottage. From the main door a narrow passage ran to the stairs, and from the landing opened three bedrooms, one of which was over the (neighbour's) kitchen. Downstairs, the living room, with two windows, opened off the passage, and at the far end of the living room (always called simply 'the room') was a dark pantry – at the extreme end of the cottage from the kitchen. The pantry was matched by another extremely small room, which had a door to it and was a room in everything but size.*

All of which is an exact description of the home where Williams lived in Pandy, Abergavenny, from 1921 to 1939, with its inconveniences of shape and size mitigated by the way in which carefully chosen furnishing and fabrics worked against the gloomy narrowness. Domesticity, thanks to waged work and the material purchases it permitted, was not all about vainglorious showiness. It was a pared-down civilisation, an echo of the splendour in which inhabitants of manor houses once lived and, by the 1930s, of the comfort of suburban living due to running water, gas, electricity and the accompanying consumer durables for easier cooking, washing and heating. The Williams family, as with so many other Welsh families of that generation, were not connected up to any of those conveniences until well after the Second World War.

No wonder at all, therefore, that Raymond Williams could meld the particularity of this living with the abstract meaning of a room's role in any one life and see it, literally and symbolically, as the space for a life's drama to unfold. In 1984 in his key lecture 'Drama in a Dramatised Society' he wrote: 'The room on the stage, this enclosed living room, where important things happen and where quite another order of importance arrives as news from a shut-off outside world; this room is a convention, now a habit, of theatre; but it is also, subtly and persistently, a personage, an actor; a set that defines us and can trap us.'

The Rhondda writer Gwyn Thomas (1913–81) called his great play of 1962 — a Valleys' familial fandango whose repressed and suffocating rhythms paralyse the action of his characters — *The Keep*. That is a bastion, where human beings crave security and so huddle indoors.

Yet, as *Inside Welsh Homes* shows us over and over again, the domestic scenario is not one in which it is easy to act in an *ad lib* fashion. Quite brilliantly, Barnwell and Suggett comment on the stage sets and domestic hydraulics of Welsh houses through the ages in order to reveal deep purposefulness beyond ostensible and actual purpose: 'Dining rooms are spaces dedicated to the consumption of food in the home. However, the act of dining is about more than the mere ingestion of food. The dining room, like the living room, provides a stage where the beliefs and values of

amlygir y diben dwfn sydd wrth wraidd y pwrpas amlwg: 'Er mai'r [ystafelloedd bwyta hyn] yw'r mannau yn y cartref sydd wedi'u neilltuo i fwyta ynddynt, mae'r weithred o fwyta yn fwy na dim ond llyncu bwyd. Mae'r ystafell fwyta, fel yr ystafell fyw, yn llwyfan i arddangos daliadau a gwerthoedd y tŷ i'r preswylwyr a'u gwesteion'. Mae'r cyfan, meddant, 'wedi'i drefnu'n ofalus' i hyrwyddo 'hierarchaethau cymdeithasol a diwylliannol', ac er mai at fyd yr Oesoedd Canol y cyfeiriant yma gan mwyaf, mae eu llyfr yn amlygu'r arferion 'sgriptiedig' hynny lle bynnag y byddant yn bwrw ati i gofnodi ac i ddadansoddi.

Mae nwyddau defnyddwyr a chyfoeth personol cymharol wedi dal i danseilio'r holl gyd-fyw na welwn ni mohono bellach yn yr amrywiaeth o leoedd – sefydliadau'r glowyr, capeli a thafarndai – a arferai'n denu ni, heb fod yn hir iawn yn ôl, oddi wrth y tameidio cynyddol ar fywyd y cartref. Does dim rhaid i newid fod yn elyn i gymuned. Tan yn ddiweddar, arferai rhaglenni teledu'n ein tynnu ni o'n hystafelloedd i ymgynnull gerbron y sgrin gan ail-greu, fel petai, yr hen gyd-fyw mewn un ystafell. Ond mae technoleg arall wedi tanseilio'r gymuned gartrefol honno. Er na fyddai neb o blaid dychwelyd at y cyfeillachu a orfodid gan y 'lle i dri' (tudalen 197), efallai y gallem ni ystyried sut mae gofalu am ofod dynol yn hytrach na chael ein llyncu gan ofod rhithwir. Wedi'r cyfan, mae angen i gyrff gyd-daro â'i gilydd os bwriedir iddynt fod yn fwy na seiffrau corfforol o ffurfiau diwylliannol sydd wedi'u creu at ddibenion cyfyngedig. Wrth beth y glynwn ni os nad wrth y sylweddoliad mai'r unig ddau sicrwydd sydd gennym yw ein bod ni'n byw mewn Gofod ac yn byw drwy Amser? O wahanu'r cyfyngiadau dynol hynny, fe fyddwn ni, wrth gwrs, yn dal i fod, ond nid fel yr ydym wedi ein hadnabod ein hunain fel bodau dynol. Mae'r rhwydwaith cyfathrebu sy'n dal ei gyfranogwyr yn ei we electronig or-afaelgar yn rhy barod o lawer i hepgor yr ymwneud wyneb-yn-wyneb a geir yn y gofod a'r amser go-iawn lle y gwnaiff Chronos a Topos fwy na rhyngweithio. Cânt eu cyfnewid i greu undod sydd, neu a oedd, yn ddiffiniad allweddol o fod dynol. Yn y cartref y bydd y cyfnewid arbennig hwnnw'n cychwyn o ddifrif.

Clod i lyfr mor ysgolheigaidd ond mor hawdd troi ato yw fy mod i'n gallu cloi Rhagair Clodforus drwy awgrymu rhywbeth a ddylai, fe gredaf, daro tant yn meddwl pawb sy'n ystyried sut fywydau y dylai dinasyddion yng Nghymru eu byw yn y dyfodol. Mae gennym ni'n henghreifftiau o'r gorffennol. Mae gennym ni'n dryswch ni heddiw. Rhaid i ni greu'n hesiampl at y dyfodol. Os ydym ni'n ddoeth, does bosibl na fydd honno yn wlad lle byddwn ni'n cysylltu'n fywiog ac yn greadigol â chymdeithas o'r tu mewn i'n cartrefi yng Nghymru. Fel y mae'r llyfr hwn yn dangos unwaith eto, cyfanwaith anwahanadwy yw Diwylliant a Chymdeithas.

Dai Smith
Athro Hanes Diwylliannol Cymru
Prifysgol Abertawe

the household are displayed for the benefit of occupants and guests alike'. It is, they say, all 'carefully scripted' to propagate 'cultural and social hierarchies', and, though it is the medieval world to which they largely refer here, their book illuminates such 'scripted' practice wherever they shine their light of record and analysis.

Consumer goods and relative personal wealth have continued to subvert the commonwealth of living that is no longer available to us in that variety of places — miners' institutes, chapels and pubs — that not so long ago lured us away from the increasing atomisation of domestic life. Change does not have to be an enemy of community. Until recently, the timed programming of television drew us away from our ensuite capsules to gather before the screen, a kind of one-room-living-together come again. But other technology has undermined that household community, too. Though none may wish the return of the enforced friendliness of the cheek-by-cheek three-holer (page 197), we might, perhaps, reflect on how to be in charge of human space rather than being used up in a virtual space. Bodies, after all, do need to collide if they are not to be merely the physical ciphers of cultural forms shaped for limited purposes. What do we hold to if it is not the twinned realisation that our only certainty is that we inhabit Space and live through Time? If we divorce those human constraints we will, of course, still exist, but not as we have known ourselves to be human. The communication network that holds participants in its sticky electronic web dispenses all too readily with the face-to-face of real space in actual time where Chronos and Topos do more than interact. They are traded to create a unity that is, or was, a key human definition. Home is where that special mart really begins.

It is a measure of this scholarly but wonderfully accessible book that I can conclude a Foreword of Praise by a speculative stress that, I believe, should register with all who think about how Wales should be for the citizens whose lives are to come. We have our past examples. We have our present muddle. We must create our future example. Surely this will be, if we are wise, a civic realm in which we connect vibrantly and creatively with society from inside our Welsh homes. As this book demonstrates yet again, Culture and Society are an inseparable whole.

Dai Smith
Chair in Cultural History of Wales
Swansea University

PENNOD UN - CHAPTER ONE

Archaeoleg a Hanes y Tŷ yng Nghymru

Archaeology and History of the House in Wales

'Hen le bendigedig yw cartref.' Mynyddog [1]

'Home is where one starts from.' T.S. Eliot [1]

Syniad sydd wedi gwreiddio'n ddwfn yng nghalon cymdeithas yw'r cartref. O'r cartref y cychwynnwn ni ac oddi yno y mae'r mwyafrif o bobl sydd wedi bod erioed wedi cychwyn ar eu taith ac wedi cyrraedd eu diwedd. O'r crud i'r bedd, mae i'r cartref le canolog yn ein bywyd.

Oddi ar 1908 mae Comisiwn Brenhinol Henebion Cymru wrthi'n cofnodi ac yn casglu cofnodion am adeiladau hanesyddol. Am fod ei archif gweledol, yr un mwyaf yng Nghymru, yn cynnwys dros ddwy filiwn o ffotograffau a 125,000 o luniadau, mae'r llyfr hwn yn manteisio ar yr archif helaeth hwnnw i gynnig cipolwg unigryw ar y tu mewn i gartrefi Cymru ar hyd yr oesoedd, o'r bwthyn distadlaf a'r tŷ teras cyffredin i'r plasty gwychaf. Gan fod gweddill penodau'r llyfr hwn yn ystyried tai fesul ystafell, bydd y bennod hon yn cynnig darlun cyffredinol o'r ffyrdd y mae tai a'r mannau ynddynt wedi esblygu. Nid nod y llyfr yw cynnig disgrifiad cynhwysfawr o hanes cartrefi Cymru, ond dangos rhai o'r ffyrdd a'r mannau y mae pobl wedi byw eu bywydau beunyddiol ynddynt.

Adeg cyfrifiad 1891 y dechreuwyd casglu gwybodaeth yn systematig am gartrefi Cymru, a hynny drwy ychwanegu cwestiwn at y ffurflen safonol ynghylch nifer yr ystafelloedd a ddefnyddid yn y cartref. Oddi ar hynny, mae cwestiynau mwy a mwy manwl am ein cartrefi a'n bywyd domestig wedi cynyddu maint hyd a lled y data sydd ar gael am fywyd y cartref ym Mhrydain ac wedi gwella'u hansawdd. Ar ddechrau'r unfed ganrif ar hugain mae pobl a llywodraethau'n dal i ymddiddori yn yr adeilad sy'n gartref i ni ac yn natur ein bywyd yn ein cartref. Wrth i anghenion pobl o ran tai newid, ac wrth i'r gofod a'r adnoddau sydd ar gael i'w diwallu newid, caiff cartrefi a ffyrdd o fyw 'slawer dydd fwy a mwy o sylw i weld sut y gallem wella bywyd yn ein cartrefi ni heddiw a byw'n fwy cynaladwy yfory. Mae'r cofnod gweledol a gedwir gan y Comisiwn Brenhinol, felly, yn adnodd cenedlaethol a all ein helpu i ddeall rhagor am dreftadaeth ein bywydau yn ein cartrefi ac am ei pherthnasedd i fywyd heddiw.

The home is an idea that goes deep and to the heart of society. Home is where we start out, where most people in history have found their beginnings and their endings. From cradle to grave, the home is central to our lives.

The Royal Commission on the Ancient and Historical Monuments of Wales has been making and collecting records of historic buildings since 1908. With over two million photographs and 125,000 drawings it is the largest visual archive in Wales. This book uses this extensive archive to give a unique glimpse inside Welsh homes through time, from the humblest cottages and urban terraces to the grandest of country houses. Most of the book looks at houses room by room, while this chapter provides an overview of how houses and the spaces within them have evolved. The book does not set out to provide a comprehensive account of the history of the Welsh home, but to show some of the ways and places people have lived their daily lives.

Official information about homes across Wales was first collected systematically in the 1891 census, when a question about the number of occupied rooms in a household was added to the standard census form. Since then, progressively more detailed questions about our houses and domestic lives have enhanced the quantity and quality of data available about domestic life in Britain. At the start of the twenty-first century, the buildings that house us and the nature of our home lives are still a core concern of people and governments. As the housing needs of the population change, and as the space and resources available to meet those needs change, homes and lifestyles of previous eras are being increasingly scrutinised for ideas about how we might improve domestic life in the present, and how we might live more sustainably in the future. The visual record held by the Royal Commission is a national resource that can help us understand more about the heritage of our home lives, and its relevance to modern living.

Ffigur 6. Mae'r llun yn dangos y prif fan byw ym Mhen-lôn, Llanfihangel Ystrad, fel yr oedd ym 1969. Yr oedd y tŷ'n dŷ hir ac ynddo ddwy ystafell ac yr oedd mantell o fasgedwaith i'r lle tân.

Figure 6. This photograph shows the main living area at Pen-lôn, Llanfihangel Ystrad as it was in 1969. The house was a longhouse with two rooms, and had a wickerwork fireplace hood.

Tai Cynhanesyddol

Man cychwyn hanes tai yng Nghymru yw'r cyfnod cynhanesyddol. Cyrhaeddodd yr anheddwyr cyntaf yma yn y cyfnod Palaeolithig rhwng tua 225,000 a 10,000 o flynyddoedd yn ôl pan oedd Prydain yn dal i fod yn rhan o dir mawr Ewrop a'r hinsawdd yma'n oerach o lawer. Helwyr-gasglwyr oedd yr anheddwyr cynnar ac am eu bod yn symud ar drywydd bwyd ac adnoddau materol byddent yn codi adeiladweithiau dros dro o goed a chrwyn i gysgodi ynddynt, neu'n byw mewn ogofâu. Mae gwaith cloddio archaeolegol yn Ogof Pontnewydd yn Sir Ddinbych wedi dod o hyd i ffosilau o Neanderthaliaid o ryw 250,000 CC ochr yn ochr ag offer o gerrig ac esgyrn anifeiliaid. Wedi i'r iâ rhewlifol olaf gilio rywbryd wedi 12,000 CC, ymledodd helwyr-gasglwyr Oes Ganol y Cerrig i'r tir sydd bellach o dan Fae Caerfyrddin a Bae Ceredigion. Er mai nodwedd fynych ar y cymunedau Mesolithig hynny yw darnau mân o fflint a gawsai eu trin, ambell waith yn unig y ceir

Prehistoric Houses

The story of housing in Wales begins in prehistory. The first settlers arrived in the Palaeolithic period between 225,000 and 10,000 years ago. At that time, Britain was still joined to mainland Europe and the climate was much colder. Early settlers lived as hunter-gatherers and moved around in pursuit of food and material resources, finding shelter either in temporary structures made from wood and hide, or in caves. Archaeological excavations at Pontnewydd cave in Denbighshire have uncovered fossils of Neanderthals of about 250,000 BC alongside stone tools and animal bones. Following the retreat of the last glacial ice after about 12,000 BC, Middle Stone Age or Mesolithic hunter-gatherers spread into land that is now beneath Carmarthen Bay and Cardigan Bay. Mesolithic communities are often marked by scatters of worked flint, but traces of their hunting encampments and shelters are only occasionally discovered, shown by stake holes or hearths.

Ffigur 7. Mae'r awyrlun hwn yn dangos cystal yw cyflwr bryngaer Tre'r Ceiri, caer a godwyd ar Benrhyn Llŷn yn yr Oes Haearn. Mae gweddillion y tai crwn, y pyrth a'r rhagfuriau o gerrig yn syndod o gyflawn ac yn gwbl amlwg hyd heddiw.

Figure 7. This aerial image shows the remarkably well-preserved Tre'r Ceiri Iron Age hillfort on the Llyn Peninsula. The astonishingly intact remains of stone-built round houses, gateways and ramparts are clearly visible today.

hyd i gasgliad o gytiau a chysgodfannau. Tyllau stanc neu aelwydydd sy'n dangos lle buont.

Yn y cyfnod Neolithig (4,500 CC - 2,500 CC) y ceir y dystiolaeth gyntaf o dai mwy parhaol. Wrth i lefel y môr godi fe sefydlwyd yr arfordir sydd gennym ni heddiw i bob pwrpas, ac yr oedd yr hinsawdd yn gynhesach ac yn fwy sefydlog. Pan ddaeth ymchwilwyr o'r Comisiwn Brenhinol o hyd i dŷ Neolithig prin mewn cyflwr anarferol o dda yn Llandygái ger Bangor, gwelwyd bod yr adeilad petryal hwnnw wedi'i godi o goed a bod iddo ystafell ganolog fawr ac aelwyd ar ei chanol. Yr oedd yn 6 metr o led ac yn 13 metr o hyd, a pharedau o goed yn ei rannu'n dair. Fe'i codwyd tua 3,700 CC.

The first evidence of more enduring houses appears in the Neolithic period (4,500 BC to 2,500 BC). Rising sea levels had established a coastline that is broadly recognisable today, and the climate was warmer and more settled. A rare and unusually well-preserved Neolithic house discovered by Royal Commission investigators at Llandegai near Bangor showed a rectangular, wooden building with a large central room and central hearth. The house, 6 metres wide and 13 metres long, was divided into three main areas by wooden partitions. It dates to around 3,700 BC and was probably occupied by an extended family who would have farmed in the local landscape. Such discoveries remain rare.

Ffigur 8. Ffrwyth arbrawf archaeolegol go drylwyr ei ymchwil yw'r tai crwn hyn o'r Oes Haearn yng Nghastell Henllys yn Sir Benfro. Fe'u hailgodwyd gan ddilyn patrwm gwreiddiol tyllau'r pyst a'r ffosydd wal a ddarganfuwyd wrth ymchwilio i'r safle'n archaeolegol, a defnyddiwyd defnyddiau a thechnegau adeiladu cynhanesyddol i'w codi.

Figure 8. These Iron Age round houses at Castell Henllys are the result of a studiously researched archaeological experiment. They were rebuilt following the original patterns of post-holes and wall trenches discovered during archaeological investigation of the site, and were constructed using prehistoric building materials and techniques.

Mae'n fwy na thebyg mai teulu estynedig a drigai yno a'u bod yn ffermio tir yn y cyffiniau. Prin, o hyd, yw darganfyddiadau o'r fath.

Tua diwedd y cyfnod Neolithig, sef tua 2,900 CC - 2,500 CC, gwelwyd math newydd o ddiwylliant materol. Prin iawn yw'r tai o'r cyfnod hwnnw a welir wrth gloddio. Yn Nhrelystan ym Mhowys yr oedd dau dŷ crwn yn bod erbyn 2,600 CC, a'r rheiny â waliau 4-5 metr o ddiamedr wedi'u codi o stanciau. Cawsai eu haelwydydd sgwâr eu codi drwy osod slabiau cerrig ar eu cant – ar eu hochr - yn y llawr. Tai digon tila oeddent hyd yn oed pan oeddent ar eu traed ac ni adawsant fawr ddim o'u hôl yn yr isbridd. Yn ystod yr Oes Efydd Gynnar (tua 2,500-1,400 CC) codwyd cannoedd o gofebion a charneddi o gerrig a choed, ond prin iawn yw olion cartrefi'r byw o'u cymharu â'r cofebion mynych i'r meirw.

Yn ystod yr Oes Haearn (tua 700 CC tan OC 43) y daeth cartrefi'r byw i dra-arglwyddiaethu ar y dirwedd. Ar ôl clirio'r tirweddau, codwyd bryngaerau trawiadol o bridd a cherrig i reoli ac amddiffyn y boblogaeth go niferus a drigai yn y cylch mewn ffermydd amddiffynedig bach a chasgliadau gwasgarog o dai crwn a phadogau. Mewn rhannau o Gymru, ac yn siroedd Penfro a Threfaldwyn yn arbennig, ceid yr un faint o ffermydd a chaerau bach yn yr Oes Haearn ag a geir o ffermydd heddiw: dyna ddangos cymaint fu'r twf rhyfeddol yn y boblogaeth. Gallai tai rhyfelwyr a ffermwyr yn yr Oes Haearn fod yn drawiadol eu golwg ac mae ailgodi tai crwn o'r Oes Haearn yng Nghastell Henllys yn Sir Benfro wedi rhoi cipolwg byw ar y cartrefi cynhanesyddol hynny. Yn ôl yr ymchwil, codwyd un o'r mwyaf ohonynt gan ddefnyddio deg ar hugain o brysgoed derw, deg a phedwar ugain o lwyni prysgoed cyll, dwy fil o fwndeli o gyrs a dwy filltir o raffau cywarch i greu ei brif drawstiau, ei byst, ei drawstiau cylch a'i waliau plethwaith. Cartrefi soffistigedig, hirhoedlog a chysurus oedd y rhain a gwahanol iawn i 'gytiau' Celtaidd garw dychymyg archaeolegwyr degawdau cynnar yr ugeinfed ganrif.

Cyfnod y Rhufeiniaid

Dechreuodd y Rhufeiniaid feddiannu Prydain yn OC 43, a rhwng OC 47 ac OC 74-8 lledodd cadfridogion a llywodraethwyr olynol eu lluoedd tua'r gorllewin i goncro'r wlad sydd heddiw'n Gymru. Sefydlwyd cadarnleoedd milwrol ym mhedwar ban Cymru, sef Caernarfon, Caer, Caerllion a Chaerfyrddin, a chrëwyd rhwydwaith trefnus o ffyrdd i gysylltu'r caerau a'r aneddiadau sifil rhyngddynt. Mae golwg gyfarwydd ar gartrefi Rhufeinig. Yn hytrach na lloriau mwd a thoeon gwellt yr Oes Haearn, symudasai Prydain i oes ffyrdd Môr y Canoldir o godi tai ac i gyfnod o drefi marchnad prysur, canolfannau gweinyddol, carthffosiaeth drefol a phreswylfeydd gwledig.

Mae blynyddoedd maith o gloddio ac ymchwilio ar safleoedd milwrol Rhufeinig fel Isca (Caerllion) a Segontium (Caernarfon) a threfi Rhufeinig fel Venta Silurum (Caer-went) wedi dysgu llawer i ni. Ar waliau plastr ystafelloedd gorau llu o dai Caer-went ceid paent, ac ar y lloriau mosaig ceid golygfeydd mytholegol neu

In the Late Neolithic, around 2,900 BC to 2,500 BC, a new style of material culture emerged. Very occasionally houses of this period are discovered during excavation. At Trelystan in Powys, two circular houses with stake-built walls 4 to 5 metres in diameter were in existence by 2,600 BC. They had square hearths made by setting stone slabs on their edges in the floor. These houses were flimsy even when they were standing, and they left virtually no archaeological trace in the subsoil. During the Early Bronze Age (about 2,500 to 1,400 BC), when hundreds of stone and timber burial monuments and cairns were constructed, the homes of the living are virtually invisible compared with the numerous monuments to the dead.

It was during the Iron Age (around 700 BC to AD 43) that the homes of the living came to dominate the landscape. Impressive hillforts, built of earth and stone, overlooked well-populated, cleared and managed landscapes of smaller defended farms and straggling settlements of round houses and paddocks. In parts of Wales, particularly Pembrokeshire and Montgomeryshire, the number of Iron Age farmsteads and small forts equalled that of present-day farms, showing an astonishing growth in the population. The houses of Iron Age warriors and farmers could be imposing. Reconstruction of Iron Age round houses at Castell Henllys in Pembrokeshire has given a vivid insight into these prehistoric homes. Research has demonstrated that the construction of one of the largest of these houses required thirty coppiced oak trees, ninety coppiced hazel bushes, two thousand bundles of reeds and two miles of hemp rope in order to erect its rafters, posts, ring-beams and wattle walls. Such round houses were sophisticated, durable and cosy homes and a far cry from the rough Celtic 'huts' imagined by archaeologists in the early decades of the twentieth century.

The Roman Period

The Roman occupation of Britain began in AD 43, and between AD 47 and AD 74-78 successive generals and governors spread the invasion force west to conquer the land that is now Wales. Formidable military fortresses were established at the four corners of Wales – Caernarfon, Chester, Caerleon and Carmarthen – with an organised network of roads linking forts and civilian settlements in between. Roman homes seem familiar: from the mud floors and thatched roofs of the Iron Age, Britain had moved into an age of Mediterranean building styles, bustling market towns, administrative centres, civic sewerage and country residences.

Many years of excavation and research at Roman military sites like Isca (Caerleon) and Segontium (Caernarfon), as well as at Roman towns like Venta Silurum (Caerwent), have taught us a great deal. Houses in Caerwent commonly had painted wall plaster adorning the best rooms, and mosaic floors depicting mythological scenes or geometric patterns. Hypocaust systems, where concrete

Ffigur 9. Mae'r adluniad hwn yn awgrymu sut olwg a allai fod wedi bod ar y fila Rufeinig yn Abermagwr yn y canolbarth yn y bedwaredd ganrif OC. Dangosodd y gwaith cloddio yn 2010 y byddai'r fila wedi bod yn gartref pur foethus, bod iddi do llechi addurnol a bod gwydr yn ei ffenestri.

Figure 9. This reconstruction drawing suggests what Abermagwr Roman villa in mid Wales might have looked like in the fourth century AD. Excavations in 2010 revealed that it would have been a well-appointed home, with a decorative slate roof and glazed windows.

batrymau geometrig. Daeth systemau hypocawst, sef lloriau o goncrid a theils a gynhelid ar golofnau a'u gwresogi gan ffwrnais allanol, â gwres canolog i Gymru 1,900 o flynyddoedd yn ôl. Yr oedd baddondai a gynhesid ac ystafelloedd â pheipiau dŵr yn gyffredin; y tu allan, gallai teuluoedd Rhufeinig ymlacio ar derasau neu mewn gerddi preifat. Yng nghefn gwlad hefyd, adeg y Rhufeiniaid, ceid filâu, sef preswylfeydd palasaidd ffermwyr cyfoethog neu swyddogion a milwyr a oedd wedi ymddeol. Mae gwaith cloddio, gan gynnwys y cloddio yn Llanilltud Fawr, wedi dangos bod tirweddau llewyrchus a ffrwythlon y de, o Benrhyn Gŵyr draw i Fro Morgannwg a Sir Fynwy, yn cynnwys sawl fila

and tile floors were raised on pillars heated from an external furnace, brought central heating to Wales 1,900 years ago. Heated bath suites and plumbed rooms were common; outside, Roman families could relax on terraces or in private gardens. The Roman countryside was also home to villas, the palatial residences of wealthy farmers or retired officials and soldiers. In the prosperous, fertile landscapes of south Wales, from Gower to the Vale of Glamorgan and Monmouthshire, several grand villas are known from excavation including that at Llantwit Major, with suites of rooms enclosing a large courtyard. Excavations in the 1930s and 1940s revealed the fine living enjoyed by the occupants. The villa

Ffigur 10. Mae'n debyg mai tua diwedd y drydedd ganrif y gosodwyd y llawr mosaig hwn yn y fila Rufeinig yn Llanilltud Fawr ym Morgannwg. Daeth i'r golwg adeg y gwaith cloddio archaeolegol yno ym 1971 ac mae'n rhoi rhyw syniad o ffyrdd braf preswylwyr y fila o fyw.

Figure 10. This mosaic floor at Llantwit Major Roman villa, Glamorgan, was probably laid in the late third century. It was uncovered during archaeological excavation carried out in 1971, and hints at the grand lifestyle enjoyed by the occupants of the villa.

foethus lle ceid cyfresi o ystafelloedd o amgylch cwrt mawr. Amlygodd gwaith cloddio yn y 1930au a'r 1940au fywydau bras eu trigolion. Codid y fila o galchfaen a thywodfaen lleol a defnyddid carreg Caerfaddon i greu'r manylion pensaernïol a thywodfaen Pennant i wneud slabiau'r to. Ceid gwydr yn rhai o'r ffenestri. Yn yr ystafelloedd byw, ceid lloriau addurnol o frics neu deils mâl wedi'u cymysgu â sment. Ym mhrif randai cyfres y gogledd ceid baddonau a gwresogi tanlawr. Mewn gair, byddai bywyd yn y filâu crand hynny'n eithaf tebyg i fywyd ym mhlastai'r canrifoedd diweddar.

Wedi i'r Rhufeiniaid gilio o Brydain yn OC 410 fe chwalodd y bywyd gwledig a threfol ynghyd â'r tai, yr adeiladau a'r adeiladweithiau a oedd mor hanfodol iddynt. Heb drefn weinyddol gymhleth, ni allai'r trigolion lleol atgyweirio hen adeiladau na chynnal systemau cyflenwi a draenio. Wrth i'r bywyd trefol soffistigedig ddod i ben, doedd dim angen cartrefi moethus yr hen bendefigion. Er gwaetha'u hystafelloedd bwyta a'u lloriau mosaig, trowyd llawer o filâu crand yn feudai neu'n weithdai, a bu crwydriaid neu ffermwyr yn gwersylla yn yr adfeilion cyn i'r broses o ddadfeilio ac o ddwyn cerrig oddi arnynt beri iddynt ddiflannu o'r tir am byth.

Y Tŷ Neuadd Canoloesol

Digon prin yw'n gwybodaeth am ffyrdd pobl o fyw yng Nghymru rhwng diwedd cyfnod y Rhufeiniaid a dyfodiad y Normaniaid. Yn sicr, bu'n gyfnod o newid mawr. Darfu am Ymerodraeth Rufain a datblygodd tywysogaethau Cristnogol y Cymry, ond poenus o brin

was constructed of local limestone and sandstone, with Bath stone used for architectural details and Pennant sandstone for roofing slabs. Some windows were glazed. Decorative flooring of crushed brick or tile mixed with cement was used in the living rooms. Bath suites and underfloor heating were found in the main apartments of the north range. In all, these great villas would compare favourably with life in the country houses of recent centuries.

After the Romans withdrew from Britain in AD 410 ways of rural and urban life collapsed along with the houses, buildings and structures so essential to their survival. Without a complex administrative system in place, it was impossible for local inhabitants to maintain running repairs on ageing buildings, or service systems for supply and drainage. Sophisticated urban life came to an end, while prosperous dwellings for the few were no longer required. Many grand villas ended their days with their dining rooms and mosaic floors re-used as cowsheds or workshops, with itinerants or farmers camping in the ruins before dereliction and stone robbing removed them from the landscape forever.

The Medieval Hallhouse

Little is currently known about the ways people lived in Wales between the end of the Roman occupation and the Norman invasion. It was certainly a time of dynamic change, which saw the end of the Roman empire and the rise of the Christian Welsh princedoms. Despite this, documentary evidence is frustratingly

Ffigur 11. Bu ynys artiffisial neu 'grannog' Llyn Syfaddan yn ne Cymru yn safle anheddiad pendefigaidd yn y nawfed ganrif. Awgryma'r dystiolaeth archaeolegol mai llys brenhinol oedd yma.

Figure 11. The artificial island or 'crannog' at Llan-gors lake in south Wales was the site of an elite ninth-century settlement, which archaeological evidence suggests is a royal *llys*.

yw'r dystiolaeth ddogfennol. Cymharol brin, hefyd, yw'r ymchwil archaeolegol sydd wedi'i gwneud i safleoedd domestig o'r Oesoedd Canol Cynnar. Ymwneud â bywyd yng nghartrefi'r cyfoethogion yn unig wna'r ychydig dystiolaeth sydd wedi goroesi. Mae'r ymchwil archaeolegol i ynys artiffisial neu 'grannog' ar Lyn Syfaddan yn Sir Frycheiniog wedi datgelu tystiolaeth ryfeddol am gartrefi uchelwyr yn y nawfed ganrif. Ymhlith yr eitemau y cafwyd hyd iddynt mae defnydd cain - a chywrain ei addurniadau - o sidan a lliain, tlysau o fetel, cribau o asgwrn a hyd yn oed ddarnau o greirfa fach gludadwy. Oherwydd ansawdd y darganfyddiadau hynny, mae'n amlwg mai safle llys oedd yno ac i'r llys hwnnw berthyn, yn fwy na thebyg, i'r rhai a deyrnasai ar Frycheiniog.[2]

Tua diwedd y ddeuddegfed ganrif, awgrymodd Gerallt Gymro fod y mwyafrif o werin Cymru, yn fuan ar ôl y Goresgyniad Normanaidd, yn 'plethu bythynnod gwiail' a oedd 'yn ddigon i fod o wasanaeth am flwyddyn'. Awgrymodd Gerallt hefyd mai arfer y Cymry, yn wahanol i'r Ffrancwyr a'r Saeson ar y pryd, 'ydyw nid codi fry blasau mawrion nac adeiladau costfawr a gorwych o gerrig a phriddgalch'. Dydy'r honiad hwnnw ddim yn gwbl wir: pan ddefnyddiai'r Eingl-Normaniaid helaethrwydd o gerrig, defnydd adeiladu ymerodrol oedd hwnnw ac arwydd pendant o'u pŵer i hawlio adnoddau ac o'u penderfyniad di-ildio i dra-arglwyddiaethu ar bobl Cymru. Yn ddiweddarach yn y ddeuddegfed ganrif a'r drydedd ar ddeg, aeth tywysogion Cymru ati, fel y gwnaeth tywysogion ar gyfandir Ewrop, i godi llu o gestyll ac eglwysi o gerrig yn ogystal â nifer fawr o neuaddau sylweddol o goed. Tra-arglwyddiaethodd yr adeiladau hynny ar y dirwedd adeiledig mewn ffordd go arbennig.

Erbyn dechrau'r bymthegfed ganrif gwelwyd y newid rhyfeddol bod pobl Cymru wedi penderfynu'n derfynol i symud o fyw mewn aneddiadau dros dro neu led-barhaol i gartrefi parhaol. Mae llawer o'r tai cadarn hynny, a elwir yn dai neuadd, wedi goroesi hyd heddiw ac yn rhoi cipolwg gwych i ni ar gartrefi a bywydau domestig eu preswylwyr.[3]

Fel rheol, codid tai neuadd o goed drwy greu nenffyrch, sef sawl pâr o foncyffion coed a godai'n syth o'r llawr ac yna droi i gwrdd â'i gilydd ar y brig. Nid adeiladwaith cyntefig mo'r 'cwpwl' ond dynwarediad mewn coed o fwâu pengrwn adeiladau cerrig yr oes. Mae dyddio blwyddgylchau'r coed wedi dangos bellach fod y mabwysiadu eang yng Nghymru ar y tŷ neuadd o goed yn dyddio o'r bymthegfed ganrif. Awgryma'r dystiolaeth ddogfennol o'r cyfnod y gall fod tai sylweddol wedi'u codi cyn hynny a bod cynllun gwahanol iddynt, ond mae'n debyg i bobl ymwrthod â'r rheiny a bod y tŷ nenfforch o dair uned wedi'u codi yn eu lle.

Yr oedd patrwm pendant i gynllun ac adeiladwaith y tŷ neuadd. Fel rheol, ceid tair ystafell ynddo: neuadd a oedd yn agored hyd y to, ac ystafelloedd mewnol ac allanol ar fwy nag un llawr. Yn ystod y blynyddoedd diwethaf mae cloddio archaeolegol ac arolygu pensaernïol wedi rhoi gwedd gliriach ar gynllun y tŷ neuadd canoloesol. Yn aml, byddai'r ystafell allanol yn feudy neu, efallai, yn stabl. Ym mhen isa'r neuadd y byddai'r mynedfeydd i'r tŷ. Yn y pen

scarce, and comparatively little archaeological research has been carried out at early medieval domestic sites. What little evidence does survive tells us only about the domestic lifestyles of the wealthy. Archaeological investigation of an artificial island or crannog at Llan-gors lake in Breconshire has recovered remarkable evidence of elite ninth-century homes: artefacts found include a fine, elegantly decorated textile of silk and linen, metalwork brooches, bone combs, and even fragments of a small, portable reliquary. The high quality of these finds has identified the site as a royal *llys* or court, probably belonging to the rulers of the kingdom of *Brycheiniog*.[2]

In the late twelfth century, Gerald of Wales implied that shortly after the Norman Conquest most ordinary people in Wales were living in small, simple shelters made from woven branches that were renewed every year. Gerald also suggested that, unlike the French and the English at this time, the Welsh did 'not build vast and towering structures of stone and cement'. This assertion was not strictly true: stone when used in quantity by the Anglo-Normans was an imperial building material, a tangible demonstration of their power to command resources and their will to dominate the people of Wales. Later in the twelfth and thirteenth centuries, the Welsh princes, like their counterparts in continental Europe, also became great builders of stone castles and churches as well as numerous and substantial timber halls. These buildings came to dominate the built landscape in an extraordinary way.

By the start of the fifteenth century a remarkable change had occurred: the people of Wales made a decisive move from living in temporary or semi-permanent dwellings to permanent houses. Many of these durable houses – known as hallhouses – have survived to the present, allowing great insight into the homes and domestic lives of their occupants.[3]

Hallhouses were generally timber built using a 'cruck-frame': several paired timbers that reach 'bower-like' from the floor to the apex of the roof. The 'cruck-truss' was not a primitive form of construction but an imitation in timber of the gothic pointed arch found in contemporary stone buildings. Tree-ring dating has now established that the widespread adoption in Wales of the timber-built hallhouse dates from the fifteenth century. Documentary evidence from this period suggests that there may also have been earlier substantial houses built to a different plan, but they seem to have been rejected in favour of the three-unit cruck-framed home.

The plan and construction of the hallhouse were distinctive. The house typically comprised three rooms: a central hall open to the roof, set between storeyed inner and outer rooms. In recent years, archaeological excavation combined with architectural survey has clarified the planning of the medieval hallhouse. The outer room was often a cowhouse, or perhaps a stable. The entrances into the dwelling were at the lower end of the hall. At the upper end of the hall, beyond the fire, were the owner's bench and table. The hall was open to the roof and heavily bayed, providing an opportunity for the decorative display that is one of the distinctive features of

Ffigur 12. Tŷ hir â nenffyrch oedd Tyddyn Llwydion ger Pennant Melangell. Drwy ddyddio blwyddgylchau'r coed a ddefnyddiwyd wrth godi'r tŷ, gwelwyd mai ym 1533 y cwympwyd y coed hynny. Mae'r torlun hwn yn dangos y parau o nenffyrch yn codi o'r llawr hyd at apig y to.

Figure 12. Tyddyn-Llwydion near Pennant Melangell was a longhouse with a cruck-frame. Tree-ring dating of timbers used in the construction of the house show that it was built using wood that was felled in 1533. This cutaway drawing shows the paired cruck-truss timbers reaching from the floor to the apex of the roof.

uchaf, y tu hwnt i'r tân, byddai mainc a bwrdd y perchennog. Gan fod y neuadd yn agored hyd y to a bod iddi gilfachau lu, ceid cyfle ynddi i arddangos addurniadau – un o nodweddion arbennig tai Cymru yn yr Oesoedd Canol. Gosodid y tân ar y llawr yng nghanol y neuadd fwy neu lai, ac yn aml bydd olion yr huddygl o'r tân agored i'w gweld o hyd ar y coed sydd wedi goroesi o'r toeon. Ym mhen draw'r neuadd byddai pared a thu hwnt i hwnnw ceid siambr fwy preifat neu ystafell-wely-a-pharlwr y gall y perchennog fod wedi ymneilltuo iddi.

Pwynt pwysig yw bod rheolau ynghylch cynllunio tŷ neuadd â nenffyrch. Yr oedd y bensaernïaeth a'r defnydd o ofod yn adlewyrchu ac yn hyrwyddo patrwm cymdeithasol gwaelodol bywyd yn yr Oesoedd Canol. Trefn hierarchaidd oedd i'r neuadd, sef o'r pen isaf i'r pen uchaf: nid yn unig yr oedd y pen uchaf yn uwch yn gymdeithasol ond hefyd yn llythrennol. Canolbwynt y neuadd oedd mainc y perchennog, ac yn aml câi'r fainc honno ei chyfuno â phared postyn-a-phanel cain o dderw a oedd yn gefn i'r fainc, ac weithiau ceid canopi o anrhydedd uwchben y fainc. O flaen

the Welsh medieval house. The fire was set on the floor, more or less in the centre of the hall, and soot encrustation from the open fire is often still visible on surviving roof timbers. A partition would have marked the end of the hall, beyond which there was a more private chamber or parlour bedroom where the owner may have retired.

Importantly, planning of the cruck-framed hallhouse was governed by social rules. The architecture and use of space reflected and perpetuated the social structures underpinning medieval life. The hall was hierarchically arranged from the low to the high end: the upper end was not only socially superior, but often physically higher than the lower end. The focus of the hall was the owner's bench, which was often integrated into a fine oak post-and-panel partition that served as a bench-back, and was sometimes dignified by a canopy of honour. In front of the bench was a table: a board set on trestles that could be dismantled if necessary. Very few medieval tables and benches have survived but the literary, and especially poetic, evidence shows that the table would have been covered with a white cloth at meals, and that formal service was the order of the

Ffigur 13. Codwyd Tŷ-mawr, Wybrnant, rhwng diwedd yr unfed ganrif ar bymtheg a dechrau'r ganrif ddilynol. Dyma fan geni'r Esgob Morgan, y gŵr a luniodd y cyfieithiad cyflawn cyntaf o'r Beibl i'r Gymraeg ym 1588. Cafodd y tŷ ei adfer a'i addasu ym 1888 ac eto rhwng 1987 a 1988 i goffáu'r gamp. Mae'r llun hwn yn llun llonydd o un o animeiddiadau adlunio 3D y Comisiwn Brenhinol sy'n dangos sut olwg a allai fod wedi bod ar y prif fan byw yn y tŷ.

Figure 13. Ty-mawr at Wybernant was built between the late sixteenth and early seventeenth centuries. It was the birthplace of Bishop Morgan, who produced the first complete translation of the Bible into Welsh in 1588. The house was restored and modified in 1888 and again between 1987 and 1988 to commemorate this event. This image is a still taken from one of the Royal Commission's 3D reconstruction animations showing what the main living area of the house may have looked like.

y fainc ceid bwrdd – un ar drestlau ac un y gellid ei datgymalu petai angen. Er mai prin yw'r byrddau a'r meinciau sydd wedi goroesi o'r Oesoedd Canol, mae'r dystiolaeth lenyddol, a'r dystiolaeth farddonol yn arbennig, yn dangos y gosodid lliain gwyn dros y bwrdd adeg prydau bwyd, ac y byddai gweision a morynion yno'n gweini. Yn ei hanfod, man i giniawa'n ffurfiol ynddo oedd y neuadd a byddai'n mynegi ac yn cadarnhau statws y perchennog: dilynai cinio drefn ofalus a gynhelid ar lwyfan pwrpasol. Prin fu'r amrywio ar gynllun tair-ystafell y tŷ neuadd ar hyd a lled Cymru a dyna, yn y man, fyddai cynllun tai pob dosbarth, yn wrêng a bonedd.

Awgryma'r dystiolaeth ddogfennol mai prin fyddai'r celfi unigol yn y neuadd. Yr eitemau cwbl hanfodol oedd bwrdd a mainc y perchennog, a thân ac arno grochan a gobedau. Bydd y dystiolaeth lenyddol weithiau'n cyfeirio at y cypyrddau a geid ymhlith celfi'r tŷ canoloesol. Nid cypyrddau yn yr ystyr fodern yn unig mohonynt, ond rhai â drysau a dreiriau i gadw ystenau, jygiau a thrugareddau eraill y bwrdd uchaf ynddynt, ond ar eu pen yr oedd bwrdd neu astell i arddangos llestri. Mae cypyrddau a oedd yn gysylltiedig â neuaddau Gwydir yn y de a Rhaglan yn y gogledd wedi goroesi ac mae eu canopïau'n dangos eu pwysigrwydd fel arwydd o 'ystâd'. Y tu blaen i gwpwrdd sydd â'r cerfio mwyaf cywrain arno yw'r hyn a gamenwyd yn 'Cotehele tester': erbyn hyn mae dendrocronoleg wedi dangos ei fod yn dyddio o ail chwarter yr unfed ganrif ar bymtheg.[4]

Mae'r cypyrddau hynny'n amlygu'r ymhyfrydu yng ngwaith y cerfiwr. Gwelir enwi crefftwyr â'r enw galwedigaethol 'cerfiwr/kerver' mewn dogfennau o lawer rhan o Gymru o ganol yr unfed ganrif ar bymtheg ymlaen. Wnaeth crefft y cerfiwr ddim goroesi rhyw lawer y tu hwnt i'r Diwygiad Protestannaidd oherwydd i'r broses o harddu eglwysi ddod i ben ac i oes y tŷ neuadd ddod i ben yn sgil newidiadau yn y diwylliant tai.[5]

Tai Deulawr Newydd

Erbyn canol yr unfed ganrif ar bymtheg, dechreuodd mathau newydd o dai ymddangos, rhai ag ystafelloedd ar fwy nag un lefel. Tai fertigol eu cynllun, yn hytrach na rhai llorweddol, oeddent ac yn aml fe'u codid o gerrig yn hytrach na choed. Yr oedd ganddynt leoedd tân 'amgaeedig' o'r math sy'n gyfarwydd heddiw, a simnai o gerrig a ffliw. Chwyldrodd y lle tân canolog y defnyddio ar ofod domestig am fod tu mewn y tŷ'n llai myglyd a bod rhaniad naturiol rhwng y gofodau y gwneid defnydd gwahanol ohonynt. Yr oedd cynlluniau'r tai deulawr neu drillawr newydd hefyd yn creu perthynas newydd rhwng y lle tân a'r fynedfa.

Er bod elfennau o'r tŷ newydd yn hysbys cynt am fod croes-adenydd deulawr neu drillawr a lleoedd tân ynddynt i'w cael yn rhai o'r tai neuadd mwyaf crand, mae'n bosibl mai gweithgarwch y ffermwyr cyffredin, wrth iddynt fabwysiadu patrwm y tŷ neuadd a'i nenffyrch ac efelychu neuaddau'r uchelwyr, a ysgogodd y cyfoethogion i greu ffyrdd newydd o godi eu cartrefi. Fe ailgrewyd y pellter cymdeithasol rhwng y werin a'u pendefigion drwy godi tai deulawr am fod y rheiny'n ddrutach.

day. The hall was essentially an arena for formal dining, which expressed and maintained the status of the owner: dining was a carefully scripted performance enacted on the purpose-built stage. The three-room plan of the hallhouse varied little across Wales and eventually became the norm for all classes, gentry and peasant alike.

Documentary evidence suggests that the hall would not have had much free-standing furniture. The absolutely necessary items were the table and bench of the owner, and the fire equipped with cooking pot and firedogs. The literary evidence sometimes refers to cupboards among the furniture of the medieval house. These were not simply cupboards in the modern sense with doors and drawers for storing the ewers, jugs and other accoutrements of the high table, but also had a board or top on which plate was displayed. Cupboards associated with the halls at Gwydir in north Wales and Raglan in south Wales have survived and the boards in these examples have canopies, showing their importance as a mark of 'estate'. The most elaborately carved cupboard front is the misleadingly named Cotehele 'tester', now shown by dendrochronology to date from the second quarter of the sixteenth century.[4]

These cupboards show the delight taken in the work of the carver. Craftsmen with the occupational name 'kerver' occur in mid-sixteenth-century documentation from many parts of Wales. The craft of the carver, by and large, did not survive much beyond the Reformation, as the beautification of churches stopped and the hallhouse became obsolete with changes in housing culture.[5]

New Storeyed Houses

By the mid-sixteenth century, new types of houses began to appear. As their name suggests, 'storeyed' houses were built with rooms on more than one level. They were vertical rather than horizontal in design, and were often built of stone rather than timber. They had 'enclosed' fireplaces of the type familiar today, with a stone-built chimney and a flue. The central fireplace also revolutionised the use of domestic space, providing a better ventilated, less smoky interior and creating a natural partition between spaces with different uses. The plans of new storeyed houses also related the fireplace to the entrance in new ways.

The elements of the new house were previously known, since storeyed cross-wings with fireplaces were found in some of the grander hallhouses. However, the widespread adoption of the cruck-framed hallhouse by ordinary farmers, in imitation of gentry halls, may have prompted the wealthy to create new ways of building their homes. The social distance between ordinary people and their elites was recreated through more expensive storeyed houses.

Dating by inscription suggests that storeyed houses were essentially Elizabethan, belonging mostly to the second half of the sixteenth century. However, tree-ring dating now shows that some were built earlier. Examples include Old Impton in Radnorshire, which was built between 1542 and 1543, and Great Cefn y beren

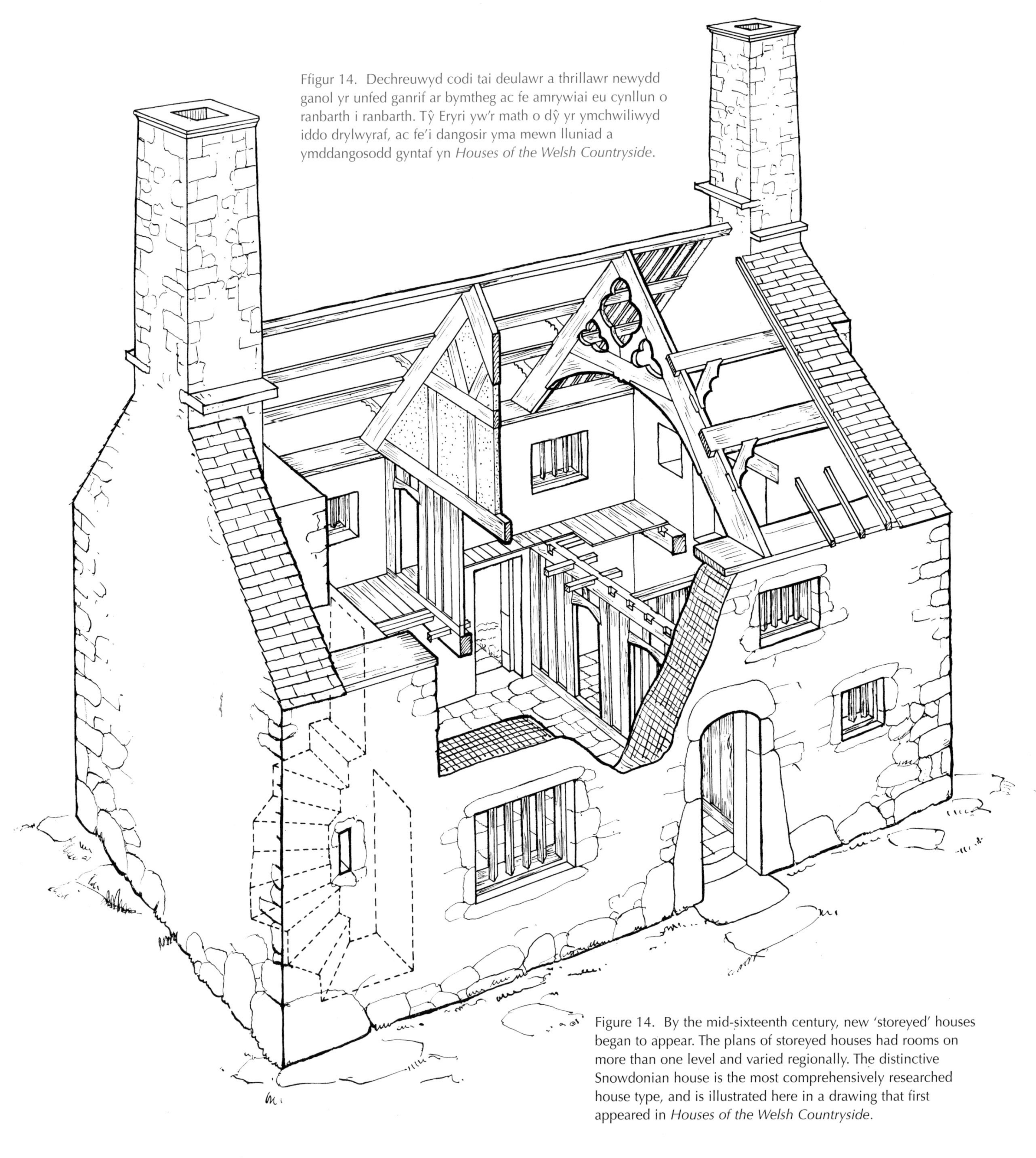

Ffigur 14. Dechreuwyd codi tai deulawr a thrillawr newydd ganol yr unfed ganrif ar bymtheg ac fe amrywiai eu cynllun o ranbarth i ranbarth. Tŷ Eryri yw'r math o dŷ yr ymchwiliwyd iddo drylwyraf, ac fe'i dangosir yma mewn lluniad a ymddangosodd gyntaf yn *Houses of the Welsh Countryside*.

Figure 14. By the mid-sixteenth century, new 'storeyed' houses began to appear. The plans of storeyed houses had rooms on more than one level and varied regionally. The distinctive Snowdonian house is the most comprehensively researched house type, and is illustrated here in a drawing that first appeared in *Houses of the Welsh Countryside*.

O astudio'r arysgrifau arnynt, yr awgrym yw bod tai deulawr yn rhai Elisabethaidd yn eu hanfod ac yn perthyn gan mwyaf i ail hanner yr unfed ganrif ar bymtheg, ond mae dyddio blwyddgylchau'n dangos bellach i rai ohonynt gael eu codi ynghynt. Ymhlith yr enghreifftiau mae Old Impton yn Sir Faesyfed, a godwyd rhwng 1542 a 1543, a Great Cefnyberen yn Sir Drefaldwyn, a godwyd rhwng 1545 a 1566. Tai â 'mynedfa-gyntedd' yw'r ddau ohonynt am fod cyntedd y fynedfa wrth ochr y lle tân.

Yn wahanol i'r tŷ neuadd unffurf ei gynllun a geid ledled Cymru o Fôn i Fynwy, amrywiai'r tai deulawr neu drillawr newydd o ranbarth i ranbarth. Dogfennwyd y mathau arbennig hynny o dai brodorol gan y Comisiwn Brenhinol yn llyfr Peter Smith *Houses of the Welsh Countryside* (1975).

Erbyn hyn, y math rhanbarthol o dŷ yr ymchwiliwyd drylwyraf iddo yw tŷ Eryri. Ailwampiwyd cynllun y tŷ neuadd i greu'r tŷ hwnnw. Cadwyd ystafell allanol, cyntedd a neuadd y tŷ neuadd ond codwyd yr ystafell fewnol i'r llawr cyntaf, ei throi'n brif siambr fawr a gosod lle tân ynddi. Dywed yr enghraifft gyntaf sydd ag ysgrif arni, Uwchlaw'r-coed yn Ardudwy, i'r tŷ gael ei godi ym 1585. Erbyn hyn, mae dyddio blwyddgylchau wedi dangos bod tai Eryri o'r math clasurol a berthynai i uchelwyr eisoes yn bur niferus erbyn canol yr unfed ganrif ar bymtheg.[6]

Yn y tai deulawr newydd, y lle tân, yn hytrach na'r llwyfan, oedd canolbwynt y brif ystafell. Yr oedd hynny'n arbennig o wir am dŷ Eryri lle'r oedd y lle tân yn wynebu'r rhai a ddeuai i mewn i'r neuadd. O ran ei chynllun, ac yn enwedig yn y tai mwyaf, collodd y neuadd rai o'i swyddogaethau i'r siambr fawr a'r parlwr. Yn draddodiadol, ceid y parlwr ym mhen uchaf y neuadd y tu hwnt i esgynlawr, ond yn y tŷ deulawr newydd fe'i gosodid yn aml ochr yn ochr â'r fynedfa. Wrth i'r parlwr fagu pwysigrwydd fe ddatblygodd yn raddol yn siambr o radd uwch a chael ei wresogi. Daeth croes-aden y parlwr yn agwedd gyfarwydd ar y cynllun wrth i'r parlwr ymwthio'n amlwg wrth y fynedfa, a byddai'r driniaeth allanol arni weithiau'n eithaf helaeth.

Yr esboniad a gynigiwyd yn aml ynghylch datblygiad y parlwr oedd ei fod yn ymateb i'r angen cynyddol am 'breifatrwydd'.[7] Rhaid pwysleisio nad preifatrwydd yn yr ystyr o gael eich ystafell eich hun oedd hynny: datblygiad diweddarach oedd hwnnw. Preifatrwydd ydoedd yn yr ystyr o gilio er mwyn cadw pellter cymdeithasol. Yn y parlwr byddai perchennog y tŷ ar wahân i'r gweision a'r morynion, a dyna lle byddai'n cyfarfod â phobl o'r un safle cymdeithasol ac yn eu difyrru. Cynhwysai addurniadau'r parlwr, felly, elfen amlwg o arddangos a cheid ffasiwn hefyd i godi nenfwd addurnol o blastr ynddo.

Yn aml, ceid addurno helaeth ar goed mewnol y tŷ deulawr newydd. Canolbwyntiwyd ar addurno'r lle tân a'r nenfwd: nodweddir yr addurno ar y coed gan siamfferi dwfn a stopiau cywrain. Cafodd rhai o drawstiau'r lleoedd tân cynharaf a bogeiliau'r nenfydau eu cerfio'n gywrain gan y rhai a weithiai yn y traddodiad cerfio tua diwedd yr Oesoedd Canol. Yn Coldbrook ger Rhaglan mae gwaith coed trawiadol o ganol yr unfed ganrif ar bymtheg wedi goroesi

in Montgomeryshire, built between 1545 and 1566. Both of these are known as houses of the 'lobby-entry' type, because of the entrance lobby at the side of the fireplace.

Unlike the hallhouse, which had a uniform plan known across Wales from Anglesey in the north to Gwent in the south, new storeyed houses varied from region to region. These distinctive vernacular house types were documented by the Royal Commission in Peter Smith's book *Houses of the Welsh Countryside* (1975).

The characteristic Snowdonian house is now the most thoroughly researched regional house type. The Snowdonian house recast the hallhouse plan. It preserved the outer room, passage and hall of the hallhouse, but the inner room was transferred to the first floor and reinvented as a spacious, heated principal chamber. The first example dated by inscription is Uwchlaw'r-coed in Ardudwy, which the inscription proclaims was constructed in 1585. Tree-ring dating has now shown that Snowdonian houses of the classic type and gentry status were already quite numerous in the mid-sixteenth century.[6]

In the new storeyed houses the fireplace rather than the dais was the focus of the principal room. This was especially true of the Snowdonian house, where the fireplace faced those who entered the hall. In terms of planning, especially in the greater houses, the hall lost some of its functions to the great chamber and parlour. Traditionally, the parlour had been located at the upper end of the hall beyond a dais, but in the new storeyed house it was often placed alongside the entry instead. As the importance of the parlour grew, it gradually developed into a superior heated chamber. The parlour cross-wing became a familiar aspect of planning, with the parlour projecting prominently at the entry and sometimes lavishly treated externally.

The development of the parlour has often been explained as a response to an increasing need for 'privacy'.[7] It has to be emphasised that this was not privacy in the sense of seclusion in a room of one's own, which came later. It was privacy in the sense of a retreat designed to maintain social distance. The parlour was the place where the householder was at one remove from the servants and where one met and entertained social equals. There was therefore a marked element of display in the furnishings of the parlour, and decorative plaster ceilings were very much in vogue.

The new storeyed house often had lavish timber detail internally. The fireplace and ceiling became a focus for decoration: deep chamfers and elaborate stops are characteristic of the timber embellishment. Some of the earliest fireplace beams and ceiling bosses were splendidly carved by those working in the late medieval carving tradition. At Coldbrook near Raglan, impressive mid-sixteenth-century timberwork survives to the present day. Later examples were simply stop-chamfered, but the fireplace beam remained a huge baulk of finely-dressed timber. Partitions in new storeyed houses are often of post-and-panel type, sometimes replacing simpler framed partitions.

As storeyed houses became more widespread, society became increasingly focused on the home. The reputation of a house did

hyd heddiw. Yn ddiweddarach, ceid enghreifftiau stop-siamffrog yn unig, ond daliodd trawst y lle tân i fod yn ddarn enfawr o bren derw a gawsai ei drin yn gelfydd. Yn aml, paredau o fath postyn-a-phanel yw'r rhai yn y tai deulawr newydd, ac weithiau byddent wedi'u gosod yn lle paredau fframiog symlach.

Wrth i fwy a mwy o dai deulawr a thrillawr gael eu codi, hoeliodd cymdeithas ei sylw fwyfwy ar y cartref. Ni ddibynnai bri tŷ gymaint ar ei letygarwch, er bod hynny'n dal i fod yn bwysig, ag ar ansawdd y celfi ynddo. Yn yr Oesoedd Canol, cyfeirid yn aml at dŷ wrth enw ei berchennog (neuadd hwn-a-hwn) ond yn y cyfnod modern cynnar dechreuwyd rhoi enwau parhaol ar dai heb i'r rheiny gyfeirio at eu perchnogion. Gallai tŷ ychwanegu at fri'r teulu a drigai yno, yn hytrach nag fel arall. Gwelwyd awydd tebyg i ddodrefnu tŷ yn unol â'i urddas a swyddogaethau ei gwahanol ystafelloedd.

Ceir manylion y celfi mewn rhestri mwyfwy hirfaith. Mae ewyllysiau'n dangos na chredid bod modd gwahanu'r celfi priodol oddi wrth briod statws y tŷ. Fel rheol, y celfi gorau oedd bwrdd y neuadd, cwpwrdd a gwely, ond fe allent gynnwys sosbenni mawr a chistiau. Mae'n amlwg mai'r disgwyl oedd i'r rhai a etifeddai dŷ gael y celfi gorau hefyd, ac yn aml byddai ewyllys perchennog y tŷ yn manylu arnynt rhag bod unrhyw amwysedd: ym 1632, gadawodd Richard Harry o Lantriddyd ym Morgannwg y 'cubbard, bedsteed, table bourd [with] benches and stools as they nowe stand in my hall' i'w fab. Yn siroedd Morgannwg a Mynwy cyfeirid yn fynych at y celfi gorau fel 'principals' a'r arfer oedd i etifedd y tŷ gael tri 'principal' penodedig.

Meddyliwyd mwyfwy am dai fel mannau a ddylai fod yn gartref parhaol i'r celfi. O 1604 y daw'r enghraifft gynharaf sy'n hysbys: gadawodd Lleucu Williams fwrdd a mainc neuadd ei thŷ yn Llanfihangel-y-fedw i'w brawd ar yr amod ei fod yn eu gadael i'w etifeddion ar ôl iddo farw. Yn yr un modd, gadawodd William Powell o'r As Fach i'w fab ei 'pressecobbart' gorau, bwrdd ei ford, ei gist gorau, ei wely gorau a'r fatres yn ogystal â'r crochan mwyaf a'r badell ail fwyaf. Petai'r mab yn marw cyn cyrraedd ei un ar hugain, nododd ewyllys William Powell y byddai'r 'principall thinges' hynny'n aros yn y tŷ ar gyfer yr etifedd nesaf. Dymuniad rhai ewyllyswyr oedd i eitemau sylweddol aros yn y tŷ lle'r oeddent wedi bod 'erioed'. Cyfarwyddyd ewyllys Maurice Anwyl o Gae Dafydd yn Nanmor ger Beddgelert oedd y dylai detholiad o eitemau defnyddiol aros yn y plasty yn 'nwyddau disymud'. Yn eu plith, yr oedd y cwpwrdd a'r bwrdd hir yn y gegin yn ogystal â dau wely wensgot, cadair freichiau ac (yn annisgwyl braidd) dau far mawr o haearn.[8] Mae'n amlwg, felly, y credid bod rhai o'r celfi'n rhan annatod o'r tŷ.

Ffigur 15 (de). Codwyd grisiau crand Tŷ Newton, Llandeilo, yng nghefn y plasty yn yr ail ganrif ar bymtheg ac fe'u defnyddiwyd i greu oriel i baentiadau. Mae'n debyg iddynt gael eu gosod yma pan godwyd y plasty gyntaf.

not depend so much on its hospitality, though this was still significant, but on the quality of its furnishings. Whereas medieval houses were often referred to as a hall belonging to its named owner (*Neuadd* So-and-so), in the early modern period houses became known by permanent names that did not refer to ownership. A house might add lustre to the family who lived there rather than vice versa. There was a corresponding concern to have furniture appropriate to the dignity of a house and the function of its different rooms.

Ever lengthening inventories provide details of furnishing. Bequests show that the appropriate furniture was considered inseparable from the proper status of a house. The best pieces of furniture were usually the hall table, a cupboard and a bed, but they might include great pans and chests. There was clearly an expectation that those who inherited a house should also have the best furniture, and this was often set out in detail in the homeowner's will to avoid any ambiguity. In 1632, Richard Harry of Llantrithyd in Glamorgan bequeathed to his son the 'cubbard, bedsteed, table bourd [with] benches and stools as they nowe stand in my hall'. In Glamorgan and Monmouthshire the best items of furniture were frequently referred to as 'principals' and it was customary for the heir to the house to receive three named principals.

Increasingly, houses were also thought of as places where the furniture should rest permanently. The earliest known example dates back to 1604, when Lleucu Williams left her brother the table and form that stood in the hall of her house in Michaelston-y-fedw 'on condition that he will leve them unto his heirs after his death'. Similarly, William Powell of Nash left his son his best 'pressecobbart', table board, best chest, best bedstead and mattress as well as the biggest crock and second biggest pan. If the son was to die before reaching twenty-one, William Powell's will was that these 'principall thinges' would remain in the house for the next heir. Some testators wished that substantial items should remain in a house where they had 'always' been. Maurice Anwyl of Cae Dafydd in Nantmor near Beddgelert instructed in his will that an assortment of useful items should remain in the mansion house as 'goods immoveable'. They included the cupboard and long table in the kitchen as well as two wainscot beds, an old elbow chair, and (rather unexpectedly) two large iron bars.[8] It is clear from this that some furniture was regarded as an integral part of the house.

The Centrally-Planned House

A further revolution in house design occurred in the seventeenth century and led to the development of a house plan that is still being used today. Instead of a plan based on a series of

Figure 15 (right). At Newton House in Llandeilo the grand staircase was accommodated in a rear bay, and was used as a gallery for paintings. The staircase dates to the seventeenth century, and was probably fitted when the house was first built.

Ffigur 16. Fila a gynlluniwyd gan John Nash yn yr ail ganrif ar bymtheg yw Llanerchaeron ger Aberaeron. Mae aden wasanaethu'r tŷ, sydd ar y dde yn y llun hwn, wedi'i chuddio o olwg y teulu a'i gwesteion wrth iddynt ddod i'r adeilad drwy'r drws ffrynt.

Figure 16. Llanerchaeron in west Wales is a seventeenth-century villa designed by John Nash. The service wing of the house is to the right of this photograph, concealed from the family and their guests who entered the building using the front door.

Y Tŷ Canolog ei Gynllun

Yn yr ail ganrif ar bymtheg gwelwyd chwyldro pellach ym maes cynllunio tai, ac arweiniodd hynny at ddatblygu cynllun sy'n dal i gael ei ddefnyddio heddiw. Yn hytrach na bod â chynllun a seilid ar gyfres o ystafelloedd cydgysylltiol, mae'r tŷ sy'n ganolog ei gynllun wedi'i seilio ar fod â grisiau canolog i gysylltu'r ystafelloedd ac felly'n fodd i gyrraedd pob un o'r ystafelloedd eraill. Pan briodwyd y nodwedd honno ar gynllunio â thu blaen cymesur y cartref, dyna greu prif nodweddion y tŷ modern.

interconnecting rooms, the centrally-planned house is based on the connectedness of rooms to a central staircase from which all other rooms of the house can be reached. When this feature of planning was married to the symmetrical elevation of the home, the defining features of the modern house had arrived.

In the centrally-planned house the historic 'hall' became a hallway or a stair hall, which was a mere anteroom to a suite of principal living areas that had assimilated some of the functions of the hall, such as dining rooms and drawing rooms. The staircase was generally placed at the entrance of the house and made an

Yn y tŷ sy'n ganolog ei gynllun, trodd y 'neuadd' hanesyddol yn gyntedd neu'n neuadd risiau nad oedd ond yn ffordd o gyrraedd y prif fannau byw, fel yr ystafell giniawa a'r parlwr, a oedd bellach yn cyflawni rhai o hen swyddogaethau'r neuadd. Fel rheol, gosodid y grisiau wrth y fynedfa ac fe wnâi argraff yn syth ar y rhai a ddeuai i'r tŷ. Canlyniad hynny oedd i'r grisiau ddatblygu'n brif nodwedd bensaernïol y cartref. Yr oedd yn fframwaith defnyddiol ac addurnol, yn rhan o'r tŷ yn ogystal â bod yn un o'r ffitiadau, yn lle i osod celfi ynddo ac yn gelficyn ynddo'i hun. Yn y tai deulawr cyntaf, nid oedd y grisiau ond yn ysgol neu'n gyfres ddigon disylw o risiau a godai heibio i'r lle tân. Yn y cyfnod modern cynnar, datblygodd cynllunio a chodi'r grisiau fframiog yn gamp gelfyddydol ac yn elfen lywodraethol. Weithiau, cymerai'r grisiau ofod ystafell fawr neu fe lenwent aden neu dŵr.

Câi'r grisiau cynnar eu trin fel darnau mawr o gelfi celfydd a chaent eu gwneud gan asiedyddion. Yn y ddeunawfed ganrif disodlwyd y grisiau fframiog a'u balwstrau a'u canllawiau trwm gan risiau ysgafnach â chanllawiau ar oledd. Weithiau, yn y tŷ gwledig Sioraidd, fe'u codwyd yn feiddgar fel petaent yn arnofio yn hytrach nag yn dringo i'r lloriau uchaf.[9] Fwy a mwy, cynhwysywd grisiau llydan yng nghefn tai. Gwnaed hynny yn Nhŷ Newton ger Llandeilo lle defnyddiwyd gofod y grisiau'n oriel i baentiadau. Yr oedd gosod y grisiau 'in antis', a cholofnau i'w sgrinio, yn fodd i bawb gael cipolwg arnynt, a dyna'r hoff batrwm yn y tŷ gwledig Sioraidd. Ar ddiwedd y ddeunawfed ganrif, cynllun dyfeisgar John Nash mewn filâu yng ngorllewin Cymru oedd gosod y grisiau o dan ffenestr yn y to i'w goleuo a'u troi'n nodwedd a barai syndod, ond ni chyrhaeddai ymwelwyr mohonynt tan ar ôl iddynt groesi drwy'r lobi a'r cyntedd.

Yr oedd y grisiau hefyd o bwys cymdeithasol. Byddai tai canolog eu cynllun yn codi problem y gwahaniad cymdeithasol rhwng eu perchnogion cyfoethog a'r rhai a weinai arnynt. Câi'r gwahanu cymdeithasol cynyddol ar y teulu a gweision a morynion y plastai mawr ei gyfleu gan eu tramwyfeydd gwahanol: defnyddiai'r gweision a'r morynion risiau cudd i symud yn anweledig o amgylch y tŷ. Yn y ddeunawfed ganrif, disodlwyd y patrwm o fod â mannau gwasanaethu yn yr islawr a'r ystafelloedd yn y croglofftydd gan wahanu llorweddol bob ochr i'r drws beias gwyrdd, drws a fyddai, yn aml, o dan y prif risiau. Yr oedd manteision ac anfanteision gweledol i'r gwahanu gofodol hwnnw. Oherwydd y gwahanu, yr oedd angen datblygu mannau gwasanaethu mawr a geisiai fod o'r golwg o safbwynt pensaernïol. Cynlluniodd y pensaer John Nash dair prif wal i fila Llanerchaeron ger Aberaeron – a chuddiai'r bedwaredd wal y mannau gwasanaethu o'r golwg. Dyna ateb pensaernïol celfydd i broblem sicrhau pellter cymdeithasol mewn plasty gwledig. Caiff y rhai sy'n crwydro o amgylch fila o'r ddeunawfed ganrif, fel Llanerchaeron, eu synnu'n aml o weld bod y prif ystafelloedd yn gymharol fach a'r ystafelloedd gwasanaethu a'r cwrt gwasanaethu yn gymharol fawr: yn y rheiny yr oedd yr ystafelloedd lle câi bwyd ei gadw a'i baratoi a dillad eu golchi.

immediate impact on those who entered. As a result, the staircase became the key architectural feature of the home. It was both structural and decorative, a fixture as well as a fitting, built as both a location for placing furniture and an item of furniture in its own right. In the earliest storeyed houses the stair was merely a ladder or an unobtrusive flight of steps tucked beside the fireplace. The framed stair became a work of high craft in the early modern period and was a dominant element, sometimes taking up the space of a large room or occupying a wing or tower.

Early stairs were treated like great pieces of elaborate furniture and were made by joiners. The framed stair with heavy balusters and handrails gave way in the eighteenth century to the lighter stair with ramped handrails, sometimes daringly cantilevered in the Georgian country house, appearing to float rather than climb to the upper floors.[9] Increasingly generous stairs were accommodated in rear bays of houses, as at Newton House near Llandeilo, where the staircase was used as a gallery for paintings. The placing of the stair 'in antis' (screened by columns), allowed them to be glimpsed by all, and was favoured in the Georgian country house. At the end of the eighteenth century, west Wales villas designed by John Nash used clever planning to make the top-lit staircase a surprise feature, encountered only after a lobby and entrance passage had been traversed.

The staircase was also socially significant. Centrally-planned houses generated issues of social separation between their wealthy owners and the people who serviced their households. Increasing social segregation of family and servants in the great houses was expressed and maintained by separate systems of circulation: servants used concealed staircases to move unobtrusively around the house. In the eighteenth century, basement service areas and attic bedrooms gave way to horizontal segregation on either side of the green baize door, often opening discreetly beneath the principal stairs. There were visual advantages and disadvantages to this spatial differentiation. Segregation entailed the development of large service ranges, which aimed to be architecturally invisible. The architect John Nash designed a villa at Llanerchaeron near Aberaeron with three principal elevations; the fourth, screened side occupied by the service ranges was an elegant architectural solution to the problem of social distance in the country house. Those who explore an eighteenth-century villa like Llanerchaeron are often surprised by the relatively small size of the principal rooms and the relatively large size of the service rooms and service court, with rooms dedicated to food storage, food preparation and laundry.

Servants

One of the key factors affecting the organisation of the house was the presence of servants, and there were many variations in the way servants were housed and fed, also in their relationship with the rest of the household.

Several government inquiries carried out in the nineteenth

Gweision a Morynion

Gan mai un o'r ffactorau allweddol a effeithiai ar drefn y tŷ oedd presenoldeb gweision a morynion, gwelwyd llu o wahanol ffyrdd o letya a bwydo'r gweision a'r morynion a phennu eu perthynas â theulu'r tŷ.

Dangosodd sawl ymchwiliad a wnaed gan y llywodraeth yn y bedwaredd ganrif ar bymtheg sut yr amrywiai'r darlun o wasanaethu ar ffermydd o ardal i ardal. Yr oedd y drefn 'Gymreig'

century provide a view of farm service that varied geographically in Wales. The 'Welsh' system of live-in servants was contrasted with the English system of cottage-housed workers on the eastern side of Wales. The closeness between farmers and their servants was noted, especially as farm servants might be near relatives.[10] On the western side of Wales, from Anglesey to Carmarthen, social distance between masters and servants was more clearly expressed architecturally, especially by the eating and sleeping arrangements. Servants' meals were taken in the farmhouse but separately from

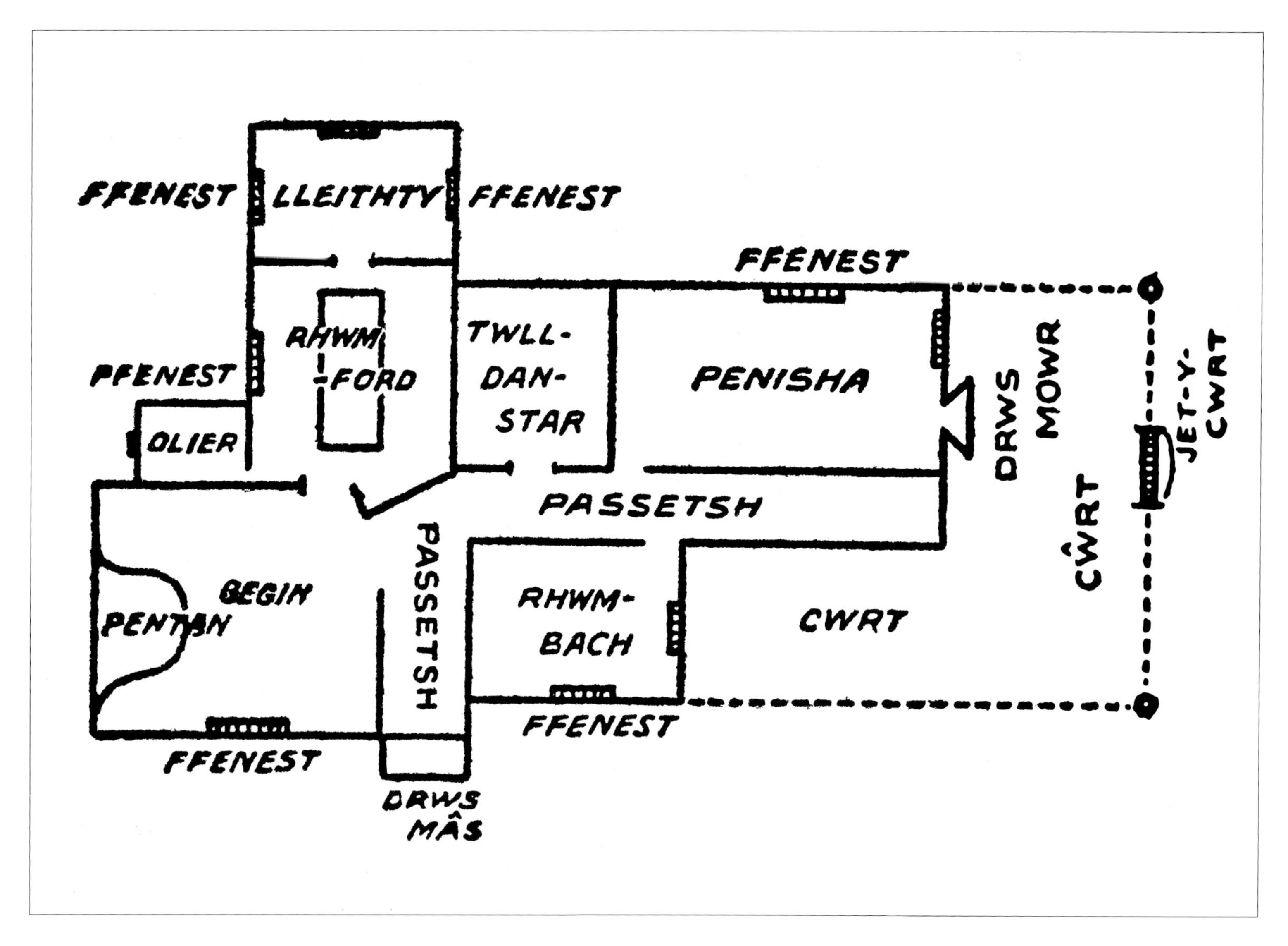

Ffigur 17. Cyhoeddwyd y cynllun uchod gan W. Meredith Morris yn *A Glossary of the Demetian Dialect* (Tonypandy, 1910), td. 304. Dangosai ef ffermdy ar siâp 'T'. Yr oedd yr ystafelloedd teuluol yn y tu blaen a'r ystafelloedd gwaith yn y cefn. Y brif fynedfa oedd y *drws mowr* a agorai i gyntedd rhwng y parlwr (*penisha*) a'r ystafell deuluol, a alwyd yma'n *rhwm bach*. Yn aml, byddai'r parlwr ym mhen isaf y llethr, a gellid codi llawr crog arno. Arweiniai'r *drws mas* i'r gegin waith ac ynddi fantell fawr y *pentan*. Y tu hwnt i'r gegin ceid ystafell y *ford* - y bwrdd. Yr ystafelloedd oddi ar ystafell y ford oedd y llaethdy a'r *olier* – estyniad oddi ar ystafell fawr.

Figure 17. A plan was published by W. Meredith Morris in *A Glossary of the Demetian Dialect* (Tonypandy, 1910, p. 304), showing a T-shaped farmhouse with front family rooms and back working rooms. The principal entrance was the *drwsmowr* or big door, which opened into a passage between the parlour (*penisha*) and the family room, here called the little room or *rhwmbach*. The parlour was often at the lower end of slope, which allowed for the construction of a suspended floor. The back door (*drws mas*) led into the working kitchen dominated by the hood of the fireplace (*pentan*). Beyond the kitchen was the room of the table. Rooms off the board room were the dairy and the *olier* - a lean-to extension off a large room.

o gael gweision a morynion yn byw i mewn yn cyferbynnu â'r drefn Seisnig, a geid ar hyd y gororau, o roi bythynnod i'r gweithwyr. Nodwyd pa mor agos oedd y ffermwyr a'u gweision a'u morynion, yn enwedig gan y gallai'r gwasanaethyddion fod yn berthnasau agos iddynt.[10] Ar hyd y gorllewin, o Fôn i Gaerfyrddin, gwelwyd mynegiant mwy pensaernïol a chlir o'r pellter cymdeithasol rhwng y meistri a'u gwasanaethyddion, yn enwedig o ran y trefniadau bwyta a chysgu. Câi'r gwasanaethyddion eu prydau bwyd yn y ffermdy ond ar wahân i'r teulu, ac mewn ystafell foel – heb le tân weithiau – oddi ar y gegin gefn. Gelwid yr ystafell honno'n *rŵm ford* ac ynddi fe safai'r bwrdd a'i meinciau ar ganol yr ystafell.

Mewn rhannau eraill o Gymru câi'r gwasanaethyddion eu prydau bwyd yn y gegin gefn am nad oedd yno rŵm ford ar wahân. Lle ceid rŵm ford, bwytâi'r meistr a'r feistres eu prydau bwyd yn y gegin orau neu'r parlwr bach.[11] Ond perchid pellter cymdeithasol o hyd. Os nad oedd ond un gegin (fel y digwyddai'n bur gyffredin yng Ngwynedd), bwytâi'r ffermwr, ei wraig a'u plant ifanc eu prydau bwyd wrth fwrdd teircoes crwn ar wahân. Eisteddai'r gwasanaethyddion a'r plant hŷn wrth fwrdd petryal wrth y ffenestr, ac eisteddai'r fforman wrth ben y bwrdd[12] hwnnw.

Ni châi'r gwasanaethyddion eu goruchwylio'n dadol y tu allan i'w horiau gwaith. Yn y gorllewin, hyd yn oed lle'r oedd llety yn y ffermdy, câi'r gweision eu rhoi'n aml mewn tai allan yn ddigon pell oddi wrth y teulu a'r morynion. Y *llofft stabl* oedd y term arferol am fannau cysgu'r gweision, a gallai honno fod mewn tŷ allan cyfleus neu mewn ffermdy bach a lyncwyd gan fferm fwy. Gallai pedwar neu bump o ddynion gysgu mewn llofft ddi-wres ar welyau ffrâm a rhwng dillad gwely na chaent eu newid bron byth. Cedwid eu heiddo yn y tun a osodid ger y gwely. Dydy'r trefniadau hynny ddim wedi gadael fawr o'u hôl heblaw am gryn dipyn o chwedloniaeth ac ambell glwstwr o graffiti a wnaed â phensil a chyllell boced gan y gweision. Cyfleu tipyn o arswyd wna adroddiad y Comisiwn Brenhinol ar y Tir (1896) wrth ddisgrifio'r trefniadau hynny wedi i'w Hysgrifennydd ymchwilio iddynt drosto'i hun, yn rhannol oherwydd yr aflendid ac yn rhannol oherwydd y 'drygau' neu'r 'drygioni' a gyflawnai rhai o'r gweision.

Yr oedd i letya'r gweision y tu allan i'r ffermdy arwyddocâd cymdeithasol.[13] Cysylltid cryn ryddid â bywyd dioruchwyliaeth y llofft stabl. Ar lawer fferm byddai meibion y ffermwr nid yn unig yn bwyta gyda'r dynion ond hefyd yn cysgu yn y llofft stabl. Byddai hynny'n arwydd i'r bachgen ei fod yn tyfu'n ddyn erbyn iddo fod yn bymtheg neu'n un ar bymtheg fel rheol, ac yn rhydd rhag goruchwyliaeth ei rieni am y tro cyntaf. Byddai'r ffermwyr oedrannus a holwyd gan David Jenkins tua 1960 yn dal i wenu'n hiraethus wrth gofio'r adeg yr oeddent wedi symud i'r llofft stabl gyntaf. I lawer o feibion ffermwyr na fyddent yn etifeddu'r fferm nac yn dod o hyd i denantiaeth oherwydd y ffyrdd o weithio a byw yng nghefn gwlad Cymru, yr oedd symud i'r llofft stabl hefyd yn arwydd eu bod, yn anochel, yn colli tipyn o'u statws cymdeithasol.

Cysylltid bywyd cymdeithasol a diwylliannol bywiog â'r grwpiau o ddynion ifanc dibriod yn y llofft stabl. Achosodd ymweliadau'r

the family in a bare and sometimes unheated room off the back (or working) kitchen. This 'mess' room in parts of south-west Wales was called the *rwm ford*, literally the 'board room' – board having the sense of a table-board – with the table and its benches occupying the centre of the room.

In other parts of Wales the back kitchen was used for servants' meals in the absence of a separate board room. Where there was a board room, the master and mistress took their meals separately in the best kitchen or little parlour.[11] However, the same recognition of social distance was observed. If there was one kitchen (as was not uncommon in Gwynedd), the farmer, his wife and young children took their meals at a separate, round, three-legged table. Servants and older children sat at a rectangular table placed by the window, with the foreman at the head of the table.[12]

The patriarchal supervision of servants was suspended outside working hours. In the western areas, even when there was accommodation within the farmhouse, menservants were often housed in outbuildings away from the family and female servants. The stable loft or *llofft stabl* was the generic term for the male servants' sleeping quarters, which might be accommodated in any convenient outhouse or in a small farmhouse absorbed by a larger farm. Four or five men might be housed in an unheated loft in framed beds with bedclothes that were rarely changed. Their possessions were kept in the ubiquitous tin box placed near the bed. These arrangements have left little trace except for occasional clusters of graffiti made by their occupants with a pencil and penknife. *The Report of the Royal Commission on Land* (1896) adopted a rather shocked tone when describing these arrangements, which were investigated at first hand by its secretary, partly because of the squalor and partly because of the 'mischief' some servants engaged in.

The outside accommodation of servants was socially significant.[13] Considerable freedom was associated with the unsupervised life in the stable loft. On many farms, farmers' sons would not only eat with the men but sleep in the stable loft too. This was a kind of rite of passage from boyhood to manhood for the youth, usually aged fifteen or sixteen, free from parental supervision for the first time. Elderly farmers interviewed by David Jenkins in about 1960 would 'still break into a smile' as they recalled when they had first moved into the stable loft. The move to the stable loft also expressed the inescapable downward social mobility for many farmers' sons, who would not inherit the farm or find a tenancy, as ways of working and living in the Welsh countryside changed.

A lively social and cultural life was associated with the unmarried youth groups of the stable loft. The nocturnal visiting of servant girls in farmhouses by outdoor servants led to something of a moral panic in mid-Victorian Wales, which led to the increasing segregation of male and female servants. Paternalistic concern about roaming and drinking by servants also led to the establishment of village institutes, reading rooms, and coffee houses – the rural counterparts of urban workingmen's institutes.

gweision hynny â morynion y ffermdai liw nos rywfaint o wewyr moesol yng Nghymru yng nghanol oes Victoria ac arwain at wahanu mwy a mwy arnynt. Arweiniodd pryder tadol ynghylch tuedd gweision i grwydro a diota hefyd at greu sefydliadau, ystafelloedd darllen a thai coffi yn y pentrefi, tebyg i batrwm Sefydliadau'r Gweithwyr yn y trefi.

Bythynnod

Byddai gweision a morynion priod y teuluoedd cyfoethog – a chrefftwyr medrus a'r mwyafrif o weithwyr eraill cefn gwlad – wedi ymgartrefu mewn bythynnod ac, yn aml, wedi ennill eu bywoliaeth yno. Mae'r term 'bwthyn' wedi'i ddefnyddio i ddisgrifio amrywiaeth o aneddiadau bach, gan gynnwys y tŷ unnos a chwt y bugail. Mae'n derm cymharol ddiweddar yn y Gymraeg, yn cadw ystyr etymolegol y 'bwth' ac yn cyfleu'n gelfydd bod tu mewn y bythynnod gymaint llai na thu mewn cartrefi pobl gyfoethocach. Er bod bythynnod i'w cael ledled Cymru, ceid mwy ohonynt mewn rhai ardaloedd na'i gilydd. Fel rheol, os oedd perthynas symbiotig â ffermydd mawr neu os cafwyd cyfle i gipio llawer iawn ar dir comin, câi mwy o fythynnod eu codi. Serch eu hanes maith, mae'n bwysig sylweddoli hefyd nad yw'r enghreifftiau cynharaf o fythynnod sydd wedi goroesi yng Nghymru ond yn dyddio o ddiwedd y 1700au ac mai yn y bedwaredd ganrif ar bymtheg y codwyd y mwyafrif ohonynt.[14] Does dim modd dweud mai unrhyw ffactor penodol a achosodd i gyn lleied o'r bythynnod cynnar oroesi, ond mae'n hysbys bod ailgodi llawer ohonynt yn ystod y 1800au wedi golygu dileu holl olion yr adeiladau a oedd yno cynt.[15]

Fel rheol, golwg gymesur y tŷ Sioraidd arferol oedd i'r bwthyn unllawr yn y bedwaredd ganrif ar bymtheg. Mae lluniad cynnar o fwthyn yn Sir Aberteifi ym 1801 yn dangos bwthyn gwyngalchog twt â simnai fasged. Yn ymadrodd awgrymog a dadlennol Eurwyn Wiliam, 'cartrefi o waith cartref' oeddent. Gan mai crefftwyr, yn aml, a drigai ynddynt, caent eu codi gan ddefnyddio sgiliau a defnyddiau a oedd ar gael yn lleol iddynt yn hytrach na chan adeiladwyr proffesiynol a ddefnyddiai ddefnyddiau a gâi eu cludo i'r fan a'r lle o fannau eraill.[16]

Yr oedd cynllun tu mewn y bwthyn yn y gorllewin yn aml yn peri syndod, yn enwedig gan fod y tu allan fel rheol yn ddigon confensiynol yn ôl safonau'r oes. Eid i mewn yn syth i'r gegin a byddai honno'n aml yn agored hyd y to yn null tai'r Oesoedd Canol. Nid tai canoloesol mohonynt, er hynny, ond aneddiadau modern â chynllun hynafol i'w tu mewn. Er ei bod hi'n anodd esbonio'u hynafiaeth bensaernïol, mae'n siŵr bod cysylltiad rhyngddi a'r lle tân ymwthiol y tu mewn. Yr oedd i hwnnw ganopi mawr o blethwaith a gallai'r lle tân yn hawdd gynnwys seddau o bobtu'r tân. Fe all mai dimensiynau'r canopi hwnnw a'i gwnâi hi'n anymarferol creu llofft mewn bwthyn bach. Gan amlaf, byddai gofod llofft uwchben yr ystafelloedd y naill ben a'r llall i'r fynedfa. Fel rheol, byddai parlwr bach, a llaethdy neu bantri wrth ei ochr, â llofft uwch ei ben, a dringid iddi ar hyd ysgol o'r gegin. Y *groglofft*

Cottages

The married servants of wealthy households, skilled craftsmen and most other rural workers would have made their homes and often their living in cottages. The term 'cottage' has been used to describe a variety of small dwellings, including the semi-permanent squatter's house and the shepherd's hut. The relatively late Welsh term *bwthyn* retains the etymological sense of a 'booth', and expresses well the reduced dimensions of cottage interiors compared with wealthier homes. While cottages were found throughout Wales, there were more in some areas than in others. Where there was a symbiotic relationship with large farms or there had been the opportunity for large-scale encroachments on common land, more cottages were typically built. It is also important to recognise that despite their long history the earliest surviving examples of cottages in Wales date only from the late 1700s, with the majority dating from the nineteenth century.[14] The poor survival rate of earlier cottages cannot be attributed to any one factor but it is known that many were rebuilt during the 1800s, often removing any trace of pre-existing buildings.[15]

The nineteenth-century single-storeyed cottage generally had the symmetrical elevation favoured by the typical Georgian house. An early drawing of a Cardiganshire cottage in 1801 shows a neat, lime-washed cottage, newly thatched, with a basket chimney. In Eurwyn Wiliam's elegant and revealing phrase, cottages such as these were 'home-made homes'. They were often inhabited by craftsmen and were built using the craft skills and materials available locally, rather than being constructed by professional builders using imported materials.[16]

The interior plan of the west Wales cottage was often surprising, especially as their exteriors were generally modest and conventional by contemporary standards. The kitchen was entered directly from the outside, and frequently open to the roof in the manner of a medieval house. However, these were not medieval houses but modern dwellings with an archaic interior plan. It is difficult to account for this architectural archaism, but it was undoubtedly related to the large internally projecting fireplace. The cottage interior was dominated by a wickerwork fireplace canopy, which could comfortably accommodate seats flanking the fire. The dimensions of the canopy may have made a loft impractical in the smaller cottages. The rooms at the other side of the entry would have mostly had loft spaces above them. A small parlour, with a dairy or pantry alongside, would usually have had a loft above it, reached by a ladder stair from the kitchen. This was known as a *croglofft*. Children usually slept in the *croglofft* while their parents spent their nights in the kitchen.

Cottage interiors had an air of great antiquity, exaggerated by the hall-like open kitchen, the wattled under-thatch, and the great basketwork chimney hood. This may have been an aspect of the culture of poverty but there was certainly not a poverty of material culture. On the contrary, interiors had an accumulation of

Ffigur 18. Bwthyn sydd wedi'i adfer yn sensitif yn ddiweddar yw Troedrhiwfallen yng Nghribyn, Sir Aberteifi.

Figure 18. Troedrhiwfallen at Cribyn, Cardiganshire is a west Wales cottage that has recently been sensitively restored.

oedd honno. Fel rheol, cysgai'r plant yn y grogloft a chysgai eu rhieni'r nos yn y gegin.

Naws hynafol iawn oedd i du mewn bythynnod, a dwyseid hynny gan y gegin agored, y defnydd o dan y to, a mantell fawr y simnai. Hwyrach i hynny fod yn agwedd ar y diwylliant o dlodi ond yn sicr doedd dim tlodi o ran diwylliant materol. I'r gwrthwyneb, ceid casgliad o eitemau domestig digon crefftus eu cynllun y tu mewn iddynt. Er y gallai'r waliau a'r nenfydau fod yn llawn trugareddau, byddai'r lloriau'n gymharol glir ac mae'n debyg mai yn ystod y cyfnod hwnnw y datblygodd y lloriau patrymog. Mae lluniau o'r tu mewn yn dangos aelwyd lydan, mainc, stôl, offer tân, casgliadau o eitemau ar y silff ben tân a bwrdd o flaen y ffenestr. Uwchben y ffenestri byddai'r silffoedd yn ddresel i arddangos platiau a jygiau arnynt. Cedwid y llawr yn glir, yn rhannol am ei fod ef yn aml yn fan gweithio ond hefyd am mai doeth oedd cadw

well-crafted domestic clutter. It is noteworthy, however, that although walls and ceilings might have been cluttered the floors were relatively clear, and it was in this period that patterned floors seem to have developed. Drawings of interiors show the capacious canopied hearth with bench and stool, fireside implements, accumulations of articles on the mantleshelf and a table in front of the window. Shelves above the windows served as a dresser for the display of plates and jugs. The floor was kept clear, partly because it was often a working space but equally because it was prudent to keep items away from rats. Shoes were often suspended from pegs, and bread was hung from the ceiling in a crate or 'cratch', with hams hung near the fireplace. An extraordinary quantity of articles might hang in the roofspace. These were artefacts that were prudently accumulated partly for their utility and partly because their cash value could be realised quickly in an emergency.[17]

pethau o gyrraedd y llygod mawr. Yn aml, rhoddid esgidiau i hongian ar begiau a chedwid y bara mewn cawell neu gratsh a hongiai o'r nenfwd. Câi darnau o gig moch eu hongian ger y lle tân. Yn y gofod o dan y to, gellid cael nifer rhyfeddol o bethau y byddai'n ddoeth eu crynhoi yno, yn rhannol am eu bod yn ddefnyddiol ac yn rhannol am fod modd eu gwerthu petai argyfwng.[17]

Celfi a'r Tŷ Cymreig

Dylanwadodd pwysigrwydd y prif gelfi ar gynllun y tŷ mewn ffyrdd nad ydynt yn gwbl amlwg. Yn aml, codid estyniadau i gymryd y celfi. Yn aml, câi gwely cwpwrdd perchennog y tŷ yng Ngŵyr ei roi mewn estyniad i'r neuadd ger y lle tân. Ceid y nodwedd honno ar bensaernïaeth bythynnod mewn rhannau o Iwerddon a Lloegr hefyd. Mae'r estyniadau sylweddol mewn rhai tai cynnar yn siroedd Morgannwg a Phenfro yn dangos i hynny ragflaenu pensaernïaeth bythynnod y ddeunawfed ganrif a'r ganrif ddilynol. Yn ardal Tyddewi yn Sir Benfro, nodweddid ffermdai sylweddol y fro gan sawl estyniad, a bu Romilly Allen yn eu cofnodi yn y 1880au wrth iddynt gael eu newid. Yn sicr, cilfachau i welyau oedd rhai ohonynt ond ceid byrddau ynddynt hefyd ac yn ddiweddarach buont yn geginau bach ac yn ofod i olchi a pharatoi bwyd ynddynt a hynny, mae'n debyg, wrth i groglofftydd gael eu codi ac i brif ystafelloedd gwely gael eu creu ar y llawr cyntaf. Mewn datblygiad cysylltiedig yng Ngŵyr, câi gwelyau a osodwyd yn y siambr uwchlaw'r neuadd eu codi uwchlaw lefel y llawr weithiau gan greu cilfach (a elwid yn 'charnel' neu'n 'charnel box') i hongian cig moch ynddi i'w halltu.[18]

Ymhlith y celfi pwrpasol yr oedd gwelyau ynghyd â chypyrddau, dreselau a meinciau neu 'sgiw' wrth ochr y lle tân. Mae'r tŷ 'cyfleus' a gynlluniwyd gan Iolo Morganwg yn dangos bod ystyriaeth ofalus iawn wedi'i rhoi i leoli'r celfi, ac mae ei gynllun yn dynodi lleoliad sgriniau, ystafelloedd bach a chelfi mewn cilfachau. Cynlluniwyd sgrin ('board or wainscoat') wrth y fynedfa i gadw'r gwynt draw a chreu lle i fwrdd y gegin. Ceid hefyd ystafelloedd bach neu gilfachau a gweithredai'r silffoedd ynddynt fel dresel i gadw offer y gegin. Yn y parlwr, ceid ystafell fach i'r gwely, a dynodwyd 'pen y gwely' ac yna 'y traed' yn ofalus, yn ogystal â chilfachau i fwrdd a 'beaufet',[19] sef cwpwrdd parlwr o'r math a geid yn nhai'r uchelwyr ac, yn ddiweddarach, yn y ffermdai gorau. Weithiau, safai'n rhydd ond yn aml fe'i gosodid mewn cilfach lle câi tseina a mân eitemau eu harddangos ar silffoedd crwm o amgylch top hanner-cylch neu fantell na fyddai yn y golwg ond pan fyddai'r drysau ar agor. Prin yw'r rhai sydd wedi goroesi

Ffigur 19 (de). Dyma wely cwpwrdd yn y Lasynys Fawr yn Harlech, Meirionnydd. Gwelir gweddillion y fatres raffau yn y llun hwn a dynnwyd yn gynnar yn y 1950au.

Furniture and the Welsh House

The importance of principal items of furniture influenced the plan of a house in ways that are not immediately apparent. Special projections known as 'outshuts' commonly accommodated furniture. In Gower, the cupboard bed of the householder was frequently recessed into an outshut in the hall adjacent to the fireplace. This was a feature of cottage architecture shared with parts of Ireland and England. Substantial outshuts in some early houses in Glamorgan and Pembrokeshire show that this pre-dated eighteenth and nineteenth-century cottage architecture. In the St Davids district of Pembrokeshire, multiple outshuts were a feature of the distinctive substantial farmhouses of the area and were recorded by Romilly Allen in the 1880s as they were being altered. Some of these certainly served as bed recesses but they also accommodated tables, and latterly served as sculleries and spaces for washing and food preparation, presumably as lofts were raised and principal bedchambers were introduced into the first floor. In a related development in Gower, beds introduced into the chamber over the hall were sometimes raised above floor level, providing a recess (called the 'charnel' or charnel box) from which hams and bacon were suspended to cure.[18]

Built-in furniture not only included beds but also cupboards, dressers and benches or 'skews' alongside the fireplace. A 'convenient' house planned by Iolo Morganwg shows that very careful consideration was given to the placing of furniture: his plan locates screens, closets, and recessed furniture. A screen ('board or wainscoat') at the entry was designed 'to keep of[f] the wind' and defined a space for the kitchen table; there were also closets or recesses for shelves serving as a dresser and for kitchen utensils. In the parlour there was a bed closet with the head (*pen y gwely*) and foot (*y traed*) carefully indicated, as well as recesses for a table and buffet ('beaufet').[19] The buffet was a parlour cupboard, found in gentry houses and later in the better farmhouses, sometimes free-standing but often recessed, in which china and curios were displayed on curved shelves beneath a semicircular top or shell-hood that was only revealed when the doors were open. Few survive *in situ* but the so-called 'Bible cupboard' in the dining parlour at Llasynys-fawrat Harlech was originally a buffet embellished with a winged cherub motif and set in a brick-lined recess.[20]

The dresser lining a wall, or occupying the corner of two walls, became one of the most impressive pieces of household furniture in the Welsh home. The word is first recorded in Welsh in 1780, and the tall dresser developed throughout the eighteenth century, with variations in design between dressers from different regions.[21]

Figure 19 (right). This is a cabinet bed at Llasynys Fawr in Harlech, Merioneth. Remnants of the rope-strung mattress are visible in this photograph, taken in the early 1950s.

yn y fan a'r lle, ond yn wreiddiol yr oedd 'cwpwrdd y Beibl' yn y parlwr bwyta yn y Lasynys Fawr yn Harlech yn 'buffet' a addurnwyd â motiff ceriwb adeiniog ac wedi'i osod mewn cilfach ac iddi waliau o frics.[20]

Ymhen tipyn, datblygodd y dresel a safai wrth wal, neu'r 'ddresel gam' a osodid yng nghornel dwy wal, yn un o gelfi mwyaf trawiadol y cartref Cymreig. Cofnodwyd y gair Cymraeg gyntaf ym 1780, ac yn ystod y ddeunawfed ganrif fe ddatblygwyd y ddresel dal. Amrywiai cynllun y ddresel o fro i fro.[21] Er hynny, yr oedd rhai agweddau cymdeithasol pwysig ar y ddresel yn gyffredin ledled Cymru. Gan ei bod hi'n gelficyn i'w arddangos, fe ddisodlodd hi fwrdd a mainc y llwyfan o ben uchaf y neuadd/gegin. Yn y pen draw, symudwyd y bwrdd i le newydd wrth ffenestr y gegin. Mewn amryw byd o dai, gwelir olion cyflwyno'r ddresel yn erbyn pared y pen uchaf: addaswyd un o drawstiau'r nenfwd drwy ei dorri'n ôl (gan golli ei siamffer) i gymryd y celficyn tal hwnnw. Mae lluniad (1802) o du mewn neuadd yng Nghonwy yn dangos y ddresel a'i rhagflaenydd, y cwpwrdd tridarn, yn llwythog o lestri, a chloc rhyngddynt, yn llenwi holl led hen bared y llwyfan.[22]

Mae angen disgrifio rhywfaint ar gynnwys y ddresel. Gosodid jygiau a phlatiau arni. Disodlwyd llestri piwter gan briddlestri, llestri gloyw a tsieina wrth i'r dreselau helaethach ddisodli'r hen gypyrddau. Mae'n debyg bod arddangos llestri'n hen arfer mewn llawer rhan o'r wlad erbyn 1800 ac nad oedd hynny wedi'i gyfyngu o reidrwydd i'r ddresel. Ni allai Iolo Morganwg gelu ei syndod o wybod mai nod trigolion ardal Llandeilo yn Sir Gaerfyrddin, pobl ddi-foes a di-raen yn ei farn ef, oedd creu gogoniant ('finery') yn eu tai. O amgylch yr ystafell, fe hongient nifer fawr o jygiau cwart neu ddau gwart o bob lliw a oedd ar gael. Nid peth anghyffredin, meddai Iolo wedyn, oedd gweld o leiaf gant ohonynt yn hongian felly o amgylch waliau bwthyn a godwyd o fwd.[23] Crwydrai delwyr ar hyd cefn gwlad i fodloni'r galw cynyddol am lestri o Swydd Stafford a llestri eraill. Tua 1810 dywedodd gŵr bonheddig iddo gael ei ddifyrru gan y prysurdeb a welai pan ddeuai deliwr crwydrol i arddangos ei lestri crochenwaith ym mhentref bach Llanbedrycennin yn Sir Gaernarfon.[24]

Nid yn unig yr oedd y ddresel yn fodd i arddangos pethau ond fe fagodd gysylltiadau teuluol arbennig. Anaml y defnyddid llawer o'r eitemau arni a byddai i'r rheiny arwyddocâd arbennig fel trysorau teuluol ac fel pethau i gofio am hynafiaid. Tua diwedd y bedwaredd ganrif ar bymtheg disgrifiwyd bod ffermdai yn Sir Aberteifi'n cynnwys dresel a safai ar hyd un wal a bod arni rai llestri, jygiau, platiau ac addurniadau a gafwyd gan wahanol bobl ar adegau arbennig i'w helpu pan fyddai hi'n o fain arnynt neu er cof am ryw berthynas neu gyfaill. Yn hynny o beth, yr oedd y ddresel yn greirfa o gysylltiadau teuluol, a'r duedd oedd mai'r menywod a gadwai'r atgofion hynny'n fyw. Mae i'r ddresel y rôl honno o hyd yng Nghymru, ond yn aml mae hi wedi'i symud o'r gegin i'r ystafell fyw.[25]

Nevertheless, some significant social aspects of the dresser were common across Wales: it was the display piece that finally dethroned the dais-end table and bench from the upper end of the hall/kitchen. The table eventually found a new place by the kitchen window. In numerous houses the introduction of the dresser against the upper-end partition is revealed by the telltale mutilation of a ceiling beam, which has been cut back (losing its chamfer-stop) to accommodate this tall piece of furniture. A drawing from 1802 of a hall interior at Conwy shows the dresser and its predecessor, a 'three part' cupboard (*cwpwrdd tridarn*) laden with dishes, with a clock sandwiched between them, occupying the length of the former dais-end partition.[22]

The 'dressing' of the dresser requires some description. Dressers were furnished with plates and jugs. Pewter gave way to earthenware, lustreware and china as the older cupboards were given up in favour of more capacious dressers. The display of crockery seems to have been well established in many parts of Wales by 1800 and was not necessarily confined to the dresser. Iolo Morganwg could not conceal his surprise that the inhabitants of the Llandeilo area of Carmarthenshire, whom he considered rude and inelegant, aimed at 'finery' in their houses. They would hang around a room large numbers of jugs from one to two quarts capacity of every available colour. It was not uncommon, Iolo continued, 'to see a hundred at least thus hanging round the walls of a mud-built cottage'.[23] Itinerant dealers travelled the countryside to satisfy the growing demand for Staffordshire and other wares. Around 1810, a gentleman observer was 'amused by the bustle attendant upon the coming of an itinerant dealer in crockery, and the consequent display of his wares' at the small Caernarfonshire village of Llanbedr-y-cennin.[24]

The dresser was not only important as a means to display objects; it also acquired special family associations. Many of the items displayed were rarely used and would have special significance as heirlooms and tokens of remembrance. In late nineteenth-century Cardiganshire farmhouses 'a dresser stood against one wall, carrying some of the items of crockery, jugs, plates, and ornaments received from different people on special occasions, as for helping them at a difficult time, or in memory of some deceased relative or friend'. The dresser was in this respect a repository of family associations and women tended to be the remembrancers. The dresser still has this role in contemporary Wales, though it has often moved from kitchen to living room.[25]

Marriage and the Home

The arrangement and furnishing of a house was often structured by the developmental cycle of the family – the events of birth, marriage and death – and by the presence of the larger household of servants.

Marriage was inseparable from the transfer of goods between individuals and their homes. Throughout the early modern period,

Ffigur 20. Mae'n fwy na thebyg mai rhwng y bymthegfed ganrif a'r ganrif ddilynol y codwyd tŷ neuadd canoloesol Cymryd Isaf yn Henryd. Doedd fawr o newid wedi bod ar y brif neuadd adeg tynnu'r llun hwn ohoni ym 1959. Mae dresel fawr wedi'i gosod yn erbyn y pared postyn-a-phanel sy'n gwahanu'r neuadd oddi wrth y parlwr llai o faint – a mwy preifat – y tu hwnt iddo. Ar y ddresel mae'r dyddiad 1641 a dwy set o lythrennau, ac mae'n fwy na thebyg ei bod hi'n coffáu priodas.

Priodas a'r Cartref

Yn aml, pennid trefn a chelfi tŷ gan gylch bywyd y teulu – geni, priodi a marw – a phresenoldeb y gweision a'r morynion.

Rhan annatod o briodas oedd trosglwyddo nwyddau rhwng

Figure 20. Cymryd-isaf in Henryd is a medieval hallhouse probably built between the fifteenth and sixteenth centuries. The main hall survived relatively unaltered in 1959 when this photograph was taken. A large dresser is placed against the post-and-panel partition that separates the hall from the smaller, more private parlour beyond. The dresser is inscribed with the date 1641 and two sets of initials, and probably commemorates a marriage.

marriage agreements formally recorded what a wife was to bring to the house and how she was to be maintained during her widowhood. The wife often brought furniture and textiles to furnish a chamber. In Welsh these marriage goods were called *stafell*, literally 'room' or 'chamber'. Marriage agreements bound the

unigolion a'u cartrefi. Drwy gydol y cyfnod modern cynnar, cofnodai cytundebau priodas yn ffurfiol yr hyn y deuai gwraig ag ef i'r tŷ a sut y câi ei chynnal petai'n colli ei gŵr. Yn aml, deuai'r wraig â chelfi a gwahanol ddefnyddiau i ddodrefnu siambr gyda hi, a *stafell* oedd yr enw ar y nwyddau priodas hynny. Rhwymai cytundeb priodas deulu'r briodferch i ddarparu celfi siambr 'addas' neu 'gymwys' yn rhan o'i gwaddol. Tua diwedd y ddeunawfed ganrif yn Sir Aberteifi, deuai priodferch â gwely plu, dillad gwely, cist wensgot a llestri gyda hi[26]. Ymhlith bythynwyr y de-orllewin, gallai'r briodferch a'r priodfab ill dau ddarparu 'stafell'. Ar ôl iddynt briodi, ymwelai cyfeillion, perthnasau a chymdogion â'r pâr priod i weld y 'stafell'. Disgwylid i'r priodfab ddarparu'r celfi mawr: y bwrdd, y ddresel, y cadeiriau a'r gwely. 'Stafell' y briodferch oedd dillad y gwely, offer y gegin a'r llaethdy, a chist dderw.[27] Er mai eiddo'r gŵr, yn dechnegol, oedd y stafell, gellid ei dychwelyd yn eiddo i'r wraig petai hi'n colli'i gŵr, neu ei throsglwyddo i ferch iddi.

Pan ddeuai gwraig newydd i ffermdy sefydledig, nwyddau'r briodas a ddodrefnai siambr y pâr priod, a châi'r siambr ei haddurno'n arbennig at yr achlysur. Ceir enghraifft wych o siambr briodas yng Nghiliau yn Sir Faesyfed. Yno, mewn tŷ na welodd fawr o newid oddi ar yr unfed ganrif ar bymtheg, cafodd y siambr ar y llawr cyntaf, sef y rhan gynhesaf o'r tŷ uwchlaw'r gegin, ei hailaddurno yn y ffasiwn ddiweddaraf drwy ychwanegu ati fowldiadau 'bolecsiwn' sy'n ymwthio y tu hwnt i'r arwynebau cerfiedig. Uwchlaw drws yr ystafell fach ceid panel cerfiedig agored ac arno fotiff y tiwlip ynghyd â llythrennau blaen enwau'r pâr priod. Yn aml, golygai priodas ailddodrefnu'r tŷ a gellid dynodi hynny drwy osod maen dyddiad arno a rhoi ar hwnnw lythrennau blaen enwau'r gŵr a'r wraig.[28]

Yr oedd cysylltiad, wrth reswm, rhwng priodi ac olynu. Fel rheol, byddai mab yn etifeddu fferm wedi i'w dad farw. Ambell waith, byddai tad oedrannus neu fusgrell yn trosglwyddo'r fferm i'w fab ac yn ymneilltuo i ystafell gan gadw amrywiol gelfi at ei ddefnydd ei hun. Pan drosglwyddodd Edward Edwards fferm y Berth-lwyd yn Sir Gaerfyrddin i'w fab, neilltuodd iddo'i hun barlwr yn y tŷ a sawl eitem benodol. Yn eu plith yr oedd cwpwrdd ac arno lythrennau blaen enw Edward Harry (ei dad, mae'n debyg) a sawl llyfr.[29] Adeg yr olynu, fe ad-drefnid y rolau yn y tŷ. Digwyddai hynny gliriaf pan symudai'r weddw allan ac ildio'i lle i'w merch-yng-nghyfraith. Mewn sawl rhan o Gymru, ac yng Ngwynedd, Morgannwg a Gwent yn arbennig, byddai'r weddw'n aml yn symud i dŷ bychan - tŷ agweddi - wrth ymyl y prif dŷ. Byddai hwnnw'n debyg i fwthyn ac weithiau â'i gegin yn agored hyd y to ond ag ystafell fewnol ar y llawr cyntaf. Câi ei ddodrefnu ar wahân, ond pan na fyddai ei angen mwyach fel annedd ychwanegol câi ei droi'n ôl i fod yn fecws neu'n gegin allanol. Yr oedd y tŷ agweddi bach yn nodwedd amlwg ar ochrau gorllewinol Cymru ac yn ffordd drawiadol o gadw annibyniaeth menywod yn eu henaint.[30]

bride's family to provide 'suitable' or 'competent' chamber furniture as part of the dowry. In late eighteenth-century Cardiganshire, a bride brought with her a feather bed, bed clothes, a wainscot chest, and dishes.[26] Among the cottagers of south-west Wales both bride and groom might provide a 'room'. After marriage, friends, relatives and neighbours visited the couple to see the 'room'. The groom was expected to provide the substantial items of furniture: table, dresser, chairs and bed. The bride's room was 'the bedding and bed clothes, kitchen and dairy equipments, and an oak chest.'[27] Although the *stafell* was technically the husband's property, it was property that might return to a wife during her widowhood or devolve to a daughter.

When a wife came to an established farmhouse the marriage goods furnished the couple's chamber, which would have been specially decorated for the occasion. A splendid example of a marriage chamber survives at Ciliau in Radnorshire. In this house, which had changed little since the sixteenth century, a first-floor chamber in the warmest part of the house above the kitchen was redecorated in the latest fashion with 'bolection' mouldings that project beyond carved surfaces. An open carved panel decorated with the tulip motif and incorporating the initials of the couple was set over the closet door. Marriage often brought refurbishment of a house and this might be marked by a date stone inscribed with the initials of both husband and wife.[28]

Marriage and succession were of course linked. Generally an heir succeeded to a farm on the death of his father. Occasionally, an elderly or infirm father would hand over to his son and retire to a room, reserving various items of furniture for his own use. When Edward Edwards transferred Berth-lwyd in Carmarthenshire to his son, he reserved for his own use the parlour in the house and several specified items. These included a cupboard with the initials of Edward Harry (probably his father) and several books.[29] With succession there was a rearrangement of roles within the house. This was at its clearest when the widow moved out and her daughter-in-law was in charge. In several parts of Wales, particularly in Gwynedd, Glamorgan and Gwent, the widow often moved to a small dwelling adjacent to the main house. These were cottage-like, sometimes having the kitchen open to the roof but with a storeyed inner room. They were separately furnished but reverted to their former use as a bakehouse or outside kitchen when no longer needed as a subsidiary dwelling. The diminutive dower house was very much a feature of the western side of Wales and preserved the independence of elderly women in a striking way.[30]

Urban Housing

The Industrial Revolution transformed the social, economic and physical landscape between the mid-eighteenth and mid-nineteenth centuries. The population of Wales more than doubled during this period, reaching 1,189,000 by 1851, and for the first time in

Tai'r Trefi

Rhwng canol y ddeunawfed ganrif a chanol y ganrif ddilynol trawsffurfiodd y Chwyldro Diwydiannol y sefyllfa gymdeithasol ac economaidd a'r dirwedd. Gwelwyd poblogaeth Cymru'n mwy na dyblu ac yn tyfu i 1,189,000 erbyn 1851. Am y tro cyntaf erioed, yr oedd mwy o bobl yn gweithio ym myd diwydiant nag ym myd amaeth. Arweiniodd ymfudiad y gweithwyr o gefn gwlad i'r

history more people were employed in industry than in agriculture. The migration of rural workers to new centres of industry led to the development of urban landscapes, particularly in south Wales, which dramatically changed the way people lived. The working class emerged as a distinctive social group at this time, with their own concerns and culture.

Working-class housing was dominated by family-occupied terraces or rows, built to house the labour needed for the new

Ffigur 21. Teras diwydiannol nodweddiadol a godwyd o frics o tua diwedd y 1800au ymlaen yw Council Street, Glynebwy.

Figure 21. Council Street in Ebbw Vale is a typical industrial brick-built terrace, dating from the late 1800s.

canolfannau diwydiannol newydd at ddatblygu tirweddau trefol, yn enwedig yn y de, a newid llawer iawn ar ffyrdd pobl o fyw. Dyna pryd y daeth y dosbarth gweithiol i'r amlwg fel grŵp cymdeithasol pendant a chanddo'i bryderon, ei ddyheadau a'i ddiwylliant ei hun.

Terasau neu resi o dai i deuluoedd oedd cartrefi'r mwyafrif o'r dosbarth gweithiol ac fe'u codwyd am fod angen cartrefi ar weithwyr y diwydiannau newydd. Yn aml, yr oedd y tai diwydiannol cynnar yn fach dros ben ac yn fythynnod un-ystafell a godwyd ar unrhyw dir a ddigwyddai fod ar gael a chan fanteisio ar y defnyddiau a oedd wrth law. Yn aml, byddai'r cartrefi digynllun hynny'n orlawn ac yn afiach am na cheid na charthffosiaeth na dŵr glân ynddynt. Tyfodd pentrefi o'r fath yn gyflym yn ardaloedd y gweithfeydd haearn fel Merthyr Tudful ac arweiniodd hynny yn y pen draw at gyflwyno rheoliadau cynllunio cenedlaethol ac isddeddfau lleol i geisio sicrhau bod safon i gartrefi'r gweithwyr. O dan reolaeth yr isddeddfau hynny, prin yr amrywiai cynllun y tŷ teras, er bod gwell graen ar rai ohonynt na'i gilydd. Ar y llawr gwaelod ceid ystafell ffrynt, cegin gefn a chegin fach. Oddi ar gyntedd byr y fynedfa ceid grisiau i ddwy neu dair ystafell wely ar y llawr cyntaf. Defnyddid y gegin fach a ymwthiai o gefn y tŷ yn fan i ymolchi a pharatoi bwyd ynddo. Gan fod y gegin yn fan bwyta ac eistedd, hi oedd calon y tŷ. Yr ystafell ffrynt neu'r parlwr oedd yr ystafell 'orau', a byddai'n llawn celfi da – a phiano hefyd yn aml. Ni ddefnyddid mohoni ond ar achlysuron arbennig ac i ddifyrru ymwelwyr arbennig. Yr ystafell ffrynt hefyd fyddai gorffwysfan olaf aelod o'r teulu, ac yno y byddai'r arch i'r cymdogion a'r perthnasau allu dod i dalu'r gymwynas olaf yn ystod yr ychydig ddyddiau cyn yr angladd.[31]

Yr oedd y tŷ a'r stryd y tu allan iddo'n hierarchaeth o fannau cyhoeddus a phreifat.[32] Defnyddio'r drws cefn a'r gegin wnâi'r teulu, eu cyfeillion a'u cymdogion fel rheol. Cedwid y drws ffrynt a'r parlwr ar gyfer ymwelwyr mwy ffurfiol. Rhwng y mannau cyhoeddus a phreifat yr oedd carreg y drws, ac o flaen y tai gorau ceid gardd ffrynt fach. Ceid llawer i sgwrs ar garreg y drws heb fod angen gwahodd cymdogion i groesi'r rhiniog. Yn yr haf, peth digon cyffredin fyddai gweld menywod ar eu heistedd y tu allan i'r drws ffrynt yn sgwrsio â'u cymdogion.

Enghraifft dda o dai teras yw Rhes Rhyd-y-car. Fe'i codwyd yn wreiddiol yn ardal Merthyr Tudful ar gyfer gweithwyr y diwydiant haearn a'u teuluoedd. Achubwyd y rhes gyfan o dai o'i safle gwreiddiol a'i hailgodi yn Amgueddfa Werin Sain Ffagan. Mae'n ail-greu'n rhyfeddol y newidiadau yng nghelfi'r tŷ teras dros bron i ddwy ganrif. Dangosir chwe chyfnod olynol, gan gychwyn tua 1805 a symud ymlaen hyd at y moderneiddio trylwyr ym 1985 a gafodd wared ar y rhan fwyaf o gymeriad brodorol y tai. Yn yr ugeinfed ganrif bu'r defnyddio mawr ar bapur wal a leino yn fodd i newid golwg y lloriau a'r waliau. Gwelwyd newidiadau yn hoffter pobl o fathau o gelfi ac addurniadau. Yn fwy na dim, gwelwyd newidiadau ym mhatrymau defnyddio'r ystafelloedd hynny. Deilliodd rhai ohonynt o newidiadau sylfaenol yn y dechnoleg mewn cartrefi yn sgil dyfodiad ffurfiau newydd ar oleuo a gwresogi,

industries. Early industrial houses were often extremely small, single-room cottages built on whatever land was available using materials that were close at hand. These unplanned homes were frequently overcrowded and squalid, lacking sanitation and clean water supplies. Settlements like this grew rapidly in iron-working areas such as Merthyr Tydfil, eventually prompting the introduction of national planning regulations and local by-laws that aimed to provide minimum standards for workers' housing. In its mature form, the plan of the terraced house, regulated by these by-laws, scarcely varied, though some were better finished than others. On the ground floor there was a front room, a rear kitchen and a scullery. There was a staircase off the short entrance passage or 'half hall' that gave access to two or three first-floor bedrooms. Sculleries projecting at the back of the house were used for washing and food preparation. The kitchen was the heart of the house, functioning as a combined kitchen, eating and sitting room. The front room or parlour was the 'best' room, filled with good furniture, often including a piano, and used only on high days and holidays and to entertain special visitors. The front room was also the last resting place of a family member, whose coffin reposed in the room to receive the respects of neighbours and relatives in the days before the funeral.[31]

The house and the street outside formed a hierarchy of public and private spaces.[32] The family, as well as friends and neighbours, would generally use the back door and kitchen. The front door and parlour were reserved for more formal visitors. The front doorstep and, in better houses a small front garden, was a buffer between public and private spaces. Many conversations were carried on from the front doorstep without the need to invite neighbours across the threshold. In the summer it was not unusual for women to sit outside the front door to interact with neighbours.

Rhyd-y-car Row is a good example of the rows of terraced houses originally built in the Merthyr district in south Wales to house iron-industry workers and their families. The entire row of houses was rescued from its original location and re-erected at St. Fagan's National History Museum. It brilliantly recreates the changing interiors of the terraced house over nearly two centuries. Six successive phases are shown, starting in around 1805 and running up to the fundamental modernisation that occurred in 1985, which erased most of the vernacular character of the houses. There were changes in floor and wallcoverings, with the widespread adoption of wallpaper and lino in the twentieth century. There were changes in consumer preferences for types of furniture and ornament. Above all there were alterations in room use and routines. Some were related to fundamental developments in domestic technology brought about by the introduction of new forms of lighting and heating, and the arrival of piped water and indoor sanitation. The ironworkers' cottages at Rhyd-y-car were built for higher-paid labourers but they lacked a best room. Instead, the large kitchen was arranged to perform two functions – those of living room and parlour. The kitchen occupied most of the room

dyfodiad carthffosiaeth a darparu tapiau dŵr. Er i fythynnod y gweithwyr haearn yn Rhyd-y-car gael eu codi i letya gweithwyr a gâi gyflogau uwch, doedd ynddynt ddim ystafell orau. Yn hytrach, trefnwyd i'r gegin fawr gyflawni dwy swyddogaeth, sef bod yn ystafell fyw ac yn barlwr. Llenwai'r gegin y rhan fwyaf o'r ystafell ond gosodid y celfi gorau ar hyd un wal, sef 'yr ochr orau'. Yn yr ugeinfed ganrif, codwyd siediau yn y gerddi i fod yn ystafelloedd byw-a-gweithio ac yn fodd i gadw'r gegin yn ystafell orau.[33]

Serch y gwahaniaethau rhwng tai cefn gwlad a thai cymharol newydd yr ardaloedd diwydiannol, yr oedd cysylltiadau sylfaenol rhwng y ddau fath o dŷ yn y bedwaredd ganrif ar bymtheg. Hyd yn oed yn anterth y diwydiannu a'r ymfudo mawr ganol y 1800au, cadwodd llu o deuluoedd eu cysylltiadau cryf â chefn gwlad a cheid peth mudo yn ôl ac ymlaen rhwng y bwthyn a'r tŷ teras. Perthynai manteision pendant i feddu bwthyn neu dyddyn: yn Sir Gaernarfon, cerddai llawer o chwarelwyr yn ôl ac ymlaen o'u bythynnod i'r chwareli, ac arhosai rhai ohonynt mewn barics yno yn ystod yr wythnos. Daeth amryw byd o weithwyr diwydiannol i'r meysydd glo o dyddynnod a bythynnod a fuasai'n dai unnos yn wreiddiol, ond nid aeth gwerthoedd annibyniaeth barn a bod yn berchen ar eu cartrefi dros gof.

Mae'n debyg bod y ffigurau rhyfeddol ynghylch perchnogaeth cartrefi yn ardaloedd glofaol y de yn adlewyrchu'r awydd i fod yn annibynnol. Doedd manteision ariannol perchnogaeth ddim yn gwbl amlwg o bell ffordd yn y bedwaredd ganrif ar bymtheg, yn enwedig am ei fod yn rhwystr rhag symud ac am na oedd hi, ym marn llawer, yn ffordd hwylus o gronni cyfalaf. Eto i gyd, nid peth anghyffredin oedd gweld bod rhyw 40 y cant o'r dosbarth gweithiol ym maes glo'r de yn berchen ar eu cartrefi, ac mewn rhai ardaloedd mae'n debyg i'r ffigur bron â chyrraedd 70 y cant. Mae'r rheiny'n ffigurau syfrdanol o'u cymharu â ffigurau llawer rhan o Loegr, ac yr oedd yn uwch na lefel perchnogaeth cartrefi'r dosbarth canol. Fe'u cyrhaeddwyd yn rhannol drwy i glybiau adeiladu brynu tir a chodi tai arno i'w haelodau. Bu'r clybiau hynny ar waith o ganol y bedwaredd ganrif ar bymtheg tan y Rhyfel Byd Cyntaf a buont yn gyfrifol am gyfran sylweddol – cymaint â chwarter efallai – o'r tai a godwyd yn y maes glo.[34]

Diwydiant Menywod

Er y gall adrodd hanes menywod yn y gweithle guddio rhywfaint ar lafur traddodiadol menywod yn y cartref, gellid ystyried bod rhedeg cartref yn effeithiol yn swyddogaeth ddiwydiannol ynddo'i hun ac mai menywod a'i cyflawnai fynychaf o ddigon.

Llafur di-ben-draw oedd llafur y menywod yn nhai teras y maes glo. Cytunai arsylwyr yr oes fod tŷ'r glöwr yn lân ac yn olau er gwaethaf llwch y glo a'r baw beunyddiol. Ar ôl i löwr ddychwelyd o'r pwll fe ymolchai mewn baddon tun o flaen tân y gegin, trefn ac iddi ei defodau ei hun, ond fe olygai hynny gyflawni'r gwaith caled o gario dŵr a'i dwymo ar y tân. Yn ystod yr ymgyrch i sicrhau baddonau ar ben y pyllau fe dynnwyd rhai ffotograffau o'r olygfa

but the best furniture was arranged along one wall, known as 'the best side'. In the twentieth century, detached sheds were erected in the gardens as living and work rooms, allowing the kitchen to be kept as a best room.[33]

Despite the differences between rural housing and the comparatively new houses of industrial areas, there were fundamental links between rural housing and industrial working in the nineteenth century. During the heyday of industrialisation and migration in the mid-1800s, many families retained strong rural connections and there was some circulatory migration between cottage and terraced house. There were distinct advantages in having a cottage or smallholding: in Caernarfonshire, many quarrymen tramped to and from their cottages to the quarries, some staying in quarry barracks during the week. Numerous industrial workers came to the coalfields from smallholdings and cottages that had originated as squatter holdings, and they brought with them the values of home ownership and independence.

This concern for independence seems reflected in the astonishing figures for home ownership in the coal-mining districts of south Wales. The financial advantages of ownership were by no means self-evident in the nineteenth century, especially as it fettered mobility and was not readily seen as a form of capital accumulation. Nevertheless, in the south Wales coalfield working-class home ownership of around 40 per cent was not uncommon and in some areas reportedly approached 70 per cent. These are truly astonishing figures when compared with many parts of England, and exceeded middle-class home ownership. They were achieved partly through building clubs, which purchased land and built houses on behalf of their shareholding members. Clubs were active from the mid-nineteenth century until the First World War and were responsible for a substantial proportion – perhaps as much as a quarter – of houses built in the coalfield.[34]

Women's Industry

Histories of women in the workplace can overlook the labour traditionally undertaken by women in the home. However, running an effective household could be considered an industrial undertaking in its own right and one accomplished by an overwhelmingly female workforce.

Women's labour in the terraced houses of the coalfield was unrelenting. Contemporary observers agreed that the collier's house was bright and clean despite daily incursions of coal dust and dirt. On his return from the pit the collier washed in a tin bath in front of the kitchen fire. The routine, which had its own rituals, involved the heavy labour of carrying water and heating it on the range. The scene was sometimes photographed during the campaign for pithead baths, providing an affecting glimpse of the interaction between home and work. The solidarities of work tended to throw men together outside the home, but they concentrated women in the home. The formidable south Wales Mam with a 'tidy' house

Ffigur 22. Tŷ deulawr o'r unfed ganrif ar bymtheg yng Nghlynnog, Sir Gaernarfon yw Pant Glas Uchaf. Mae'r ddelwedd hon yn dangos tu allan y tŷ, a'r perchenogion yn y drws.

Figure 22. Pant Glas Uchaf is a sixteenth-century storyed house in Clynnog, Caernarfonshire. This image shows the exterior of the house, with the owners in the doorway.

honno, ac maent yn cynnig darlun byw o'r cysylltiad rhwng y cartref a'r gwaith. Tuedd y cydweithio oedd dwyn dynion at ei gilydd y tu allan i'r cartref ond cadw'r menywod yn y cartref. Yr oedd 'Mam' gadarn y de a'i chartref taclus yn batrwm a gododd o anghenion dwys y gwaith.[35]

Ond ni chyfyngid llafur menywod yn y cartref i'r dosbarth gweithiol. Yr oedd gan fenywod o'r dosbarthiadau canol ac uwch eu gwaith tŷ eu hunain, ond bod iddo ffurfiau gwahanol a'i fod yn llai corfforol: yn y cartrefi cyfoethog ceid gweision a morynion i gyflawni'r tasgau mwy brwnt a chorfforol o amgylch y tŷ. Ceir llwyth o lenyddiaeth sy'n cynghori menywod cyfoethog ynglŷn â'r ffordd orau o redeg eu cartrefi – o ystadau mawr yr uchelwyr i'r terasau o gartrefi cymharol ddirodres y dosbarth canol. Yr oedd y llenyddiaeth boblogaidd honno ar gael yn eang ac yn trin a thrafod materion fel rheoli staff y cartref ac ymddwyn yn briodol, yn cynnig ambell rysáit addas ac yn rhoi gair i gall ynghylch trefniant y celfi yn y cartref.

was a stereotype grounded in the very real effects of work.[35]

However, women's labour in the home was not confined to the working class. Middle and upper-class women had their own housework, though it took different forms and was less intensively manual: wealthier homes had servants to take care of the dirtier and more physical tasks about the house. There is an abundance of literature advising wealthier women about how best to run their homes, from large gentry estates to comparatively modest middle-class terraces. This literature was widely available and popular, and covered topics ranging from the management of household staff, proper etiquette and appropriate occasional recipes, to the arrangement of furniture in the home.

The Rise of Suburbia

As the wages of urban workers increased during the nineteenth century, for the first time people had more money than they needed to support a family household and were able to save up or spend

Ffigur 23. Ysbrydolwyd Gardd-Bentref Rhiwbeina ger Caerdydd gan fudiad y Gardd-Ddinasoedd tua diwedd y bedwaredd ganrif ar bymtheg. Lluniodd Raymond Unwin gynllun datblygu ar gyfer 44.5 hectar o dir ac A.H. Mottram oedd y pensaer. Ym 1914 codwyd y pedwar ar ddeg ar hugain o'r tai cyntaf yn Rhiwbeina yn arddull syml y Celfyddydau a'r Crefftau ar dir wrth ymyl Rheilffordd Caerdydd. Daliwyd i godi tai yno drwy gydol y 1920au ac mae cyfanswm o 189 ohonynt ar yr ystâd heddiw.

Figure 23. Rhiwbina Garden Village near Cardiff was inspired by the late nineteenth-century Garden City Movement. Raymond Unwin prepared a development plan for 44.5 hectares with A.H. Mottram as architect. The first thirty-four houses in a simplified Arts and Crafts style were built at Rhiwbina in 1914 on land adjacent to the Cardiff Railway. Development continued through the 1920s, with a total of 189 properties built on the estate.

Ffigur 24. Oherwydd dinistr y bomio mawr ar ardaloedd trefol a diwydiannol yn ystod yr Ail Ryfel Byd, codwyd tai parod i letya'r bobl a gawsai eu symud o'u cartrefi neu a oedd wedi colli eu cartrefi. Er mai'r bwriad oedd i'r tai parod fod yn ateb dros dro i'r prinder tai wedi'r Rhyfel, meddyliai eu preswylwyr y byd ohonynt. Bron i hanner canrif ar ôl ei chodi, dymchwelwyd yr ystâd hon yn Bishpool, Casnewydd, yn 2004.

Figure 24. Following the devastation caused by the intensive bombing of urban and industrial areas in the Second World War, prefabricated buildings were erected to accommodate the displaced or homeless populations. Although they were intended to be temporary solutions to the post-war housing shortage, prefabs were enormously popular with their inhabitants. This estate in Bishpool, Newport was eventually demolished in 2004, after almost half a century of occupation.

Datblygiad y Maestrefi

Gan i gyflogau'r gweithwyr trefol godi yn ystod y bedwaredd ganrif ar bymtheg, yr oedd gan bobl, am y tro cyntaf, fwy o arian nag yr oedd arnynt ei angen i gynnal cartref y teulu. Gallent gynilo neu wario'u harian ar fwy na hanfodion bywyd beunyddiol. Awydd enillwyr cyflogau mawr oedd cael cartrefi ac ynddynt fwy o le a phreifatrwydd. O amgylch y canolfannau trefol, codwyd tai pâr a oedd â'u gerddi eu hunain ac fe'u llenwyd yn gyflym wrth i'r dosbarth canol ymgyfoethogi yn ystod oes Victoria. Yn y cartrefi maestrefol dosbarth canol newydd hynny ceid ystafelloedd helaethach, gan gynnwys cegin ar wahân, ystafell fwyta, parlwr ac, yn nhai'r cyfoethogion, lolfa a stydi. Neilltuai teuluoedd cyfoethog o'r dosbarth canol sawl ystafell i weithgareddau hamdden a chyflëir hynny'n gelfydd gan ffotograffau o du mewn cyffyrddus a gorlawn ystafelloedd oes Victoria. Yr oedd ffotograffiaeth ei hun yn agwedd ar weithgarwch hamdden, ac mewn sawl teulu o'r dosbarth canol uchaf yn y de ceid ffotograffwyr arloesol fel John Dillwyn Llewelyn o Benlle'r-gaer, gŵr sydd wedi gadael cofnodion pwysig i ni o fywyd domestig y cyfnod.[36]

Y gwahaniaeth sylfaenol rhwng cartrefi'r dosbarth gweithiol

their money on more than the basics required for daily life. Higher earners aspired to larger homes with more space and privacy. Semi-detached houses with their own gardens were built in the green areas around urban centres and were quickly populated by the newly prosperous Victorian middle classes. These new middle-class suburban homes had a more generous provision of rooms with a separate kitchen, dining room, drawing room or parlour, and in the more affluent homes, a morning room and study. Wealthy middle-class families had several rooms dedicated to leisure and this is well captured by photographs of comfortable and cluttered Victorian interiors. Photography was itself a by-product of greater leisure, and several upper-middle-class families in south Wales included pioneer photographers (such as John Dillwyn Llewelyn of Penllergaer), who have left important records of domestic life during this period.[36]

The fundamental difference between urban working-class and middle-class homes lay in the use of the parlour. The classic late-Victorian and Edwardian middle-class terraces in Cardiff exemplify this.[37] In the middle-class home the parlour was a sitting room or living room rather than a little-used 'best' room. The treasured but scarcely used front room of the working-class house seemed an

Ffigur 25. Ystâd dai o eiddo'r awdurdod lleol oedd y Billy Banks ym Mhenarth ac fe'i codwyd fesul cam rhwng y 1960au cynnar a'r 1970au. Cynlluniwyd y tai hyn yn Royal Close yn unol â Safonau Parker Morris a chafodd eu preswylwyr yr holl gyfleusterau domestig y barnwyd eu bod yn angenrheidiol i fyw bywyd yn yr oes fodern. Fe'u dymchwelwyd yn 2011, ar ôl llai na hanner canrif o'u defnyddio, am fod y gost o'u hatgyweirio a'u huwchraddio yn llethol.

Figure 25. The Billy Banks was a local authority housing estate in Penarth, built in phases between the early 1960s and 1970s. These houses at Royal Close were designed in accordance with Parker Morris Standards and provided residents with all the domestic facilities deemed necessary to modern life. They were demolished in 2011, after less than 50 years of use, when the cost of continuing repairs and upgrades became uneconomical.

trefol a'r dosbarth canol oedd eu defnydd o'r parlwr. Amlygir hynny gan y terasau o dai dosbarth-canol clasurol o ddiwedd cyfnod Victoria ac oes Edward yng Nghaerdydd.[37] Yn y cartref dosbarth-canol, yr oedd y parlwr yn ystafell fyw yn hytrach nag yn ystafell 'orau' na ddefnyddid fawr ddim arni. Barnai'r rhai a ddymunai weld diwygio ar faes tai ar ddechrau'r ugeinfed ganrif fod ystafell ffrynt y dosbarth gweithiol yn wastraff llwyr ar ofod gwerthfawr. Cam enwog Raymond Unwin a'i ddilynwyr ym mudiad y Gardd-Ddinasoedd tua dechrau'r ugeinfed ganrif oedd condemnio'r parlwr am fod yn wastraff o ofod gwerthfawr ac yn ffrwyth 'ysfa i sicrhau parchusrwydd' mewn ffordd a oedd yn amhriodol mewn democratiaeth fodern. Gellid cyfuno'r gegin a'r parlwr yn un ystafell i ateb anghenion teulu o'r dosbarth gweithiol.[38]

Rhagwelai Unwin a'i debyg newid yn y defnyddio ar ystafelloedd ond ni wireddwyd hynny'n llwyr tan tua 1945, pryd y codwyd tai newydd yn lle'r rhai a gollwyd adeg bomio'r ardaloedd diwydiannol a milwrol allweddol yn yr Ail Ryfel Byd. Gan mwyaf, yr oedd y tai cyngor a godwyd i gartrefu teuluoedd rhwng 1918 a 1939 yn cynnwys parlwr ac yn cyd-fynd â phatrwm y tŷ canolog-ei-gynllun yng Nghymru. Fel rheol, yr oedd y cartrefi hynny, fel y rhai a godwyd gan bleidwyr mudiad y Gardd-Ddinasoedd, yn dai pâr â gerddi preifat. Y bwriad oedd iddynt wella ansawdd bywyd eu preswylwyr yn ogystal â bod yn gartrefi iddynt.

Ond ar ôl 1945 codwyd llu o dai parod mewn rhannau o'r de i letya'r rhai a gollodd eu cartrefi oherwydd bomio'r dinasoedd.

utter squandering of precious space to housing reformers of the early twentieth century. Raymond Unwin and his followers in the early twentieth-century Garden City movement famously condemned the little-used parlour as a waste of valuable space and a 'craving for bourgeois respectability' inappropriate in a modern democracy. Kitchen and parlour could be combined into a single day room appropriate for the needs of a working-class family.[38]

Unwin and others like him anticipated a change in room use which has only truly come about since 1945, as new houses were built to replace those lost to the bombing of key industrial and military areas during World War II. In the inter-war years, that is, between 1918 and 1939, council houses for families had generally been built with parlours, reflecting the layout of the established centrally-planned house in Wales. These homes, like those built by proponents of the Garden City movement, were typically semi-detached properties with private gardens that were designed not just to house their occupants, but to improve their overall quality of life.

However, post-1945 prefabricated emergency housing or 'prefabs', constructed in large numbers in parts of south Wales to house those made homeless by bombing in cities, were planned without parlours. The shortage of permanent housing after World War II led to changes in the sorts of new homes being built in Wales: the loss of the parlour was just one of the many modifications made to contemporary house plans. Importantly,

Ffigur 26. Yn 2011, yr oedd y gwaith adeiladu ar ddatblygiad newydd aml-lawr 'Penarth Heights' ym Mro Morgannwg wedi hen gychwyn. Cymerodd y rhandai newydd le ystâd y Billy Banks a godwyd tua diwedd y 1960au a dechrau'r 1970au ond a fu'n fethiant.

Figure 26. In 2011, the newly designed multi-storey 'Penarth Heights' development in the Vale of Glamorgan was well under construction. The new apartments replaced the Billy Banks, a failed post-war estate, which was built in the late 1960s and early 1970s.

Doedd dim parlwr ynddynt. Oherwydd prinder tai parhaol ar ôl yr Ail Ryfel Byd, gwelwyd newid yn y mathau o gartrefi newydd a gâi eu codi yng Nghymru: nid oedd colli'r parlwr ond yn un o'r llu addasiadau a wnaed i gynlluniau tai yr oes. Pwynt i'w gofio yw mai tŷ dros dro oedd y tŷ parod, ond iddo hefyd gael ei ystyried yn dŷ 'modern' a bod ynddo rai celfi parod, cyfleusterau carthffosiaeth, a nwyddau trydan a ysgogodd chwilfrydedd mawr ar y pryd. Cofiai'r cyn-arweinydd Llafur, Neil Kinnock, a fagwyd mewn tŷ parod Arcon Mark V, i gyfeillion a'r teulu ddod i weld rhyfeddodau'r tŷ. I fachgen bach, yr oedd modernrwydd eithaf y tŷ fel 'byw mewn llong ofod'. Arweiniodd y chwilfrydedd aruthrol ynglŷn â'r arbrawf hwnnw at arestio dyn o Bont-y-pŵl am syllu i mewn i dŷ parod.[39]

Yn y 1950au, gwelwyd arloesi mawr ar gynllunio cartrefi. Arweiniodd penseiri a chynllunwyr y broses o ddatblygu ffyrdd newydd o fyw i boblogaeth yr oedd mawr angen roi hwb newydd iddi ar ôl y blynyddoedd maith o lymder wedi'r Rhyfel. Aethant ati i arloesi codi ystadau aml-lawr - y 'strydoedd yn yr awyr' - â digon o le ynddynt i blant a theuluoedd gymysgu. Dilynwyd cynllun newydd a symlach wrth godi llu o ystadau maestrefol a thai cyngor newydd. Dyna pryd y dilëwyd y parlwr yn llwyr o gynllun y tŷ oherwydd y gred ei fod ef yn wastraff gofod. Erbyn 1961, yr oedd Pwyllgor Parker Morris wedi llunio'r adroddiad *Homes for Today and Tomorrow* ar safonau gofod tai newydd ym Mhrydain ac wedi

while the prefab was regarded as a temporary house, it was also considered a 'modern' house with some fitted furniture, indoor sanitation, and electrical goods that aroused much contemporary curiosity. Former Labour leader Neil Kinnock, who was brought up in an Arcon Mark V prefab, recalled that friends and family came to view its wonders. For a small boy, its ultra-modernity made it seem like 'living in a spaceship'. Overwhelming curiosity about this experiment in living even led to the arrest in 1947 of a Pontypool man for peering into a prefab.[39]

In the 1950s, there was a surge of innovation in domestic design. Architects and designers took the lead in developing new ways of living for a population in desperate need of rejuvenation following long years of austerity imposed by conflict. They pioneered the building of multi-storey estates, aspirational 'streets in the sky' with plenty of communal spaces for children and families, and constructed many new suburban estates and council houses according to a new, simplified plan. The parlour was ultimately erased from the house plan at this time, as it was considered an obsolete domestic space. By 1961, the Parker Morris Committee had produced a report on housing space standards for newly-built homes in Britain. *Homes for Today and Tomorrow* recommended improvements to the design of social housing that eventually formed the Parker Morris Standards, setting out minimum space requirements and positive living models for new

argymell gwelliannau i gynllun tai cymdeithasol. Y rheiny a ddaeth yn Safonau Parker Morris maes o law ac fe osodent ofynion o ran isafswm y gofod a modelau cadarnhaol o fyw ar gyfer cartrefi newydd. Fe'u mabwysiadwyd yn helaeth gan awdurdodau lleol a hyd yn oed gan rai adeiladwyr preifat. Serch y glynu wrth Safonau Parker Morris o ran eu cynllun, doedd y defnyddiau a'r dulliau adeiladu newydd a ddefnyddiwyd gan awdurdodau lleol i godi miloedd o dai newydd ddim yn ddigon praff i wrthsefyll treigl amser, ac ymhen llai na hanner canrif ar ôl eu codi yr oedd llawer ohonynt yn prysur ddadfeilio. Er i'r ystadau tai a godwyd yn y 1950au a'r 1960au gael eu canmol adeg eu codi gan yr adeiladwyr a'r preswylwyr fel ei gilydd, ni fuont yn llwyddiant bob tro ac mae rhai ohonynt bellach wedi'u dymchwel neu wedi'u hailddatblygu'n helaeth gan yr awdurdodau lleol.

Tai yn yr Unfed Ganrif ar Hugain

Dangosodd data o gyfrifiad 2001 fod i gartrefi Prydain, ar ddechrau'r unfed ganrif ar hugain, 5.34 o ystafelloedd i bob teulu ar gyfartaledd, ac mai 2.31 o bobl yn unig a'u rhannai. O ddadansoddi tai yng Nghymru a Lloegr ochr yn ochr â data'r cyfrifiad, fe awgrymir bod mwy o deuluoedd – a rhai llai ar gyfartaledd – ym Mhrydain nag a gofnodwyd erioed o'r blaen. Mae'r ymchwil hefyd yn dangos bod gan gartrefi newydd ym Mhrydain, erbyn 1996, ofod llawr o 76 o fetrau sgwâr ar gyfartaledd, sef cryn dipyn yn llai nag yn y mwyafrif o dai a godwyd yn y ganrif flaenorol a 21 y cant y llai na chartrefi newydd, ar gyfartaledd, ar dir mawr Ewrop.[40]

Yng Nghymru, fel yng ngweddill Prydain, ceir prinder o dai sy'n cyd-fynd ag anghenion cyfnewidiol y boblogaeth gyfoes. Mae llawer o awdurdodau lleol a datblygwyr preifat wedi troi at y stoc bresennol o dai i geisio datrys y problemau. Mae'r maestrefi'n dal i fod yn fannau poblogaidd i ddatblygu tai newydd ynddynt i gartrefu'r poblogaethau cynyddol sy'n cymudo i'w gwaith mewn trefi a dinasoedd. Oherwydd i ystadau fel y Billy Banks ym Mhenarth fethu, maent wedi'u dymchwel ac wedi'u disodli gan ddatblygiadau newydd fel 'Penarth Heights' sy'n ceisio cynnig ffyrdd modern o fyw.

Mae adeiladau hŷn hefyd wedi'u gwella er mwyn iddynt ddiwallu anghenion pobl a theuluoedd heddiw'n well. Moderneiddiwyd llu o dai teras o'r bedwaredd ganrif ar bymtheg ac erbyn hyn maent fwy neu lai'n rhai cynllun-agored ar y llawr gwaelod. Yn y cartrefi hynny, mae'r ystafell ymolchi gyfoes a'r ystafell fyw cynllun-agored yn cydfodoli ag ystafelloedd gwely sydd yr un mor bwysig: heddiw, mae bod â'ch ystafell eich hun i gysgu a mwynhau'ch preifatrwydd ynddi yr un mor hanfodol â bod ag ystafell deuluol i gymdeithasu a chael eich adloniant ynddi. Yn ddiddorol ddigon, mae i'r trefniant hwnnw beth tebygrwydd i'r patrwm canoloesol o fyw mewn neuadd a siambr, ac yn golygu bod hanes y cartref yng Nghymru bron yn gylch cyfan.

homes. These were broadly adopted by local authorities and even by some private builders. Despite adhering to the Parker Morris Standards in their design, the new materials and construction methods used to build thousands of new local authority homes could not stand the test of time, and less than fifty years after their construction, many were quite literally disintegrating. While the post-war estates of the 1950s and 1960s were generally lauded during their time by builders and occupiers alike, they were not always successful, and some have now either been demolished or extensively redeveloped by local authorities.

Housing in the Twenty-First Century

Data from the 2001 census shows that at the start of the twenty-first century, British homes had an average of 5.34 rooms per household, shared between just 2.31 people. Analysis of houses in England and Wales alongside census data suggests there are more, and on average smaller, households in Britain now than ever previously recorded. Research also shows that by 1996, newly-built homes in Britain had an average floor space of 76 square metres, significantly smaller than most houses built in previous century, and 21 per cent smaller than the average new-build home in continental Europe.[40]

In Wales, as in the rest of Britain, there is a shortage of housing suited to the changing needs of the contemporary population. Many local authorities and private developers have turned to existing housing stock in an attempt to resolve housing problems. The suburbs have remained popular places for developing new homes to house ever-growing populations who commute to work in towns and cities. Failed post-war estates like the Billy Banks in Penarth have been demolished and replaced with newly-designed developments like 'Penarth Heights', which aim to offer modern ways of living.

Improvements have also been made to older buildings to make them more suited to the needs of modern people and families. Many nineteenth-century terraced houses have been modernised and are now more or less open-plan on the ground floor. In these updated homes, the contemporary bathroom and the open-plan living room co-exist with equally important separate bedrooms: today, having a room of one's own for sleep and privacy is just as essential as having a family room for socialising and entertainment. This arrangement bears an interesting resemblance to the medieval pattern of hall and chamber living, and brings the history of the home in Wales almost full circle.

PENNOD DAU - CHAPTER TWO

Cartrefi Un-Ystafell

One Room Homes

I'r mwyafrif o bobl Cymru heddiw, rhywbeth o oes a fu yw cartref un-ystafell. Er bod cartrefi un-ystafell ar ddechrau'r unfed ganrif ar hugain yn llai nag un y cant o'r tai yng Nghymru a Lloegr,[1] mae'r dystiolaeth archaeolegol a ffynonellau hanesyddol yn dangos bod hanes maith iddynt yng Nghymru.

Y cartrefi cynharaf mwyaf parhaol yng Nghymru oedd y cartrefi un-ystafell a godwyd o goed yn y cyfnod Neolithig (4,500 CC - 2,500 CC). Er mai prin yw'r dystiolaeth sydd gennym ohonynt, mae ymchwiliadau archaeolegol i safleoedd Neolithig sydd mewn cyflwr da, fel un Llandygái yn y gogledd, yn dangos eu bod yn adeiladau petryal a rhesymol o fawr a bod paredau pren yn rhannu'r ystafell ganolog. Ynddynt hefyd yr oedd lle tân canolog a roddai olau, gwres ac ynni ar gyfer coginio yn y cartref. Codwyd y tŷ yn Llandygái ger Bangor tua 3,900 CC ac mae'n debyg iddo fod yn gartref i deulu estynedig o ffermwyr. Er ei bod hi'n hawdd dychmygu bod y tai hynny'n fach ac yn dywyll ac yn gyfyng o'u cymharu â chartrefi heddiw, mae'r tŷ yn Llandygái yn fwy na llawer o'r tai newydd a gaiff eu codi heddiw. Tua diwedd y 1990au, 67 o fetrau sgwâr oedd cyfartaledd gofod llawr tŷ a oedd newydd ei godi yng Nghymru a Lloegr; o gymharu â hynny, rhoes yr adeiladwyr 78 o fetrau sgwâr o ofod i'r preswylwyr yn Llandygái.[2]

Mae tai crwn un-ystafell o'r Oes Efydd a'r Oes Haearn hefyd yn fwy o faint nag y byddai'r dychymyg yn awgrymu. Drwy'r adluniadau arbrofol a wnaed ar sail ymchwil drylwyr i'r tai crwn yng Nghastell Henllys yn y de-orllewin cawn gipolwg unigryw ar bryd a gwedd bosibl y cartrefi un-ystafell, a sut y gallai eu preswylwyr gwreiddiol fod wedi'u defnyddio. Fel yn achos eu rhagflaenwyr Neolithig, mae i'r tai aelwyd ganolog a sgriniau pren sy'n gwahanu'r ystafell: mae'r mannau cysgu, y mannau coginio a'r mannau gwaith i gyd wedi'u hail-greu'n ofalus i'n helpu i ddeall rhagor am ffordd pobl Castell Henllys o fyw.

Ni chyfyngir cartrefi un-ystafell i'r cyfnod cynhanesyddol. Yn aml

For the majority of people in Wales today single-room houses are a relic of the past: at the start of the twenty-first century less than 1 per cent of houses in England and Wales were one-room homes.[1] However, archaeological evidence and historical sources show that one-room homes have a long history in Wales.

The earliest more enduring houses in Wales were one-room homes built during the Neolithic period (4,500 BC to 2,500 BC). While little evidence remains of these timber-built houses, archaeological investigations at well-preserved Neolithic sites such as Llandegai near Bangor in north Wales show they were reasonably large, rectangular buildings with a central room that was subdivided internally by wooden partitions. They also had central fireplaces that provided light, heat and energy for cooking in the home. The house at Llandegai was built around 3,900 BC and would probably have housed an extended family of farmers. It is easy to imagine these houses as small, dark and cramped places when compared with modern homes. However, the house at Llandegai is actually larger than many new houses being built today. In the late 1990s, the average floor space of a newly-constructed home in England and Wales was 76 metres squared: by comparison, the builders at Llandegai provided occupants with 78 square metres of space.[2]

The one-room round houses of the Bronze Age and Iron Age are also more spacious than the imagination might suggest. Meticulously researched experimental reconstructions of round houses at Castell Henllys in south-west Wales allow us an unique insight into how these one-room homes might have looked, and how they might have been used by their original occupants. As with their Neolithic predecessors, these houses have a central hearth with wooden screens dividing the room into task areas: sleeping spaces, cooking areas and work areas are all carefully re-created to help us understand more about how people living at

Ffigur 27. Er bod patrwm y cartref un-ystafell hwn yn debyg i un ei gymydog, byddai'r bobl a drigai yma wedi bod o radd uwch yn y gymdeithas. Ar yr aelwyd ganolog helaethach ceir set o obedau haearn a chrochan mawr, ac arno addurniadau cain, ar gyfer coginio prydau bwyd. Dros y meinciau cain eu cerfiad ceir carthenni lliwgar y byddai'r preswylwyr wedi eistedd arnynt. Y tu ôl i lenni'r mannau cysgu cawn gip ar y gwelyau go gyntefig. Mae'r murluniau yn y tŷ'n ymdrech i ail-greu'r mathau o addurniadau y gellid bod wedi'u gweld mewn cartrefi o statws uchel fel hwn.

Figure 27. Although this one-room home is similar in layout to its neighbour, the people who lived here would have held a higher social rank than the people next door. The larger central hearth has a set of iron firedogs, and a large, finely decorated cauldron for cooking meals. Richly coloured textiles cover elaborately carved benches that would have provided seating for inhabitants, and screened-off sleeping areas where rudimentary bedsteads can be glimpsed behind the curtains. The wall paintings in this house are speculative attempts to recreate the kinds of decoration that might have appeared in high-status homes such as this one.

(ond nid bob tro), cartrefi un-ystafell oedd y bythynnod a godwyd gan y tlodion gwledig yng Nghymru, a gosodent eu celfi i rannu'r tu mewn yn ystafelloedd. Er mai'r enghreifftiau cynharaf o fythynnod sydd wedi goroesi yng Nghymru yw rhai o ddiwedd y ddeunawfed ganrif, yn y 1800au y codwyd, neu yr ailgodwyd, y mwyafrif o'r bythynnod sy'n bod o hyd. Gan i du mewn y bythynnod hynny gyffroi cryn chwilfrydedd ymhlith teithwyr cyfoethog neu ddysgedig y bedwaredd ganrif ar bymtheg, mae eu dyddiaduron a'r llyfrau a'u nodiadau ar eu teithiau yn ffynhonnell gyfoethog o wybodaeth i ni am fywyd byd y bwthyn.

Yn ei *Tour of South Wales* a gyhoeddwyd ym 1804, disgrifiodd y Parchedig John Evans un o'r bythynnod tlotaf ar lethr bryn yng nghefn gwlad y de-orllewin.[3] Elfennol oedd celfi'r bwthyn: gwely o rug a brwyn a gawsai eu sychu, ac astell rhwng dwy garreg oedd y sedd wrth y tân. Yr oedd tegell a llechfaen i bobi bara ceirch yno, a dau biser pridd. Trawyd Evans gan letygarwch y bythynnwr a glendid y cartref oherwydd yr ysgubo cyson arno, a nododd fod yno awyrgylch hapus braf a gyferbynnai â'r trueni a'r budreddi a welid yn llawer o gartrefi tlodion Lloegr. Parodd disgrifiadau fel y rheiny i fythynwyr 'tlawd ond hapus' ddatblygu'n gonfensiwn llenyddol poblogaidd ymysg pobl gefnog. Gan fod anheddau'r tlodion gwledig hefyd yn destun addas i arlunwyr yr oes, aeth y rheiny ati i beintio a braslunio golygfeydd mewn bythynnod, a rhamantu'r bywyd hwnnw. Er bod y cofnod a adawsant o du mewn bythynnod gwledig yn allweddol i'n dealltwriaeth o'r gofodau hynny, mae'n sicr mai profiad digon garw a digysur oedd byw mewn bwthyn un-ystafell. Ni fentrai'r teithwyr o'r bedwaredd ganrif ar bymtheg ymweld mor aml â chartrefi bach un-ystafell y Gymru ddiwydiannol gynnar. Yn aml, eu hunig nod wrth ymweld â chanolfannau trefol fel Abertawe a Merthyr Tudful yn y de wrth i'r rheiny ddatblygu'n gyflym oedd gweld holl ddrama liwgar a llachar y broses o ddefnyddio peiriannau i gynhyrchu haearn. Yr oedd bryntni, gorlenwi ac amddifadedd dychrynllyd tai cynnar a digynllun y gweithwyr yn ganlyniad anochel ac annymunol i'r ehangu diwydiannol cyflym, ac fe'u hanwybyddwyd tan ganol y bedwaredd ganrif ar bymtheg. Bryd hynny, ysgogodd adroddiadau ar yr amodau byw, y clefydau ymledol a'r tlodi eithafol broses o ddatblygu rheoliadau cynllunio trefol.

Wrth i dechnegau a thechnoleg adeiladu newid, ac wrth i agweddau cymdeithas at hylendid, preifatrwydd a dosbarth ddatblygu, prinhau mwyfwy wnaeth y cartref un-ystafell. Trodd nifer yr ystafelloedd, a'r math o ystafelloedd, yng nghartrefi'r perchnogion yn arwydd o'u cyfoeth a rhennid y gofod byw yn amryw o fannau mwyfwy arbenigol. Yn ystod oes Victoria y gwelwyd y broses honno ar ei hanterth. Oddi ar hynny, mae rhannu'r gofod yn y tŷ arferol wedi'i symleiddio. Mae hyd yn oed rai o'r fflatiau a'r rhandai mwyaf modern – a'r rhai y mae mwyaf o alw amdanynt yn yr ardaloedd trefol sydd wedi'u hadnewyddu – wedi dychwelyd at batrwm y cartref un-ystafell, ond at fersiwn llawer mwy modern ohono, un sy'n defnyddio technoleg a thechnegau adeiladu modern i gynnig amodau byw o safon uchel o fewn pedair wal.

Castell Henllys would have gone about their daily lives.

One-room homes are not confined to prehistory. The cottages built by the rural poor in Wales were often (though not always) single-room houses, with furniture providing room division. The earliest surviving examples of cottages in Wales date from the late eighteenth century, but the majority of extant cottages were built, or rebuilt, in the 1800s. The interiors of these cottages were a matter of some curiosity for the wealthy or educated nineteenth-century traveller, and their travel diaries and notebooks provide us with a rich source of information about contemporary cottage life.

In his *Tour of South Wales*, published in 1804, the Reverend John Evans described one of the poorer hillside cottages of rural south-west Wales.[3] The furniture in the cottage was rudimentary: a bed of heath and dried rushes, with a plank set on stones that served as a fireside seat. The fire had a kettle and bake-stone, and there were two earthenware pitchers in the property. Evans was struck by the hospitality of the cottager and the cleanliness of the house, which was regularly swept, and observed that there was an air of happy contentment that contrasted with the misery and filth discernible in comparable dwellings of the English poor. Accounts such as this led to the literary notion of 'poor but happy cottagers' popular among the more prosperous classes. The dwellings of the rural poor were also a suitably picturesque subject for contemporary artists, who painted and sketched cottage scenes that romanticised cottage life. While the record they provide of rural cottage interiors is essential to our understanding of these spaces, the reality of one-room cottage living was no doubt far removed from this. The tiny one-room homes of early industrial Wales were less likely to be frequented by the same nineteenth-century travellers, who often only visited rapidly developing urban centres such as Swansea and Merthyr Tydfil in south Wales for the drama and spectacle of iron making and machine-powered production. The squalor, overcrowding and extreme deprivation of early unplanned working settlements was an unpleasant and unavoidable outcome of rapid industrial expansion that was overlooked until the mid-nineteenth century, when reports of sub-standard living conditions, epidemics of various diseases and extreme poverty prompted the development of urban planning regulations.

As building techniques and technology changed, and as social attitudes about hygiene, privacy and class developed, the one-room home became increasingly rare. The number and type of rooms in one's house became an indicator of the home-owner's wealth, and living space was divided into more numerous and progressively specialised areas. Complicated division of living space into rooms according to distinct uses reached its zenith in the Victorian period. Since then, the division of space in the average home has been simplified. Some of the most sought-after ultra-modern flats and apartments in regenerated urban areas have even returned to the one-room home model, albeit a significantly modernised version, utilising modern technology and construction techniques to provide high-quality living within just four walls.

Ffigur 28. Ar ôl ymchwilio'n fanwl a defnyddio tystiolaeth a gasglwyd yn ystod cyfres o gloddiadau y cychwynnwyd arnynt ym 1980, mae archaeolegwyr wedi adlunio tai crwn o'r Oes Haearn yng Nghastell Henllys yn Sir Benfro. Yn y cartref hwn, un o faint digon cymedrol, câi bwyd ei baratoi a'i goginio o amgylch yr aelwyd ganolog mewn crochan haearn a hongiai o'r nenfwd. Câi bwydydd eu cadw mewn basgedi ar lwyfan uwchlaw'r prif fannau cysgu lle'r oedd dwy fatres yn cynnig lle i'r preswylwyr gysgu'r nos. Yma hefyd byddai gwŷdd wrth y drws er mwyn i breswylwyr y cartref fanteisio ar olau dydd wrth wehyddu.

Figure 28. The Iron Age round houses at Castell Henllys in Pembrokeshire have been painstakingly researched and reconstructed by archaeologists, using evidence gathered during a series of excavations starting in 1980. In this moderately sized home, food was prepared and cooked around the central hearth in an iron pot suspended from the ceiling. Provisions were stored in baskets on a platform above the main sleeping areas, where two mattresses provided occupants with a place to rest their heads at night. In this house, a loom is also set by the door, allowing inhabitants of the home to make effective use of daylight in their weaving.

Ffigur 29. Bwthyn â'i darddiad yn yr Oesoedd Canol yw Oerddwr Isaf ym Meddgelert. Mae'r ymchwiliad archaeolegol o'r tŷ a dyddio blwyddgylchau'r coed a ddefnyddiwyd i'w godi yn awgrymu i rannau o'r adeilad gael eu codi tua diwedd y bymthegfed ganrif. Yn wreiddiol, bu croglofft yno ond mae hi wedi diflannu erbyn hyn. Mae'r adeiladwaith fel y mae wedi cadw man byw agored a lle tân yn y talcen. Tynnwyd y llun hwn gan ymchwilwyr y Comisiwn Brenhinol ym 1953 ychydig cyn i'r eiddo fynd â'i ben iddo.

Figure 29. Oerddwr Isaf in Beddgelert is a cottage with medieval origins. Archaeological investigation of the house and tree-ring dating of the timber used in its construction suggest that parts of the building were erected in the late fifteenth century. Originally, the building would have had a croglofft, which has since disappeared. The current structure retains an open living area with a gable-end fireplace. This photograph was taken by Royal Commission investigators in 1953, shortly before the property fell out of use.

Ffigur 30. Er bod rhannau o'r tŷ hwn dros bum canrif oed, defnyddiwyd defnyddiau nodweddiadol o'r ugeinfed ganrif i addurno'i du mewn. Defnyddiwyd ffabrig printiedig ac arno batrwm poblogaidd o flodau i wneud llenni i'r ffenestr fach, a defnyddiwyd llen debyg i guddio'r storfa flêr wrth y tân. Dros y llawr gosodwyd linoliwm, sef gorchudd llawr fforddiadwy, golchadwy a chadarn a geid yn gyffredin yn y rhannau prysuraf o'r cartref yn yr ugeinfed ganrif. Cyn hynny, lloriau o bridd neu gerrig a geid yn y mwyafrif o gartrefi yng Nghymru.

Figure 30. Although parts of Oerddwr Isaf are over five hundred years old, the interior has been decorated using typical twentieth-century materials. Printed fabric with a popular pattern of stylised flowers has been used to make curtains for the small window, and a matching drape has been used to conceal the untidy fireside storage area from view. The floor has been covered in linoleum, an affordable, washable, hard-wearing floor covering commonly laid in well-used areas of the home in the twentieth century. Prior to this, most homes in Wales would have had packed earth or stone floors.

Ffigur 31. Bwthyn nodweddiadol o'r gorllewin yw Wigwen Fach ger Llanerchaeron. Fe'i codwyd yn y ddeunawfed ganrif ac mae'n un o'r bythynnod prin yng Ngheredigion sydd wedi cadw'r mwyafrif o'i nodweddion traddodiadol. Mae i'r lle tân fantell o fangorwaith sy'n nodweddiadol o fythynnod y fro, a byddai'r lle tân hwnnw wedi bod yn ganolbwynt i fywyd y cartref. Gan fod y tu mewn fel rheol yn eithaf tywyll, byddai'r tân yn gwresogi'r tŷ, yn cynhesu'r bwyd ac yn ffynhonnell werthfawr o oleuni.

Figure 31. Wig Wen Fach near Llanerchaeron is a typical west Wales cottage. It was built in the eighteenth century and is one of the last remaining cottages in Ceredigion to retain most of its traditional features. The fireplace has the wickerwork hood that is characteristic of cottages in the area, and would have been the focus of life in the home. Fireplaces warmed the house, provided heat for cooking and were a valuable source of light in typically gloomy interiors.

PENNOD TRI - CHAPTER THREE

Drysau, Cynteddau a Grisiau

Doorways, Hallways and Staircases

Ni sylweddolir yn aml pa mor allweddol bwysig yw drysau, cynteddau a grisiau'r cartref. Y rheiny yw'r ystafelloedd rhwng yr ystafelloedd, y mannau a gaiff eu creu wrth i ni rannu'n tai, a'r gofodau sy'n rhoi trefn ar ein mannau byw yn gorfforol ac yn ideolegol.

Y drws yw'r fynedfa i'r cartref. Amlygir ei arwyddocâd gan y traddodiadau gwerin maith sy'n gysylltiedig ag ef ledled Prydain. Yn draddodiadol, bydd gŵr yn codi ei briodferch newydd dros riniog y tŷ ac yn aml gosodir pedolau ar brif fynedfa'r tŷ, neu uwch ei phen, i ddod â lwc a chadw ysbrydion drwg neu faleisus draw. Gan fod drws yn fynedfa i'r tŷ ar lefel gwbl ymarferol, mae'n rhwystr cadarn rhwng tu mewn a thu allan y cartref ac yn rheoli mynediad i'r ystafelloedd unigol o'i fewn. Ac am mai drysau sy'n rheoli awyrgylch ffisegol y cartref drwy reoli llif yr aer ynddo, maent yn fodd i gynhesu neu oeri'r ystafelloedd yn fwy effeithlon. Maent hefyd yn ffordd bwysig o reoli tân yn y cartref. Bydd drysau'n rhwystr rhag gweld neu glywed golygfeydd, aroglau a seiniau annifyr; cuddiant ystafelloedd blêr o'r golwg, rhwystrant aroglau coginio rhag ymledu, a mygant sŵn. Ond byddant hefyd yn rhwystrau i bobl yn y cartref am eu bod yn sicrhau neu'n agor mynediad i'r gwahanol fannau ac ystafelloedd yn y cartref yn ôl yr agweddau ar y pryd at breifatrwydd a dosbarth cymdeithasol, a'r syniadau ynghylch pa fathau o bobl y dylid gadael iddynt fynd i mewn i fathau penodol o ystafelloedd: mae gwybod beth sy'n digwydd y tu ôl i rai drysau caeedig penodol wedi'i gyfyngu, i bob pwrpas, i'r rhai a gaiff eu hagor.

Gall golwg a chynllun drysau fod o gymorth wrth ddyddio eiddo. Fel y gwnaiff pob addurn mewnol, gall yr addurno ar ddrysau mewnol, a'r driniaeth a gânt, gyfleu syniadau ac agweddau preswylwyr olynol at y cartref ac at yr ystafelloedd a'r gofodau penodol y maent yn darparu mynediad iddynt. Yn ystod y ddeunawfed ganrif a'r ganrif ddilynol, daeth drysau'n arwyddion allweddol o ddosbarth cymdeithasol. Drwy drefnu i'r teulu a'r gwasanaethyddion yn y plasty mawr fod â mannau tramwy ar wahân, llwyddwyd i gyfleu a chadarnhau'r gwahanu cynyddol arnynt. Mynnai perchnogion cyfoethog cartrefi i'w staff domestig ddod i mewn i'r adeilad drwy fynedfa'r gwasanaethyddion, a

Ffigur 32. Codwyd grisiau'r Great House yn Nhalacharn yn nechrau'r ddeunawfed ganrif ac fe'u hadnewyddwyd yn ddiweddar. Nid eu cynllun sy'n nodedig ond y bwa dwbl ar landin y llawr cyntaf. Mae'n nodwedd anarferol, yn enwedig am fod y ddau fwa'n arwain i'r un man.

Doorways, hallways and staircases are key elements of the home that are often overlooked. They are the rooms between rooms, the odd non-areas that come into being as we partition our houses, and are the spaces that structure our living areas both physically and ideologically.

Doorways are points of entry in the home. The significance of doorways is reflected in the long-standing folk traditions associated with them throughout Britain: a new bride is traditionally lifted over the threshold of the house by her husband, while horseshoe charms are often nailed on or above the main entrance to the home for luck, and to keep away malicious or mischievous spirits. On a purely practical level, doorways provide admission to the house itself, thereby acting as a secure barrier between the interior and the exterior of the home that controls access to the individual rooms within it. They control the physical atmosphere of the home by regulating air drafts and allowing rooms to be warmed or cooled more effectively, and are an important domestic fire control measure. Doors also act as barriers to unwelcome sights, scents and sounds in the home: they hide untidy rooms from view, contain cooking smells and dampen noise. However, doors also provide barriers to people in the home, securing or opening access to the different areas and rooms of the house depending on contemporary attitudes towards privacy and social class, and ideas about what sorts of people should be allowed access to particular types of rooms: knowledge of what goes on behind certain closed doors is ostensibly limited to those permitted to open them.

The physical appearance and design of doors and doorways can be helpful when dating a property. Like all interior decoration and adornment, the embellishment and treatment of interior doors can signify the contemporary ideas and attitudes of successive occupants of a home, and about the particular rooms and spaces to which they provide access. During the eighteenth and nineteenth centuries, doorways became key markers of social class. Increasing segregation of family and servants in the great house was expressed and maintained by separate systems of circulation. Wealthy home owners with a staff of domestic servants required workers to come into the building via a separate servants' entrance, which was

Figure 32. The recently renovated, early eighteenth-century staircase at Great House in Laugharne is notable not for its design, but for the double archway on the first-floor landing. This is an unusual feature, especially given that the archways both lead into the same space.

honno'n un na ellid ei gweld o'r brif fynedfa a ddefnyddid gan aelodau'r teulu. Mewn ystadau gwledig fel Llanerchaeron ger Aberaeron, nod penseiri fel John Nash oedd i'w cynlluniau pensaernïol guddio'r ystafelloedd gwasanaethu mawr yng nghefn yr eiddo o olwg y teulu a'r gwesteion a ddefnyddiai'r brif fynedfa, ac mewn tai tref gosodid mynedfeydd o'r fath ar yr islawr o dan lefel y stryd. Yn y tai hynny, defnyddid y drws beias gwyrdd i reoli symudiadau'r gweithwyr o amgylch y tŷ ac i amlygu'r gwahaniaeth a'r pellter cymdeithasol rhwng y gwasanaethyddion o'r dosbarth gweithiol a'u cyflogwyr o'r dosbarth uwch. Math o liain yw beias, a defnyddid stydiau pres i'w osod ar ddrws er mwyn iddo fygu sŵn ac aflonyddu llai ar y bobl y naill ochr a'r llall iddo. Ar dai ystâd ceid cloeon ar lawer o'r drysau mewnol er mwyn cyfyngu mynediad i'r ystafelloedd y tu hwnt iddynt i'r rhai a feddai allwedd. Fel rheol, ceid drysau cloadwy i ystafelloedd y gwasanaethyddion, a chedwid yr allweddi gan yr howsgiper. Ffordd arall oedd honno o ddynodi'r ffiniau dosbarth a rheoli symudiadau gwahanol y gwasanaethyddion a'r teulu. Câi cynnwys gwerthfawr a chludadwy'r tŷ hefyd ei gadw dan glo; y drefn arferol oedd cadw'r llestri arian a'r crochenwaith dan glo ym mharlwr y bwtler am fod llai o berygl iddynt gael eu cam-drin a'u dwyn.

Amlygid y pellter rhwng y dosbarth uwch a'r dosbarth gweithiol yn nhŷ'r cyfoethogion hefyd gan y ffordd y rheolai'r grisiau adeiladwaith y cartref, yn enwedig yn y tai canolog eu cynllun lle'r oedd y grisiau'n nodwedd bensaernïol sylfaenol. Caniatâi'r grisiau canolog fynediad i bob rhan o'r tŷ, ond nid oedd gan bawb yn y cartref – yn deulu nac yn wasanaethyddion – fynediad cydradd i'r grisiau. Amlygwyd yr ymboeni cynyddol ynghylch dosbarth cymdeithasol ym manylion addurniadau'r grisiau. Yn y cartrefi cynnar lle'r oedd ffrâm i'r grisiau, yr oedd yr addurno a'r manylion ar y grisiau fel rheol yr un fath o'r islawr lle gweithiai'r gwasanaethyddion hyd at y groglofft lle y cysgent. Ond yn ddiweddarach, oherwydd eu statws israddol, codwyd grisiau symlach eu gwedd yn y mannau gwasanaethu ac yn nhrigfannau'r gwasanaethyddion: ni cheid addurniadau ond ym mhrif rannau'r tŷ. Mynegwyd y pellter cymdeithasol cynyddol nid yn unig gan ddiffyg addurno ond hefyd drwy godi grisiau cwbl ar wahân, ynghyd â chynteddau a phwyntiau mynediad ar wahân, ar gyfer y gwasanaethyddion.[1] Yng nghartrefi pobl lai cyfoethog, cyrhaeddid lefelau uchaf y tŷ'n aml drwy ddringo cyfres gylchog o risiau cerrig y tu ôl i simnai'r talcen. Bu hynny'n nodwedd arbennig ar lawer bwthyn ac, yn ddiweddarach, ar gartrefi'r dosbarth gweithiol yn y trefi a'r dinasoedd.

Yn sgil dyfodiad cartrefi canolog eu cynllun a phwysigrwydd cynyddol y grisiau, collodd y neuadd ei statws canoloesol fel cnewyllyn y cartref. Trodd y cyntedd, yn hytrach, yn fan i wahanu un gofod arbenigol oddi wrth un arall, ond heb fod iddo'i swyddogaeth arbenigol ei hun. Er hynny, ac wrth i nifer yr ystafelloedd arbenigol yng nghartrefi pobl fwy cyfoethog gynyddu yn y ddeunawfed ganrif a'r un ddilynol, datblygodd y 'cyntedd' newydd yn nodwedd bwysig ar y tŷ cyfoes. Y cyntedd oedd yr

concealed from the main entrance used by family members. In country estates like Llanerchaeron near Aberaeron, architects such as John Nash designed the large service range at the rear of the property to be architecturally invisible to the family and guests using the main entrance, while town houses placed entrances in basements below street level. Inside the home, the green baize door was used to control the way employees moved around the house and visibly mark the difference and social distance between the working-class servants and their upper-class employers. Baize is a type of cloth that was affixed to doors using brass studs; it was designed to muffle noise and reduce disturbance for people on both sides of the divide. Many internal doors in estate houses had locks, limiting access to the rooms beyond to those who held keys. Servants' quarters commonly had lockable doors, whose keys were held by the housekeeper. This was another way of demarcating class barriers and controlling the differential movements of servants and families. The valuable and portable contents of the house were also kept put of sight: the silverware and crockery were commonly kept under lock and key in the butler's parlour, where they were better protected from mishandling and theft.

The distance between the upper and working classes in the wealthy house was also apparent in the way the staircase structured the home, especially in centrally-planned houses where the staircase was the fundamental architectural feature. The central stairs allowed access to every part of the house, but not everyone in a household – family and servants alike – had equal access to it. Increasing sensitivities to social class were made apparent in the detail of staircase decoration. In earlier homes with framed stairs, the decoration and detail of the staircase was usually the same from the basement where servants worked, right up to the attic where servants slept. However, later stairs become simpler in service areas and servants' quarters because of the lower status of servants: adornment was reserved for the main areas of the house. Growing social distance was expressed not only by lack of ornament but also by the development of entirely separate service stairs, with separate hallways and access points.[1] In less affluent homes, the upper levels of the house were often reached by ascending a circular flight of stone stairs behind the gable chimney. This was a distinctive feature in many cottages and in later working-class homes in towns and cities.

With the advent of centrally-planned homes and the increasing importance of the staircase, the hall was relegated from its medieval status as the nucleus of the home. Instead, hallways became partition spaces, separating one specialist area from another, but with no specialist function of their own. Despite this, as the number of specialised rooms in wealthier homes increased during the eighteenth and nineteenth centuries, the new 'entrance hall' became an important feature of the contemporary house. The entrance hall was the first room encountered by occupants of the home, but more crucially, was the first room encountered by their guests. It became a showcase for the display of the wealth and

Ffigur 33. Dyma luniad pensil o ben drws cerfiedig o gyntedd Old Impton yn Llanandras. Mae'n cofnodi mân fanylion cynllun cywrain a chelfydd ei gerfiad ac yn rhoi gwedd gliriach arnynt, ac mae'n un o gyfres o luniadau o gerfiadau pren o'r tŷ sydd gan y Comisiwn Brenhinol.

Figure 33. This pencil drawing of a carved door head is from the entry porch at Old Impton in Presteigne. It records and clarifies the finer details of the ornate and well-carved design, and is one of a series of drawings of wooden carvings from the house that are held by the Royal Commission.

ystafell gyntaf y deuai preswylwyr y cartref iddi ond, yn bwysicach byth, dyna'r ystafell gyntaf y deuai eu gwesteion ar ei thraws. Ar draws y dosbarthiadau daeth yn fan i arddangos cyfoeth a gwerthoedd y cartref ynddo. Yn aml, byddai cynteddau cartrefi'r cyfoethogion wedi'u haddurno a'u dodrefnu'n helaeth, ac erbyn oes Victoria gallant hefyd fod wedi cynnwys lle tân i gadw'r fynedfa'n gynnes ac yn sych wrth i westeion gyrraedd. Os oedd cyntedd i gartrefi'r dosbarthiadau canol a gweithiol, fe'i cedwid yn aml ar gyfer gwesteion arbennig: drwy ddrws y cefn y deuai'r teulu ac aelodau eraill y cartref i'r tŷ.

Yn y cartref modern, prin iawn yw'r drysau mewnol sy'n dal i fod â chloeon, ac eithrio ystafelloedd ymolchi a thoiledau lle mae'r glicied oddi mewn yn fodd i warchod noethni a phreifatrwydd y bobl sy'n defnyddio'r cyfleusterau yno. Dewis llawer teulu modern, hefyd, yw codi drysau dros dro oherwydd anghenion y teulu. Nodwedd gyffredin ar gartrefi llawer teulu heddiw yw codi clwydi bach dros dro i rwystro plant ifanc rhag mentro i fannau peryglus fel y gegin a'r grisiau heb oruchwyliaeth briodol. Mewn cartrefi diweddarach, barnwyd nad oedd y cyntedd yn ofod pwysig. Credai diwygwyr tai ei fod, fel y parlwr, yn wastraff ar ofod. Mewn rhai cartrefi newydd, felly, agorai'r drws ffrynt yn syth i brif ystafelloedd y cartref neu i gyntedd llawer llai nad oedd yn ddim ond man i groesawu pobl i'r tŷ. Bellach, y farn gyffredinol yw nad ydy cynteddau a grisiau ond yn lleoedd i hongian cotiau a chadw esgidiau. Yn aml, cânt eu haddurno mewn lliwiau niwtral rhag i unrhyw gynllun lliwiau mwy bywiog na llwydfelyn lethu gwesteion, ac anaml y bydd celfi ynddynt.

values of the household across the classes. Entrance halls in wealthy homes were often lavishly decorated and furnished, and by the Victorian period may also have included a fireplace to keep it warm and dry for incoming guests. In middle-class and working-class homes with entrance halls, the use of the hall was often preserved for special guests: family and other members of the household would have used the back entrance to access the house instead.

In the modern home very few internal doors still have locks, with the exception of bathrooms and toilets, where the modesty and privacy of the people using hygiene facilities is preserved by a latch that fastens from the inside. Many modern households also choose to erect temporary doors depending on the needs of the family: child gates that prevent young children from accessing dangerous areas such as kitchens and staircases without appropriate supervision are a common though transient feature of many modern family homes. In later homes, the entrance hall was not considered an important space. Much like the parlour, housing reformers considered it an inefficient use of space, so in some newly built homes the front door opened directly into the main rooms of the home or into a more modest, much reduced hallway that acted merely as a conduit for people entering the house. Hallways and staircases are now generally regarded simply as places to hang coats and store shoes. They are often decorated neutrally in the belief that any colour scheme more invigorating than beige may be unwelcome and overwhelming to guests, and are rarely furnished.

Ffigur 34. Mae drysau'n nodweddion ymarferol ar y cartref. Hwy sy'n rheoli mynediad i'r gwahanol ofodau yno ac maent yn rhwystrau diogel rhwng yr ystafelloedd. Ond gall drysau yn y cartref hefyd fod yn hynod addurnol. Yn Rhyd-y-gors yng Nghaerfyrddin, yr oedd bwa pigfain yn yr arddull othig yn cynyddu apêl y drws mewnol hwn yn unol â chynllun gothig y cyfan o'r tu mewn yn null dechrau'r bedwaredd ganrif ar bymtheg.

Figure 34. Doorways are practical features of the home. They control admission to different spaces in the household and provide secure barriers between rooms. However, doorways in the home can also be highly decorative. At Rhyd-y-gors in Carmarthen, a gothic-style ogee archway visually enhanced this internal doorway, in keeping with the broader, early nineteenth-century gothic design scheme of the whole interior.

Ffigur 35. Yn aml, câi sbandrelau fframiau drysau yng Nghymru eu haddurno. Cerfiwyd golygfa hela ac arfbais i'r sbandrel derw hwn ar ddrws yn Rhydarwen, Llanarthne, i gynrychioli'r gwahanol deuluoedd a oedd â chysylltiad â'r cartref. Byddai addurno domestig fel hwn yn aml yn efelychu addurniadau adeiladau eglwysig yn yr unfed ganrif ar bymtheg a'r ganrif ddilynol, a cheir peth tystiolaeth sy'n awgrymu mai cerfiadau tebyg ar foglynnau to Eglwys Gadeiriol Tyddewi yn Sir Benfro a ysbrydolodd gynllun y sbandrelau yn Rhydarwen.

Figure 35. In Wales, the spandrels of doorframes were often a focus of decoration. This oak spandrel in the doorway at Rhydarwen, Llanarthney, is carved with a hunting scene and coats of arms representing different families associated with the household. This kind of domestic decoration often mimicked the adornment of ecclesiastical buildings in the sixteenth and seventeenth centuries, and there is some evidence to suggest that the design of the spandrels at Rhydarwen were inspired by similar carvings on the roof bosses at St. David's Cathedral in Pembrokeshire.

Ffigur 36. Er mai prin yw'r sylw a gaiff drysau, cynteddau a grisiau fel gofodau yn y cartref, hwy yw fframwaith hanfodol ein tai. Yng Nghymryd Isaf yn Henryd, Sir Gaernarfon, mae pared postyn-a-phanel yn gwahanu'r ystafelloedd ar lawr gwaelod tŷ neuadd Cymreig o'r bymthegfed ganrif.

Figure 36. While doorways, hallways and staircases are often overlooked as spaces in the home, they provide the essential structure to our houses. At Cymryd-isaf in Henryd, Caernarfonshire, a traditional post-and-panel partition separates different ground floor rooms in a fifteenth-century Welsh hallhouse.

Ffigur 37. Mewn llawer tŷ a godwyd yn ystod y bedwaredd ganrif ar bymtheg a dechrau'r ugeinfed ganrif, y cyntedd oedd yr ystafell gyntaf y deuai pobl iddi wrth ddod i'r cartref. Yn Wern Isaf yn Llanfairfechan, mae'r drws ffrynt yn agor yn syth i gyntedd eang, ac ar y dde mae lle tân (â theils) a fyddai wedi gwresogi'r ystafell wrth i'r gwesteion ddod i'r tŷ. Mae'r teils addurnol ar y llawr yn apelio at y llygad ac yn hynod o ymarferol am eu bod yn creu arwyneb cadarn y gellid ei olchi ac na fyddai'n treulio nac yn colli'i liw o dan bwysau traul esgidiau budr.

Mae'r grisiau pren yn codi'n osgeiddig o'r cyntedd i gyrraedd yr ystafelloedd gwely a'r ystafell ymolch ar y llawr cyntaf.

Figure 37. In many houses built during the nineteenth and early twentieth centuries, the first room encountered by people coming into the home was the entrance hall. At Wern Isaf in Llanfairfechan, the front door opens directly into a spacious entrance hall with a tiled fireplace to the right that would have heated the space for incoming guests. The decorative tiled floor is both visually appealing and exceptionally practical, providing an endurable, washable surface that would not wear out or become discoloured under the constant traffic of dirty boots and shoes.

A wooden staircase ascends from the hallway, providing access to the first-floor bedrooms and bathroom.

Ffigur 38 (chwith). Dyma ffrâm y drws a arferai gysylltu dwy ystafell sydd ar lefelau gwahanol yn Hen Neuadd y Penrhyn yn Llandudno. Drwy dynnu'r drws, agorwyd llwybr parhaol rhwng y ddwy ystafell. Mae'r ffrâm yn ymarferol a phlaen ond yn is o dipyn na'r mwyafrif o fframiau drysau mewn cartrefi modern.

Figure 38 (left). This small doorway at Penrhyn Old Hall in Llandudno connects two rooms on different levels in the house. The door itself has been removed from the frame, opening a permanent passage between the two separate rooms. The doorway is practical and plain, though notably shorter than most doors in modern homes.

Ffigur 39 (de). Yng nghartrefi'r cyfoethogion, câi'r drysau ym mhrif ran y tŷ eu cynllunio'n aml i wneud argraff. Cysylltai'r drws mawr deublyg a chelfydd hwn barlwr a llyfrgell Nantllys, Tremeirchion, Sir Ddinbych. Gofod cyhoeddus oedd y ddwy ystafell am fod y teulu'n eu defnyddio i dderbyn a difyrru gwesteion, a diben maint y drws a'r cerfio cywrain arno oedd cyfleu cyfoeth a steil perchnogion y cartref.

Figure 39 (right). In wealthy homes, doorways in the main part of the house were often designed to impress. This large and ornate double-leaved door connected the drawing room to the library at Nantllys in Tremeirchion. Both rooms were public spaces, used by the family to receive and entertain guests, and the grand scale and elaborate carved decoration of this door was designed to demonstrate the affluence and style of the homeowners.

Ffigur 40. Mae'r cofnodion yn dangos bod tŷ ym Monachty yn Nyffryn Arth ger Aberaeron oddi ar ganol yr unfed ganrif ar bymtheg. Newidiwyd llawer arno rhwng 1844 a 1887. Yn wreiddiol, yr oedd yno le tân i gynhesu'r cyntedd – cyntedd ac iddo risiau cantilifer trawiadol a chornisiau addurnol. Ar waelod y grisiau, bellach, mae rheiddiadur o haearn bwrw wedi'i guddio y tu ôl i gadair a lamp drydan gynnar a chywrain. Mewn llawer cartref yng Nghymru, dechreuodd systemau gwres canolog a rheiddiaduron ategu, a disodli yn y pen draw, y tanau o danwydd solid. Er bod rhai rheiddiaduron o haearn bwrw yn hynod addurnol, yr oedd y mwyafrif ohonynt, fel hwn, yn eithaf plaen.

Figure 40. Records show that there has been a house at Monachty in Dyffryn Arth near Aberaeron since the mid-sixteenth century. Between 1844 and 1887, the house was extensively altered. The entrance hall, with its impressive cantilevered staircase and decorative cornicing, was originally heated by a fireplace. However, a cast-iron radiator can be glimpsed at the foot of the staircase, concealed behind a chair and an ornate early electrical lamp. In many homes in Wales, central heating systems with radiators began to supplement, and eventually replace, the use of solid fuel fires. Cast-iron radiators were sometimes highly decorative fixtures in their own right though most, like this one, were quite plain.

Ffigur 41. Yn y tŷ canolog ei gynllun fe ddatblygodd y grisiau'n brif nodwedd bensaernïol y cartref ac yn ganolbwynt i'w du mewn. Yn y llun hwn, a dynnwyd ym 1941, gwelir cyntedd y Plas yn Llansteffan a chynllun Sioraidd diweddar ei du mewn. Mae'r colofnau Dorig Rhufeinig yn cynnal cornisiau modiliwn bach yn y portico ac yn fframio'r grisiau sydd y tu hwnt iddynt - grisiau â balwstrau tenau a chanllaw rampiedig.

Figure 41. In the centrally-planned house, the staircase became a principal architectural feature of the home, and a focal point for the interior. This photograph was taken in 1941 and shows the entrance hall at The Plas, Llansteffan, with its late Georgian interior design. Roman Doric columns support minimal modillion cornices in the portico, and frame a staircase beyond with stick balusters and a ramped handrail.

Ffigur 42 (uchod). Codwyd plasty Treberfedd yn Llan-gors yn y 1840au yn arddull boblogaidd yr Adfywiad Tuduraidd. Cynlluniau a ddeilliodd o waith cerrig o'r bymthegfed ganrif a'r ganrif ddilynol a ddefnyddiwyd wrth gerfio cerrig lle tân y fynedfa, a theils llosgliw sy'n gorchuddio'r llawr. Ysbrydolwyd y patrymau ar y teils gan y teils llosgliw o'r Oesoedd Canol sydd i'w cael mewn eglwysi cadeiriol ac adeiladau cyhoeddus ledled Prydain.

Figure 42 (above). Treberfydd mansion in Llangors was built in the 1840s, in the popular Tudor Revival style. The entrance hall fireplace is stone-carved, using designs derived from fifteenth and sixteenth-century stonework, while the floor has been covered with encaustic tiles. The patterns on these tiles are inspired by surviving medieval encaustic tiles found in cathedrals and public buildings across Britain.

Ffigur 43 (de). Yn aml, byddai mynedfeydd tai'r dosbarth uchaf yn cynnwys lleoedd tân cywrain i wneud argraff ar y bobl a ddeuai i'r cartref. Codwyd Castell Gwrych yn Llanddulas ym 1815 yn unol â chynllun a seiliwyd ar gadarnle o'r drydedd ganrif ar ddeg. Nod y cerfiad trawiadol o gerrig uwchben y lle tân yw cyfleu, mewn cyd-destun mwy modern, dipyn o naws Cymru fawreddog yr Oesoedd Canol. Mae'n gopi o'r un ym Mhlas Mawr yng Nghonwy ac felly'n ymgais uniongyrchol i adfywio'r arfer o arddangos arfbais wrth fynedfa'r cartref. Yn yr unfed ganrif ar bymtheg a'r ganrif ddilynol, yr oedd herodraeth yn ffordd bwysig o amlygu cysylltiadau lleol perchennog y cartref, a'i deyrngarwch, i'w westeion, a byddent hwy wedi deall yr ystyr mewn ffordd nad oes gennym ni fawr o amgyffred ohoni erbyn hyn.

Figure 43 (right). Entrance hall fireplaces in upper-class houses were often elaborate and designed to impress people coming into the home. Gwrych Castle in Llanddulas was built in 1815, to a design based on a thirteenth-century fortress. The imposing, stone-carved overmantel is designed to evoke a sense of a grand, medieval Wales in a more modern interior. The overmantel is an imitation of one at Plas-mawr in Conwy, and as such is a direct attempt to revive the custom of displaying heraldry in the entrances to homes. In the sixteenth and seventeenth centuries, heraldry was first and foremost a way of displaying the householder's local kinships and allegiances to guests, who would have understood its meaning in a way that is now lost to us.

Ffigur 44 (chwith). Gosododd Is-Iarll Dungannon y cyntedd a'r grisiau cywrain ym Mhlas Bryncunallt yn y Waun ym 1808 yn unol â chynllun o waith ei wraig, yr Is-Iarlles Charlotte. O'r gromen ganolog y daw'r golau i oleuo'r cyntedd trawiadol, ac mae'r grisiau llydan yn arwain at oriel a gynhelir gan golofnau Twsgaidd. Cynllun addurnol neo-glasurol sydd i'r cyntedd ac mae hynny i'w weld yng ngwaith plastr y nenfwd a'r penddelwau addurnol sydd ar yr oriel.

Figure 44 (left). The ornate entrance hall and staircase at Brynkinallt Hall in Chirk was installed in 1808 by Viscount Dungannon, in accordance with designs produced by his wife Viscountess Charlotte. The impressive entrance is illuminated by a central dome light, and has a wide staircase leading to a gallery supported by Tuscan columns. The hallway has a neoclassical decorative scheme, visible here in the ceiling plasterwork and decorative busts arrayed on the gallery.

Ffigur 45 (uchod). Nid mannau i fynd i mewn i'r cartref yn unig oedd y cynteddau. Yng nghartrefi pobl gefnog ceid cynteddau eang, fel hwn yn Nerwydd yn Llandybïe. Ynddo ceid seddau cyffyrddus, byrddau, seldau a chypyrddau a droai'r cyntedd yn dderbynfa ychwanegol.

Figure 45 (above). Entrance halls were not just used as points of ingress in the home. In affluent homes with spacious entrances like this one at Derwydd in Llandybie, the hall was furnished with comfortable seating, tables, sideboards and cupboards, transforming the entrance hall into an additional reception area.

Ffigur 46. Am nad oedd neb yn byw yng Nghastell Gwydir yn Nhrefriw oherwydd y gyfres o danau a fu yno yn ystod hanner cyntaf yr ugeinfed ganrif, yr oedd cyflwr yr adeilad wedi dirywio'n wael. Dechreuwyd ei adfer yn y 1940au ar ôl iddo gael ei brynu gan reolwr banc ar ôl iddo ymddeol. Erbyn dechrau'r 1950au, pryd y tynnwyd y llun hwn, cawsai cyntedd y de-ddwyrain ei adfer. Cloch drawiadol y castell, sydd i'w gweld yn hongian o un o drawstiau'r nenfwd ar y chwith yn y llun hwn, fyddai'n rhoi gwybod bod rhywun yn galw.

Figure 46. A series of fires in the first half of the twentieth century left Gwydir Castle in Trefriw unoccupied and in a state of disrepair. Work to restore the building began in the 1940s when the house was purchased by a retired bank manager. By the early 1950s when this photograph was taken, the south-east entrance hall had been reinstated. The impressive doorbell at Gwydir, visible on the left of this image hanging from a ceiling beam would have alerted the household to the presence of callers.

Ffigur 47. Nid drwy'r prif ddrws yn y tu blaen yr âi'r gweision a morynion i'r mwyafrif o gartrefi'r dosbarth uchaf, ond drwy'r ystafelloedd gwasanaethu yng nghefn y tŷ neu drwy ddrws ochr cudd. Yr oedd y drysau i'r gwasanaethyddion yn llai cywrain na'r drws ffrynt a ddefnyddid gan y teulu ac fe agorent i gynteddau llai trawiadol. Mae gan y tŷ yn Nhrewyn yng Nghrucornau fynedfa nodweddiadol ar gyfer y gwasanaethyddion, sef drws pren plaen sy'n agor i gyntedd ac iddo lawr o gerrig. Uwchben y drws gellir dal i weld y rhes o glychau a ddefnyddid i alw'r staff i wahanol rannau o'r tŷ.

Figure 47. In most upper-class homes, the servants of the household did not enter through the main door at the front of the house. Instead, they entered via the service range at the rear of the house, or through a concealed side door. Servants' doors were less ornate than the front door used by the family, and opened into less impressive hallways. The house at Trewyn in Crucorney has a typical servants' entrance, with a plain wooden doorway opening into a stone-floored hall. Above the door, a row of service bells can still be seen, and would have been used to summon staff to different parts of the house.

Ffigur 48 (uchod). Mae'r cyfoeth o ddiwylliant materol sy'n addurno cyntedd a grisiau Neuadd Middleton yn Llanarthne yn nodweddiadol o dai o'r bedwaredd ganrif ar bymtheg. Atgynhyrchiad o fanylion gwerthu'r safle sydd yn llun hwn ac mae'n dangos y tu mewn fel yr oedd yn nechrau'r 1900au. Dymchwelwyd y plasty'n ddiweddarach.

Figure 48 (above). The wealth of material culture decorating the hallway and staircase at Middleton Hall in Llanarthney is typical of nineteenth-century houses. This image has been reproduced from the sales particulars for the site, and shows the interior as it appeared in the early 1900s. The house was later demolished.

Ffigur 49 (de). Y tu hwnt i ddrws ffrynt Pen-pont yn Nhrallong mae nenfwd uchel a fowtiog i'r cyntedd sy'n arwain at y prif risiau. Er bod dwylo'r ddau gerflun bob ochr i'r fynedfa yn dal llusernau a fyddai wedi goleuo'r fan, wyddom ni ddim a gawsant eu defnyddio'n wreiddiol i oleuo'r cyntedd: pan ymwelodd ymchwilwyr y Comisiwn Brenhinol â Phen-pont, yr oedd cynnwys y tŷ yn cael ei baratoi ar gyfer arwerthiant ac wedi'i ad-drefnu i hyrwyddo'i werthu.

Figure 49 (right). At Penpont in Trallong, the front door opens onto an entrance hall with an high, vaulted ceiling that leads to the main staircase. The two statues flanking the entry hold lanterns that would have been used provide illumination. However, it is not known whether they were originally used to light the entrance hall: when Royal Commission investigators visited Penpont, the contents of the house were being prepared for auction and had been re-arranged to promote sales.

Ffigur 50 (uchod). *Maisonettes* oedd y cartrefi yn adeilad aml-lawr Prince Charles Court ar y Billy Banks ym Mhenarth ac fe'u cyrhaeddid ar hyd llwybrau'r gwahanol lefelau. Fe'u codwyd rhwng dechrau'r 1960au a'r 1970au i gynnig gwell cartrefi i'r dosbarth gweithiol, ac yr oedd y mannau byw ynddynt wedi'u cynllunio i ddiwallu anghenion teuluoedd newydd Cymru wedi'r Ail Ryfel Byd.

Figure 50 (above). The homes at Prince Charles Court on the Billy Banks, Penarth, were multi-storey maisonettes accessed from a shared walkway. They were built between the early 1960s and 1970s to provide improved housing for the working class, and had living spaces designed to meet the needs of the new, post-war family in Wales.

Ffigur 51 (chwith). Yng nghynllun y tŷ hwn fe gywasgwyd y drws, y cyntedd a'r grisiau, ac fe agorai'r drws ffrynt i gyntedd bach a arweiniai'n syth at y grisiau. Cynlluniwyd i'r mannau hynny fod yn gwbl ddiwastraff, a dibynnent ar yr addurno mewnol ynddynt i wneud argraff dda ar y teulu ac unrhyw westai. Am nad oedd y tai yn Billy Banks mor braff eu gwneuthuriad â chartrefi hŷn yng Nghymru, yr oedd eu cyflwr wedi dirywio'n wael erbyn tynnu'r lluniau hyn yn 2010, cwta ddeugain mlynedd ar ôl eu codi. Oddi ar hynny, mae'r tai wedi'u dymchwel yn llwyr a chânt eu disodli gan flociau newydd o fflatiau.

Figure 51 (left). The doorway, entrance hallway and staircase were compressed in the house plan, with the front door opening into a small entry area and the staircase directly ahead. The design of these spaces was purely functional, and relied on interior decoration to make a good impression on the family and guests alike. The houses at Billy Banks were not as enduring as older homes in Wales, and were in a poor state of repair when these photographs were taken in 2010, just forty years after their construction. Since then, the houses have been completely demolished and are being replaced by new flats.

Ffigur 52. Yn y cartref modern caiff y cyntedd a'r grisiau eu defnyddio'n aml yn fannau i hongian cotiau a thynnu esgidiau brwnt. Ym 1954, yr oedd o leiaf un o'r bobl a drigai ym Mheniarth Fawr ym Metws-yn-Rhos yn defnyddio'u mynedfa ddigon cyffredin yn yr union ffordd honno. Yr oedd tynnu esgidiau brwnt yn y cyntedd yn ffordd o osgoi dod â baw a mwd i brif fannau byw'r tŷ ac yn cyfyngu unrhyw aflerwch i fannau a oedd fel rheol â lloriau caletach a hawdd eu glanhau. Fflagiau sydd wedi'u gosod ar y llawr a does dim carped ar y grisiau: yn lle hynny, gosodwyd stribed o linoliwm golchadwy ar y grisiau pren i'w diogelu.

Figure 52. In modern homes, entrance halls and staircases are often used as places to hang coats and remove dirty shoes. In 1954, at least one of the people living at Peniarth Fawr in Betws yn Rhos was using their modest entrance in this way too. Removing soiled footwear in the hallway prevented mud and dirt from being trailed into the main living areas of the house, and restricted any mess to areas that usually had harder wearing, wipe-clean floor surfaces. This floor has been laid with flagstones, and the stairs have been kept free of carpet: instead, a strip of washable linoleum has been laid to protect the wooden steps.

Ffigur 53. Cartref crand a godwyd yn y bedwaredd ganrif ar bymtheg yw Castell Gwrych yn Llanddulas ac mae'r grisiau marmor trawiadol ynddo'n codi'n urddasol hyd at y llawr cyntaf. Pan godwyd y plasty ym 1815, defnydd adeiladu moethus oedd marmor ac ni cheid mohono ond yng nghartrefi'r cyfoethogion. I ddiogelu'r maen drud, câi'r carped ei ddal yn ei le gan rodenni pres, a byddai'n llai llithrig i bobl gerdded arno.

Figure 53. Gwrych Castle in Llanddulas is a grand, nineteenth-century home with a striking marble staircase that sweeps gracefully up to the first floor. When this house was built in 1815, marble was a luxury building material and would have been used only in the homes of the wealthy. A stair carpet, held in place by brass stair rods, would have protected the expensive stone as well as providing a less slippery floor surface for people to walk on.

Ffigur 54. Pan godwyd Tyddyn Cynar yn Llansilin gyntaf yn yr unfed ganrif ar bymtheg, tŷ neuadd canoloesol unllawr â lle tân agored oedd ef. Ond yn yr ail ganrif ar bymtheg fe newidiwyd y neuadd drwy ychwanegu lle tân amgaeedig ato a chreu ystafelloedd ychwanegol ar y llawr cyntaf. Yr un pryd, ychwanegwyd aden er mwyn cynnwys grisiau i'r ystafelloedd newydd ar y llawr uchaf. Mae'r grisiau wedi'u gwneud o flociau o dderw yn hytrach nag o gerrig.

Figure 54. When it was first built in the sixteenth century, Tyddyn Cynar in Llansilin was a single-storey medieval hallhouse with an open fireplace. However, in the seventeenth century the hall was altered to add an enclosed fireplace and insert additional rooms on the first floor. The stair wing was added at the same time to provide access to the new rooms in the upper storey. The staircase itself has block oak treads rather than stone.

Ffigur 55 (chwith). Mae'r grisiau tro yn Aberdeunant yn Llansadwrn y tu ôl i'r lle tân yn codi i lawr uchaf y tŷ. Cynhwyswyd y grisiau mewn twred a ymwthiai o gefn y tŷ, ac ynddo ceid ffenestr fach i oleuo'r grisiau yn ystod oriau goleuni.

Figure 55 (left). The staircase at Aberdeunant in Llansadwrn is a winding spiral staircase rising behind the fireplace to the top floor of the house. The staircase was accommodated in a turret projecting from the rear of the house, where a small window provided illumination for people using the staircase during daylight hours.

Ffigur 56 (uchod). Er i stofiau fforddiadwy o haearn bwrw fod ar gael yn helaeth yn yr ugeinfed ganrif, daliwyd i ddefnyddio'r lle tân agored ar Fferm Glygyrog Wen yn Aberdyfi. Ar y chwith yn y llun ceir cip ar y grisiau tro o lechi sy'n codi y tu ôl i'r lle tân i ystafelloedd y llawr cyntaf. Yr oedd lleoedd tân fel hwn yn gyffredin mewn cartrefi brodorol ledled Cymru.

Figure 56 (above). Despite the widespread availability of affordable cast-iron stoves in the twentieth century, the open fireplace at Glygyrog-wen Farm in Aberdovey remained in use. A slate back staircase can be glimpsed at the left of this image, and would have ascended behind the fireplace to the first-floor rooms. Fireplaces such as this were common in vernacular homes throughout Wales.

Ffigur 57 (uchod). Mae'r gwagle o dan y grisiau hyn a godwyd yn nhŷ Garthgynan yn Llanfair Dyffryn Clwyd tua diwedd y ddeunawfed ganrif wedi'i ddefnyddio i greu gofod storio twt i'r teulu. Mewn llawer cartref, bydd y cwpwrdd o dan y grisiau yn fan storio gwerthfawr o hyd am fod modd cadw sugnydd llwch, bwrdd smwddio, cynhyrchion glanhau ac esgidiau o'r golwg ond o fewn cyrraedd hwylus.

Figure 57 (above). The cavity beneath this late eighteenth-century staircase at Garthgynan House in Llanfair Dyffryn Clwyd has been used to create a neat storage space for the household. In many modern homes the cupboard under the stairs remains a valuable storeroom, where the clutter of vacuum cleaners, ironing boards, cleaning products and shoes can be kept out of sight, yet still within practical reach.

Ffigur 58 (de). Gwnaeth yr artist Falcon Hildred luniadau manwl o dai'r gweithwyr yn Uwchlaw Ffynnon, Bethania, Blaenau Ffestiniog, ym 1978 a dangosant adeiladwaith y grisiau mewn perthynas â gweddill y tŷ. Dangosant hefyd sut y cydosodwyd y grisiau a'r addurno a fu ar elfennau penodol o adeiladwaith y grisiau: manylir ar gynllun cymharol syml y canllaw a'r postyn a nodir eu dimensiynau.

Figure 58 (right). Detailed drawings of the workers' cottages at Uwchllaw Ffynnon, Ffestiniog, were produced by the artist Falcon Hildred in 1978, and describe the structure of the staircase in relation to the rest of the household. They also show how parts of the staircase were assembled, and describe the decoration of specific structural elements of the stairs: the modest design of the handrail and newel posts is explored, and their dimensions noted.

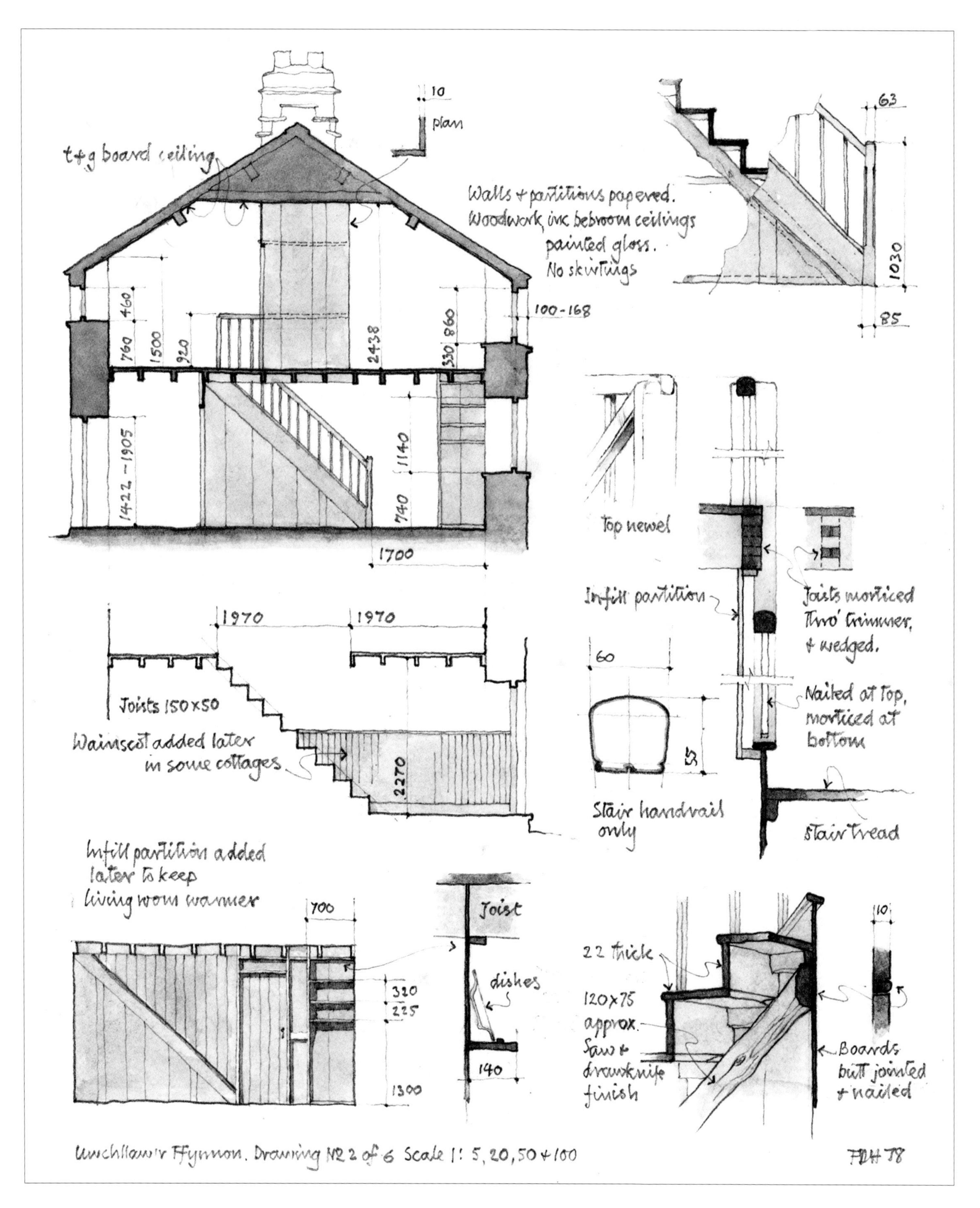

t+g board ceiling
10
plan
Walls + partitions papered.
Woodwork, inc bedroom ceilings
painted gloss.
No skirtings
63
1030
85
460
760
1500
920
2438
330
860
100-168
1422-1905
1140
740
1700
Top newel
Infill partition
Joists morticed
Thro' trimmer,
+ wedged.
1970
1970
Joists 150x50
Wainscot added later
in some cottages
2270
60
Nailed at top,
morticed at
bottom
Stair handrail
only
Stair tread
Infill partition added
later to keep
living room warmer
700
Joist
dishes
320
225
140
1300
22 thick
120x75
approx.
Saw +
drawknife
finish
10
Boards
butt jointed
+ nailed
Uwchllaw'r Ffynnon. Drawing No 2 of 6 Scale 1: 5, 20, 50 + 100
FDH 78

Ffigur 59. Yn aml, caiff cynteddau a grisiau eu defnyddio'n fannau i gadw'r celfi nad oes mo'u hangen bob dydd ym mhrif ystafelloedd y cartref. Ym Mryn Ffanigl Uchaf ym Metws-yn-Rhos, mae piano wedi'i wthio yn erbyn y grisiau ar yr olwynion bach sydd wedi'u gosod o dan yr offeryn i hwyluso'i symud i ystafell arall os bydd angen. Cyn dyddiau rhaglenni radio a theledu, arferai preswylwyr y cartref chwarae eu cerddoriaeth eu hunain a byddai perfformio cerddoriaeth yn rhan bwysig o fywyd y cartref.

Figure 59. Hallways and staircases are often used as storage spaces for furniture that is not needed in the main rooms of the home in day-to-day life. At Bryn-ffanigl Uchaf in Betws yn Rhos, an upright piano has been pushed up against the staircase. The instrument is fitted with castors, allowing it to be easily moved into another room when required. Before radio and television programming, the inhabitants of the home made their own music, and musical performance was an important part of home life.

Ffigur 60 (de). Cafodd y grisiau cywrain yng Nghastell y Strade ger Llanelli eu cynllunio a'u codi yn null yr Adfywiad Tuduraidd tua diwedd y bedwaredd ganrif ar bymtheg. Mae maint y grisiau yn y cyntedd a chyfoeth lliw'r pren a ddefnyddiwyd i'w codi yn ychwanegu at olwg ddramatig y plas. Yn wreiddiol, byddai carped wedi diogelu'r grisiau: gellir dal i weld ffitiadau rhodenni'r carped ar y grisiau sy'n arwain i fyny at y landin.

Figure 60 (right). The elaborate staircase at Stradey Castle near Llanelli was designed and built in the late nineteenth century, in the Tudor Revival style. The scale of the staircase in the entrance hall and the richly coloured wood used to build it add drama to the household. Originally, the staircase would have been protected by a stair carpet: the fittings for carpet rods can still be seen on the steps leading up to the landing.

Ffigur 61. Yn nhai'r cyfoethogion, teulu'r cartref yn unig a gâi ddefnyddio'r prif risiau: defnyddiai'r gwasanaethyddion risiau cudd i symud o amgylch yr adeilad. Ond nid symudiadau pobl yn unig a reolid gan risiau. Ym Mhlas Uchaf yn Llanefydd, mae clwyd wedi'i gosod ar waelod y grisiau i rwystro cŵn rhag cyrraedd ystafelloedd y llawr cyntaf.

Figure 61. In wealthy houses, the use of main staircases was restricted to the family of the household, while servants used concealed stairways to move around the building. However, it was not only people whose movements were controlled by staircases. At Plas Uchaf in Llannefydd, a dog gate has been fitted to the foot of the stairs to prevent the animals from accessing the first-floor rooms.

Ffigur 62. Yng nghartrefi pobl fwy cefnog, byddai'r grisiau yn y mannau llai cyhoeddus yn llai cywrain fel rheol. Yn ffermdy Cefn Mine ger Llannor, mae'r grisiau cefn yn gul ac wedi'u codi o goed plaen heb fawr o addurno arnynt. Dyma'r grisiau y byddai'r staff wedi'u defnyddio: byddai'r teulu a'u gwesteion wedi defnyddio'r grisiau crandiach yn nhu blaen y tŷ .

Figure 62. In more affluent homes, staircases in non-public areas were usually less ornate. In Cefn Mine farmhouse near Llannor, the rear staircase is narrow and constructed from plain timber with minimal decoration. This area would have been used by household staff, while the family and their guests would use a more ornamental stairway at the front of the house.

Ffigur 63. Gellir gweld clwyd cŵn hefyd ar y grisiau yn Nhŷ-faenor yn Abaty Cwm-hir, tŷ a godwyd yn yr ail ganrif ar bymtheg ac a adferwyd yn ddiweddarach. Mewn cartrefi modern, caiff clwydi eu gosod yn aml ar risiau neu ar draws drysau i rwystro plant rhag mynd i fannau fel y gegin a allai fod yn beryglus, ac i gwtogi ar symudiadau a llanastr anifeiliaid anwes.

Figure 63. A dog gate can also be seen on the staircase in the restored seventeenth-century house of Ty-faenor in Abbey Cwmhir. In modern homes, temporary gates are often placed on staircases or across doorways to prevent children from entering potentially dangerous domestic spaces like kitchens, and to curtail the movement and mess of pets.

Ffigur 64. Ar waelod y grisiau, y postyn yw'r brif golofn sy'n cynnal canllaw'r grisiau. Er bod pyst yn elfen ymarferol ac annatod o fframwaith y grisiau, maent bob amser wedi bod yn bethau i'w haddurno. Pen Jacobeaidd sydd i'r postyn hwn yn Ysgir Fechan ym Merthyr Cynog ac mae'n enghraifft o gynllun poblogaidd sydd i'w weld mewn llawer o adeiladau domestig eraill o'r ail ganrif ar bymtheg yng Nghymru.

Figure 64. The newel post is a main pillar at the foot of the stairs that supports the handrail of a staircase. Although an integral practical element of the staircase structure, newel posts have always been a focus of decoration. This newel post at Yscir-fechan in Merthyr Cynog has a Jacobean finial, and is one example of a popular seventeenth-century design seen in many other contemporary domestic buildings in Wales.

Ffigur 65 (chwith). Tua 1912, mae'n debyg, y tynnwyd y llun o'r drws a'r grisiau hyn ym Mhlas Mawr, Conwy ac mae'n dangos grisiau pren a oleuir gan ddwy ffenestr fach blwm. Mae'n debyg mai achos yr aneglurder ar ymylon y drws yn y llun yw bod y drws wedi symud ychydig pan dynnwyd y llun.

Figure 65 (left). This doorway and stairway at Plas-mawr, Conwy was probably photographed in about 1912 and shows a plain wooden staircase illuminated by two small leadlight windows. The blurring visible on the edges of the door in this photograph was probably caused by the door moving slightly during the original exposure.

Ffigur 66 (de). Ym 1984, dogfennodd ymchwilwyr y Comisiwn Brenhinol risiau cylch ym Mhlas Berw ym Môn. Gan i'r ffotograffydd dynnu llun ohonynt oddi isod, ac ar ôl i'w haddurniadau gael eu tynnu oddi arnynt, cawn olwg anarferol a phur annisgwyl ar yr hyn a fyddai wedi bod, yn wreiddiol, yn risiau go drawiadol.

Figure 66 (right). In 1984, Royal Commission investigators documented a spiral staircase at Plas Berw in Anglesey. The photographer captured a view of the staircase from below with its decorative cladding removed, giving an unusual and perhaps unexpected perspective of what would have originally been a rather grand home fixture.

Ffigur 67. Tua diwedd y ddeunawfed ganrif, dechreuwyd defnyddio haearn gyr a haearn bwrw i addurno'r cartref. Ym Mhlas Newydd (isod) yn Llanddaniel-fab, mae balwstradau o haearn, ynghyd â phatrymau o ddail a blodau, wedi'u gosod ar y grisiau cantilifer cywrain, (de). Yn y llun hwn, a dynnwyd yn Nannau (de) ger Brithdir, gwelir manylion balwstrad haearn tebyg. Y tro hwn fe efelychir motiff blodeuog y canllaw ar ochrau'r grisiau.

Figure 67. In the late eighteenth century, wrought and cast iron began to be used as decorative materials in the home. At Plas Newydd (below) in Llanddaniel Fab, an elegant cantilever staircase has been fitted with iron balustrades, with stylised flower and leaf patterns, (right). This photograph from Nannau (right) near Brithdir shows a detailed view of a similar iron balustrade. This time, the stylised floral motif of the rail is replicated in the string of the steps.

Ffigur 68. Er gwaetha'r newidiadau a wnaed i Brysaeddfed ym Môn yn y bedwaredd ganrif ar bymtheg ac yna pan foderneiddiwyd ef yn ddiweddarach, mae balwstrau pren troellog y grisiau'n dyddio'n ôl i gyfnod ei godi ym 1686. Serch y gwaith adnewyddu helaeth, gosodwyd y balwstrau gwreiddiol yn ôl yn eu lle pan adferwyd y grisiau i'r tŷ.

Figure 68. Despite nineteenth-century alterations and later modernisation, the twisted wooden balusters of the staircase at Presaddfed in Anglesey dates back to its construction in 1686. Despite undergoing extensive renovation, the original balusters were deliberately replaced when the staircase was reinstated in the house.

Ffigur 69. Mae'n fwy na thebyg mai tua diwedd y ddeunawfed ganrif y gosodwyd y grisiau 'Tsieineaidd' hyn mewn tŷ ym Môn. Effaith dechrau masnachu ag Asia ganol y 1700au oedd mewnforio llif o nwyddau i Brydain. Gan i'r rheiny ddylanwadu ar syniadau'r oes ynghylch cynlluniau yn y cartref, fe boblogeiddiwyd addurno'r tu mewn i dai yn null y Dwyrain.

Figure 69. This 'Chinese' staircase in a house in Anglesey was probably installed during the late eighteenth century. The opening up of trade with Asia in the mid-1700s prompted a flood of material goods into Britain that influenced contemporary ideas about design in the home, and popularised eastern-inspired interior decoration.

Ffigur 70. Serch bod llawer llai o le, fel rheol, yn y tai tref a godwyd tua diwedd y ddeunawfed ganrif a dechrau'r ganrif ddilynol nag ym mhlastai'r dosbarthiadau uchaf, gwelwyd awydd o hyd i addurno'r cartref cystal ag y gellid. Yn 12 Castle Street yn Aberhonddu, cynhwysodd y pensaer risiau cantilifer o gerrig mowldiedig i gyrraedd pob un o'r tri llawr. Er i'r adeilad gael ei ddefnyddio'n ddeintyddfa'n ddiweddarach, cadwyd llawer o ffitiadau domestig y tŷ.

Figure 70. Town houses built during the late eighteenth and early nineteenth century were usually much less spacious than the country houses of the upper classes. However, there was still a desire to decorate the home as well as possible. At 12 Castle Street in Brecon, the architect incorporated a cantilever moulded stone stair that provides access to all three floors of the house. The building was later used as a dental surgery, though many of the domestic fittings of the house were retained.

Ffigur 71. Mae grisiau wedi'u defnyddio ers tro byd yn fan i arddangos gweithiau celf ynddo. Yn y tŷ tref hwn yn Ninbych, lluniau mewn fframiau sy'n addurno pen y grisiau cul. Yn y ffrâm isaf gwelir 'Salem', y llun enwog gan Curnow Vosper o wraig mewn gwisg Gymreig draddodiadol yn mynd i'w sedd mewn capel. Sampler sydd yn y ffrâm uchaf.

Figure 71. The staircase has long been used as a display area for art. In this Denbigh town house, framed art decorates the top of a narrow staircase. The bottom fra well-known painting 'Salem', a print of a woman in traditional Welsh costume finding her seat in chapel, while the top frame exhibits an embroidered tester.

Ffigur 72. Yng Nghefn Isaf, Caerhun, mae grisiau plaen ond llydan yn codi i landin eang. Cynlluniwyd yr adeilad gan y pensaer o fyd y Celfyddydau a'r Crefftau, Herbert Luck North, ac fe'i codwyd ym 1904. Ychwanegwyd ato ym 1908. Does fawr o newid wedi bod ar y grisiau a'r landin syml ers eu codi.

Figure 72. At Cefn Isaf, Caerhun, a plain yet spacious staircase rises to a capacious landing. The building was designed by Arts and Crafts architect Herbert Luck North and constructed in 1904, with later additions in 1908. The simple staircase and landing are original features that survive virtually unaltered to the present day.

Ffigur 73 (chwith). Tynnwyd llun y grisiau hyn tua 1979 pan oedd Castle House yng Nghaernarfon yn wag. Cawsai'r to'i dynnu rywbryd cyn hynny gan agor y grisiau a'r landin-dan-nenfwd anarferol i'r elfennau. Mae lluniau fel hyn yn gofnod pwysig o'r tai sydd mewn perygl yng Nghymru ac yn diogelu manylion am ffyrdd pobl Cymru o ddefnyddio'u cartrefi. Fel arall, byddai'r manylion wedi'u colli.

Figure 73 (left). This staircase was photographed in about 1979 when Castle House in Caernarfon was unoccupied. The roof had been removed sometime prior to this, exposing the staircase and unusual covered landing to the elements. Records like this provide an important record of houses at risk in Wales, preserving details that would otherwise be lost about the ways in which Welsh people have used their homes.

Ffigur 74 (uchod). Ganol yr ugeinfed ganrif, dechreuodd cynteddau a grisiau gynnig fframwaith i ystadau tai yn ogystal â thai unigol. Yn y Billy Banks ym Mhenarth, rheolid mynediad i wahanol lefelau'r blociau aml-lawr o *maisonettes* gan lwybrau a grisiau concrid a oedd wedi'u rhannol amgáu. Wrth i gyflwr y Billy Banks ddechrau dirywio tua diwedd y 1980au ac yn y 1990au, buont yn atyniad i furlunwyr graffiti a fynegai ddiwylliant ystâd y Billy Banks lawn cystal â phapur wal a chelfi meddal y cartrefi yno.

Figure 74 (above). In the mid-twentieth century, hallways and staircases began to provide structure to estates as well as to individual homes. At Billy Banks in Penarth, access to different levels of multi-storey maisonette blocks was controlled by partially enclosed concrete walkways and stairways. As Billy Banks began to decline in the late 1980s and 1990s, these areas became a focus for graffiti wall paintings that expressed part of the culture of the Billy Banks estate just as much as the wallpaper and soft furnishings of the homes there.

Ystafelloedd Byw
Living Rooms

Yr ystafell fyw yw prif ystafell y cartref modern yng Nghymru. Ynddi, gall holl breswylwyr y tŷ ymgynnull a chyd-ymlacio, a hi hefyd yw prif dderbynfa a man difyrru gwesteion y teulu. Yn yr ystafell fyw y bydd bywydau preifat a chyhoeddus ein cartref yn cydgyfarfod: fel y bu'r neuadd ganoloesol, mae'n ofod byw beunyddiol ac yn llwyfan cymdeithasol pwysig lle gall perchnogion y cartref gyfleu eu syniadau, eu gwerthoedd a'u hagweddau i bobl eraill.

Digon tebyg i'w gilydd yw'r celfi yn y mwyafrif o ystafelloedd byw heddiw. Ar ddechrau'r unfed ganrif ar hugain, byddwn ni fel rheol yn disgwyl gweld cadeiriau cyffyrddus, byrddau coffi mewn mannau cyfleus, a theledu neu ganolfan adloniant yng nghartrefi pobl gyfoethog a chyffredin fel ei gilydd. Ond mae ffurf ymddangosiadol-gyffredin yr ystafell fyw heddiw'n gamarweiniol ac yn cuddio hanes meithach a mwy cymhleth y gofod pwysig hwn.

Yn yr Oesoedd Canol yr oedd y neuaddau'n ystafelloedd byw go-iawn: cyflawnai'r mwyafrif o'u preswylwyr holl brif weithgareddau eu bywyd beunyddiol ochr yn ochr â'i gilydd yn y brif neuadd fawr. Ond yn y tŷ neuadd y cwrddwn ni gyntaf â rhagflaenydd yr ystafell fyw fodern. Y drefn arferol oedd bod tair ystafell yng nghynllun tai neuadd canolig- a llai-eu-maint, sef ystafell wasanaethu allanol neu feudy/ystabl, y brif neuadd fawr â'i haelwyd ganolog agored, a siambr lai y gallai perchennog y neuadd ymneilltuo iddi oddi wrth weddill y preswylwyr. Gelwid y siambr honno'n barlwr, sef addasiad seciwlar o *parler* mynachlogydd yr oes - yr ystafelloedd lle gallai mynachod ddod i siarad â phobl o'r tu allan i furiau'r fynachlog. Gan i'r parlwr fod yn fodd i berchnogion neuaddau gyfarfod a siarad â gwesteion yn fwy preifat, fe ddatblygodd yn ofod pwysig yn nhai cyfoethogion yr Oesoedd Canol yn fuan iawn.

Y Parlwr Gorau

Er mai yng nghartrefi'r cyfoethogion yn unig, i gychwyn, y ceid parlwr, fe arweiniodd y mabwysiadu eang ar batrwm y tŷ neuadd

Ffigur 75. Tynnwyd y llun hwn tua diwedd y bedwaredd ganrif ar bymtheg ac mae'n cynnig cipolwg anghyffredin ar du mewn y parlwr yn Nhre-gib ger Llandeilo, plasty a godwyd yn ystod oes Victoria'n bennaf. Mae'r cyfoeth o wrthrychau yn yr ystafell yn nodweddiadol o gartrefi'r oes – oes pan fyddai perchnogion cartrefi'n arddangos eu heiddo materol i gyfleu eu chwaeth a'u gwerthoedd i'w hymwelwyr.

The living room is the principal room of the modern home in Wales. It is both the communal area of the house where residents can relax together and the main reception and entertainment area for guests of the household. The living room is the intersection of our private and public home lives: like the medieval hall, it is both an everyday living space and an important social platform from which home owners can convey their ideas, values and attitudes to others.

The majority of modern living rooms are similarly furnished: at the beginning of the twenty-first century, we usually expect to find comfortable communal seating, well-located coffee tables and a television or entertainment centre in the homes of the wealthy and ordinary people alike. However, the apparent homogeneity of the modern living room is misleading, and masks the longer and more complex history of this important space.

The halls of the medieval period were living rooms in the most literal sense: the majority of their occupants carried out all the chief activities of daily life alongside one another in the large main hall. Despite this, it is in the hallhouse that we first encounter the ancestor of the modern living room. The characteristic plan of the middling and smaller-sized hallhouse featured three main rooms: an outer service room or cowhouse/stable, the large main hall with its open central hearth, and a smaller separate chamber to which the owner of the hall could retire from the rest of the household. This chamber was known as the parlour, and was a secular adaptation of the *parler* in contemporary monasteries – the room in which monks could meet and speak with people from outside the monastery walls. The parlour allowed hall owners a space to meet and converse with guests more privately, and it quickly became an important space in the wealthy medieval home.

The Parlour

Parlours were initially rooms found exclusively in wealthy households. However, the widespread adoption of the hallhouse

Figure 75. This late nineteenth-century photograph offers an extraordinary glimpse inside the drawing room at Tregyb near Llandeilo, a largely Victorian house in Carmarthenshire. The wealth of objects displayed in this room are characteristic of homes during this period, where the exhibition of material goods allowed home owners to express their tastes and values to visitors.

ledled yr haenau cymdeithasol at ei sefydlu'n ystafell sylfaenol yn y mwyafrif o gartrefi yng Nghymru yn ystod yr Oesoedd Canol. Pan esblygodd mathau newydd o dai tua chanol yr unfed ganrif ar bymtheg, esblygu hefyd wnaeth y parlwr. Yn llawer o'r tai deulawr newydd a'u hamrywiol gynlluniau rhanbarthol, fe symudwyd y parlwr o'i safle traddodiadol y tu ôl i'r llwyfan ym mhen uchaf y neuadd a'i osod, yn hytrach, gerllaw mynedfa'r cartref. Yn y man, fe ddylanwadodd y datblygiad hwnnw ar gartrefi dosbarth canol a dosbarth gweithiol gwlad a thref fel ei gilydd o'r cyfnod modern cynnar hyd at y bedwaredd ganrif ar bymtheg. Yn ystod y cyfnod hwnnw, bu parlwr – a diffyg parlwr – yn rhaniad cymdeithasol mawr mewn ffermdai a bythynnod. Er bod parlwr ym mhob cartref o'r iawn ryw, chafodd parlwr wrth y fynedfa mo'i ychwanegu at lawer o ffermdai'r ucheldir tan y 1800au. Yna, yn y bedwaredd ganrif ar bymtheg, datblygodd y parlwr i fod yn rhan hanfodol o gartref parchus y dosbarth gweithiol.

Yn y mwyafrif o gartrefi'r dosbarth gweithiol, cedwid y parlwr yn ystafell 'orau' a'i neilltuo ar gyfer achlysuron arbennig, gan gynnwys gosod y meirw allan cyn yr angladd. Defnyddid yr addurno ar y parlwr gorau i gyfleu nodweddion gorau'r teulu ac yno y ceid y celfi a'r addurniadau gorau y gallai'r preswylwyr eu fforddio. Yng nghartrefi'r dosbarth canol, ac yn enwedig yn yr ardaloedd trefol, defnyddid ychydig yn fwy ar y parlwr gorau a gallai rhai aelodau o'r teulu fynd yno i eistedd. Er i natur gymdeithasol yfed te a'r defodau cysylltiedig gynyddu pwysigrwydd y parlwr gorau yng ngolwg menywod dosbarth canol ddiwedd y ddeunawfed ganrif ac yn ystod y ganrif ddilynol,[1] câi plant eu rhybuddio'n bendant i beidio â mynd yno. Yn ystod y 1800au, mae'n debyg bod y tirfeddianwyr a aeth ati i ychwanegu parlwr wrth ailgodi eu ffermdai wedi camddeall arwyddocâd ffurfiol yr ystafell. Cwynent fod eu tenantiaid ymddangosiadol-ansoffistigedig fel petaent yn cyson ddefnyddio drws y cefn i fynd i'r tŷ ac yna'n mynd i eistedd yn y gegin.[2] Camgymeriad y tirfeddianwyr cyfoethog oedd disgwyl i'r parlwr gael ei ddefnyddio mewn ffordd debyg i'r lolfa neu'r parlwr yn eu cartrefi hwy eu hunain.

Y Parlwr

Yn nhai'r dosbarthiadau uchaf cyflawnai'r parlwr swyddogaeth debyg i'r un canoloesol, sef bod yn fan y gallai'r teulu ymneilltuo iddo oddi wrth y gwasanaethyddion a byw bywyd mwy preifat. Er i rai cartrefi dosbarth canol a'r mwyafrif o gartrefi'r dosbarth gweithiol gadw'r parlwr yn ystafell 'orau', câi ystafell fwy anffurfiol a chyffyrddus y parlwr cyffredin ei defnyddio'n fynych. Gan mai yno y delid i dderbyn a difyrru gwesteion, byddai ynddi gelfi chwaethus ac addurniadau meddylgar ynghyd ag offerynnau cerdd a byrddau cardiau i ddifyrru'r teulu a'u hymwelwyr.

Y rheswm dros fodolaeth y parlwr oedd ei fod yn ystafell i bobl a oedd ag amser hamdden yn eu bywydau beunyddiol. Fe'i

across the social strata led to its establishment as a basic room in most Welsh homes during the medieval period. When new types of houses evolved in the mid-sixteenth century, the parlour evolved too: in many new storeyed houses with their varied regional house plans, the parlour was moved from its traditional location behind the dais at the high end of the hall and placed instead beside the entrance to the home. This was an influential development, and went on to affect the homes of the middle and working-class people in rural and urban areas alike, from the early modern period through to the nineteenth century. During this time, the presence or absence of the parlour was a great social divide in the ranking of farmhouses and cottages – all truly reputable homes had parlours. Despite this, the parlour at the entry was not added to many upland farmhouses until the 1800s. Later still, the parlour became an essential part of the respectable nineteenth-century working-class home.

In most working-class homes, the parlour was generally kept as the 'best' room of the house and was reserved for use on special occasions, including the laying out of the dead before a funeral. The decoration of the parlour reflected its use as a show room for the household, and would exhibit the finest furnishings and ornamentation the occupiers could afford. In middle-class homes, particularly in urban areas, the use of the parlour was slightly more relaxed and could be used by some members of the family as a sitting room. While the sociability of tea-drinking and the rituals associated with it gave the parlour further significance among middle-class women in the late eighteenth and nineteenth centuries[1] children were strongly discouraged from entering it. During the 1800s, landowners who rebuilt farmhouses to include parlours seem to have misunderstood the formal significance of the room. They complained that the front door and parlour appeared disused by their seemingly unrefined tenants, who habitually used the back door to enter the house and sat in the kitchen instead.[2] Wealthy landowners mistakenly anticipated that the parlour would be used much like the sitting room or drawing room in their own houses.

Drawing Rooms

The drawing rooms of upper-class houses were similar in function to the medieval parlour: they took their name from their key function, which was to provide spaces where the family of the home could 'withdraw' from the main household in order to enjoy greater privacy. However, while the parlour remained a rarely used room strictly reserved for 'best' among some middle and most working-class homes, the drawing room was by contrast a more informal, comfortable and frequently used room. It was still used to receive and entertain guests, so in addition to well-appointed furniture and thoughtful decoration it would have often housed musical instruments and card tables for the amusement of the family and its visitors.

cyfyngwyd, felly, i dai'r dosbarthiadau uchaf a chanol am fod eu cyfoeth yn fodd iddynt hamddena mewn parlyrau ac am fod ganddynt ddigon o incwm i addurno a dodrefnu parlyrau i'r safon a fynnid. Amlygir pwysigrwydd cymdeithasol y parlwr gan ddrama'r parlwr, y ffenomen ddiwylliannol unigryw a ddatblygodd yn ystod Oes Victoria o'r perfformiadau amatur a roddid yn y cartref i ddiddanu'r teulu a'u gwesteion. Yn y pen draw, datblygodd hi'n ffurf lenyddol a ddefnyddiwyd gan lu o lenorion Saesneg yr oes, gan gynnwys T. S. Eliot ac Oscar Wilde.

Yn ystod y ddeunawfed ganrif a'r ganrif ddilynol, gwelwyd creu mwy a mwy o ystafelloedd arbenigol yng nghartrefi'r cyfoethogion, ac yn aml fe'u defnyddid yn ogystal â'r prif barlwr. O bosibl, ceid ystafell gerdd ar wahân i berfformio ynddi, ac mewn ystafell arall byddai'r ffenestri fel rheol yn wynebu tua'r dwyrain i ddal golau'r haul o doriad gwawr tan ganol y prynhawn. Yr oedd lolfa o'r fath yn arbennig o bwysig cyn dyfodiad cyflenwadau nwy a thrydan i'r cartref am fod prinder ffynonellau eraill o olau yn golygu bod rhaid i benseiri fanteisio cymaint â phosibl ar olau naturiol. Ond ar ddechrau'r ugeinfed ganrif gwelwyd yr ystafelloedd arbenigol yn y cartref yn prinhau a'r ffordd y syniem am weddill y gofodau'n dechrau newid.

Yr Ystafell Fyw

Ceir y cyfeiriadau cyntaf at yr ystafell fyw fodern yn y llenyddiaeth am addurno tua diwedd y bedwaredd ganrif ar bymtheg. Gan i ddatblygiadau technolegol y Chwyldro Diwydiannol fod yn fodd i fasgynhyrchu amrywiaeth di-ail, a llethol yn aml, o eitemau i'r cartref – o bapurau wal, carpedi a defnyddiau i gelfi a ffitiadau – gallai'r dosbarthiadau canol a gweithiol fforddio prynu atgynyrchiadau o gelfi a thrugareddau cartrefi'r dosbarth uchaf. Effaith hynny fu datblygu syniadau newydd a chyson-gyfnewidiol ynghylch 'chwaeth dda' a 'chwaeth wael' yn y cartref, ac mae'r rheiny wedi parhau hyd heddiw. Bellach, ni chyfyngai'r addurnwr mewnol proffesiynol ei waith i ystadau gwledig; fe'i cynigiai i'r dosbarthiadau canol uchelgeisiol hefyd, a lluniwyd cynlluniau addurno i gyd-fynd â phob cyllideb. Apeliai'r syniad o 'ystafell fyw' at farchnadoedd cynyddol yr addurnwr. Er i'r parlwr gorau a'r parlwr cyffredin ddal i fod yn ystafelloedd gwahanol tan ganol yr ugeinfed ganrif, yr oedd y syniad o'r ystafell fyw wedi gwreiddio ac fe dyfai'n fwyfwy poblogaidd o'r 1900au cynnar ymlaen. Ac er bod yr ystafell fyw heddiw'n cadw elfennau o'r ystafell dderbyn ffurfiol a ddefnyddid ar adegau arbennig, bydd teuluoedd hefyd yn ei defnyddio bob dydd. Yn wahanol i'r parlwr, chedwir mohoni'n ystafell 'orau' yn unig.

Leisure was the *raison d'être* of the drawing room: it was a room for people who had time to spare in their daily lives, and so remained limited to the houses of the upper and middle classes, for whom wealth generated both the free time that permitted them to idle in drawing rooms, and the disposable income needed to decorate and furnish drawing rooms to the required standard. The social importance of the drawing room is expressed in a unique cultural phenomenon that arose during the Victorian period: the drawing-room play. These plays developed from amateur performances enacted in-house for the benefit of family and guests, and eventually emerged as a literary form in their own right, with many contemporary authors writing in the genre, including T.S. Eliot and Oscar Wilde.

During the eighteenth and nineteenth centuries, there was a proliferation of specialist rooms in wealthy homes that were often used in addition to the main drawing room. There may have been a separate music room for performances, and a morning room usually positioned with windows facing east to capture daylight from sunrise until early afternoon. Morning rooms were particularly important before the advent of domestic gas and electricity, when the use of naturally available light had to be maximised by architects in the absence of other light sources. However, by the beginning of the twentieth century, the number of specialist rooms in the home began to decrease, and the way we thought of the spaces that remained began to change.

The Living Room

The first references to the modern living room are found in the decorating literature of the late nineteenth century. The technological advances of the Industrial Revolution had allowed the provision of an unprecedented and often overwhelming variety of mass-produced items for the home, from wallpapers, carpets and textiles to furniture and fittings. This allowed the middle and working classes access to affordable reproductions of the accoutrements of upper-class homes for the first time, and led to the development of new and ever changing ideas about 'good taste' and 'bad taste' in the domestic environment that remain with us today. The professional interior decorator no longer catered only for country estates but for the aspirational middle classes too, and decorative schemes were designed to suit every budget. The idea of the 'living room' appealed to the decorator's burgeoning markets. Drawing rooms and parlours would persist as separate rooms until the mid-twentieth century, but the idea of the living room had taken root and would grow more popular from the the early 1900s onwards. The modern living room retains elements of a formal reception space used on special occasions, but is also in everyday use by families. Unlike the parlour, it is not kept only for 'best.'

Technoleg yn yr Ystafell Fyw

Yn sgil addasu datblygiadau diwydiannol arloesol fe welodd diwedd y bedwaredd ganrif ar bymtheg ddyfodiad technoleg ynni newydd i gartrefi Prydain. Effaith darparu cyflenwadau o nwy domestig ac yna drydan domestig oedd chwyldroi'r ffyrdd o oleuo a chynhesu'r cartref. Cafodd hynny effaith aruthrol ar gynllun ystafelloedd yn y tŷ a'r ffyrdd o'u defnyddio. Nid yw ystafelloedd byw yn eithriad i hynny. Cyn y Chwyldro Diwydiannol, dibynnai pobl yng Nghymru, fel yng ngweddill Prydain, ar olau naturiol, y lle tân a chanhwyllau i oleuo a gwresogi'r cartref. Yng nghartrefi'r tlodion, llosgid brwyn gwael – a roddai olau myglyd ac egwan am gyfnod byr – a chanhwyllau gwêr drewllyd. Y rheiny, ynghyd â'r prif le tân, fu'n goleuo cartrefi am ganrifoedd. Gallai cartrefi pobl fwy cefnog ddibynnu ar ffenestri i gael golau dydd a defnyddient ganhwyllau o gŵyr gwenyn, a losgai'n lanach ac am gyfnod hwy, gyda'r nos. Defnyddiwyd lampau olew o ddechrau'r ddeunawfed ganrif tan ddiwedd y bedwaredd ganrif ar bymtheg ac yn aml byddent yn rhai hynod addurnol, yn enwedig yng nghartrefi'r cyfoethogion. Daeth golau nwy'n boblogaidd am y tro cyntaf yng nghartrefi Prydain ddechrau'r 1860au. Fe gynigiai lampau nwy olau disgleiriach am ei fod yn defnyddio'r tanwydd glanaf a oedd ar gael ar y pryd. Ddeg mlynedd a thrigain yn ddiweddarach, gwellodd y sefyllfa drachefn pan gafodd cartrefi gyflenwadau dibynadwy o drydan.

Ar y cychwyn, tai'r cyfoethogion a allai fanteisio ar nwy a thrydan am mai eu perchnogion oedd yr unig rai a allai fforddio cost uchel y gwaith moderneiddio a thalu am y cyflenwadau preifat o nwy a'r generaduron trydan y bu'n rhaid wrthynt cyn sefydlu'r Grid Cenedlaethol. Ymgadwai'r boblogaeth gyffredinol rhag prynu'r cyfleusterau hynny nid yn unig oherwydd y gost ond am eu bod yn amau'r dechnoleg newydd ac anghyfarwydd. Erbyn yr ugeinfed ganrif, yr oedd llywodraeth Prydain wedi dechrau cyflenwi prif wasanaethau nwy a thrydan i weddill y wlad. Gosododd Deddf (Cyflenwi) Trydan 1926 sylfeini grid cenedlaethol i gyflenwi trydan ledled y wlad. Dechreuodd grid syncroneiddiedig AC cyntaf Prydain weithio ym 1933 fel cyfres o gridiau rhanbarthol a chysylltiadau wrth-gefn rhyngddynt i'w defnyddio mewn argyfwng. Gan mai mewn diwydiannau trwm y defnyddiwyd nwy i gychwyn, fel rheol, datblygu o amgylch ardaloedd trefol a diwydiannol wnaeth y prif gyflenwadau nwy. Nid yw'n syndod i lawer cartref yng Nghymru – yn enwedig cartrefi yng nghefn gwlad – fethu â manteisio ar y ffynonellau hynny o ynni am flynyddoedd maith. Er bod trydan i'w gael bron ym mhob tŷ modern, mae llawer o gartrefi anghysbell yng Nghymru heddiw'n dal heb eu cysylltu â'r prif gyflenwad nwy am fod cost gwneud hynny mor uchel.

Oherwydd i nwy a thrydan yn y cartref wella'r goleuo yno, newidiodd y ffyrdd y defnyddiai pobl yr ystafell fyw. Am fod golau mwy llachar ar gael drwy droi switsh, doedd dim angen bellach i

Technology in the Living Room

The late nineteenth century saw the implementation of new energy technology in the home. The energy innovations initially developed for industrial use became more applicable to British homes at this time: the availability first of domestic gas and then domestic electricity led to revolutionary changes in the heating and lighting of the home and had an enormous impact on the design and use of rooms in the house. Living rooms are no exception to this. Before the Industrial Revolution, people in Wales as in the rest of Britain were reliant on natural daylight, candles and the fireplace for the illumination and heating of the home. In the homes of the poor, short-burning, smoky and weak rushlights and unpleasantly pungent tallow candles were used alongside the main fireplace to provide light in gloomy interiors for centuries, while more affluent homes could rely on windows for daytime illumination and slightly cleaner, longer-burning beeswax candles during the night. Oil lamps were used from the early eighteenth century up until the late nineteenth century, and were often highly decorative, particularly in wealthy homes. Gas lighting first became popular in British homes in the early 1860s, and provided brighter light using the cleanest burning fuel known at that time. Seventy years later, the introduction of reliable domestic electricity supplies improved upon this once again.

At first, domestic gas and electricity were available only to the wealthy, who could cover the high costs of modernisation and who could afford the private gas supplies and electricity generators that were needed before the National Grid was set up. Uptake among the general population was limited not only by cost, but also by a general distrust of the new, unfamiliar technology. By the twentieth century, the British government began to supply mains gas and electricity to the rest of the UK. The Electricity (Supply) Act 1926 initiated the creation of a national grid supply system to carry electricity across the country. Britain's first synchronised AC grid began operating in 1933, as a series of regional grids with back-up interconnections for use in emergencies. Gas mains usually developed around industrial, urban areas, where gas was initially used to fuel heavy industry. Unsurprisingly, many homes in Wales – particularly those in rural areas – were unable to tap into these energy sources for many years. While electricity is now ubiquitous in modern houses, many remote homes in Wales today still lack mains gas connections owing to the prohibitively high cost of installing mains gas supplies.

The improved lighting provided by domestic gas and electricity changed the ways people used the living room. Brighter light available at the flick of a switch meant that activities in the living room were no longer limited to the daylight hours, or the time it took a candle to burn out. As a result, the living room could be used for longer periods in the day. Cleaner ways of heating and

gyfyngu'r gweithgareddau yn yr ystafell fyw i oriau golau dydd neu i'r amser y cymerai hi i gannwyll losgi i'r pen. Fe ellid, felly, ddefnyddio'r ystafell fyw am gyfnod hwy bob dydd. Oherwydd y ffyrdd glanach o wresogi a goleuo'r cartref, doedd dim angen celfi ac addurniadau tywyll mwyach i guddio llwch a baw bywyd beunyddiol. Ac am fod angen glanhau'r ystafelloedd yn llai mynych, yr oedd gan bobl fwy o amser i hamddena yn eu hystafelloedd byw. Mae'r ffasiynau o ran ffitiadau golau yn dangos hefyd sut y teimlai pobl ynghylch cael gwell golau yn y cartref. Diben y lamplenni cynnar, yn aml, oedd tynnu sylw at y bylbiau trydan yng nghartrefi'r cyfoethogion, ond nod y mwyafrif ohonynt erbyn heddiw yw ceisio'u cuddio.

Defnyddid cyflenwadau domestig o nwy a thrydan hefyd i ddarparu gwres yng nghartrefi Cymru. Yn ystod yr ugeinfed ganrif dibynnai mwy a mwy o gartrefi yng Nghymru ar danau tanwydd-solid i gynhesu eu mannau byw. Oherwydd dyfodiad gwres canolog nwy a gosod rheiddiaduron mewn llawer tŷ, doedd dim angen i bobl yn y cartref grynhoi o amgylch lle tân yr ystafell fyw i gynhesu pan fyddai hi'n oer. Am y tro cyntaf, yr oedd gwres canolog yn fodd i bobl fwynhau gwres a phreifatrwydd yn eu hystafelloedd eu hunain: yn raddol, gwelwyd tuedd, yn enwedig ymhlith plant a phobl ifanc, i roi'r gorau i'r ystafell fyw a symud i'r ystafelloedd gwely unigol. Ond nid dyna'r duedd gyffredinol yn y rhannau o Gymru lle'r oedd rhaid i lawer teulu ddibynnu ar danwydd solid i'w cadw'n gynnes am nad oedd y prif gyflenwad nwy'n eu cyrraedd. Dyna'r sefyllfa hyd heddiw; mae llawer o gartrefi a chymunedau anghysbell yn dal i ddibynnu ar danwydd solid ar y cyd â gwres canolog olew i gynhesu'r cartref. Wrth i bris olew domestig ddal i godi, mae'r lle tân unwaith eto'n troi'n ganolbwynt i fywyd y cartref.

Yn sgil datblygu'r radio diwifr domestig yn y 1920au, newidiodd canolbwynt yr ystafell fyw. Cipiai'r diwifr sylw pawb yn y cartref. Sefydlwyd y Gorfforaeth Ddarlledu Brydeinig (y BBC) ym 1927 a chynigiai ei rhaglenni diwifr ffurf newydd ar adloniant i deuluoedd ledled y wlad. Tyfodd y diwifr yn nodwedd bwysig ar gartrefi a diwylliant Prydain rhwng blynyddoedd cynnar a chanol yr ugeinfed ganrif. Erbyn y 1950au, cyrhaeddodd technoleg chwyldroadol arall y cartref. Mae'n ffaith ddigon hysbys mai coroni'r Frenhines Elizabeth II ym 1953 a ysgogodd y dosbarthiadau canol i brynu miloedd ar filoedd o setiau teledu. Wrth i'r BBC, a oedd eisoes yn eicon yn y cartref, ddechrau cynhyrchu rhaglenni gweledol, fe ad-drefnodd dilynwyr brwd y rheiny gelfi'r ystafell fyw i gynnwys setiau teledu a hwyluso'r trefniadau i'w gwylio. Am y tro cyntaf yn hanes y cartref ers diwedd yr Oesoedd Canol, peidiodd y lle tân â bod yn ganolbwynt yr ystafell. Ychydig o newid sydd wedi bod ar yr ystafell fyw ers y 1950au ond mae'r ffaith fod rhaglenni teledu ar gael ar alw dros y we wedi dechrau bygwth yr afael a arferai fod gan y teledu ar yr ystafell fyw yng Nghymru.

lighting the home meant that dark furnishings and decoration were no longer required to mask the dust and grime of everyday life, and that the rooms required less frequent cleaning, allowing people more time to use living rooms for leisure. The fashions for light fixtures further demonstrate how people felt about improved lighting in the home. Early light shades were often designed to show off new electric light bulbs in wealthy homes, while most modern lighting endeavours to conceal them.

Domestic gas and electricity supplies were also used to provide heat in Welsh homes. The twentieth century saw households in Wales becoming progressively less reliant on solid fuel fires to warm living areas. The growth of gas-powered central heating and the widespread installation of radiators meant that people in the home no longer had to crowd around the living-room fireplace for warmth during cold periods. Central heating allowed people warmth and privacy in rooms of their own for the first time: the living room was gradually abandoned in favour of individual bedrooms, especially among children and young people. However, this broad trend is not reflective of experience in some parts of Wales, where limited access to mains gas supplies left many families reliant on solid fuel heating. This remains the case to the present day, with many remote households and communities remaining dependent on solid fuel fires used in association with oil-powered central heating to provide warmth in the home. As the price of domestic heating oil continues to increase, the fireplace is becoming central to home life once again.

With the development of the domestic wireless radio in the 1920s, the focus of the living room changed. The wireless captured the attention of everyone in the home. The British Broadcasting Corporation (BBC) was founded in 1927 and through wireless programming provided a new form of entertainment for families across the country, becoming an important feature of British homes and culture in the early to mid-twentieth century. By the 1950s, another revolutionary technology had entered the home. It was, famously, the coronation of Queen Elizabeth II in 1953 that prompted an upsurge in television ownership among the middle classes. The BBC – already established as an iconic household name – began to produce visual programming for an enthusiastic nation, who rearranged the furniture of the living room to accommodate television sets and maximise viewing arrangements. For the first time in the post-medieval history of the home, the fireplace was abandoned as the focus of the room. The living room has changed little since the 1950s, though the availability of television programmes on demand via the Internet has started to threaten the hold that television has on the living room in Wales.

Ffigur 76 (chwith). Tŷ neuadd canoloesol yw Plas Uchaf yng Nghynwyd. Fe'i codwyd o goed a gwympwyd ym 1435 ac fe'i hadferwyd gan Ymddiriedolaeth Landmark yn niwedd yr ugeinfed ganrif. Mae cyfran sylweddol o'i adeiladwaith gwreiddiol wedi goroesi ac fe ddiogelwyd rhai manylion arbennig o gain. Mae maint yr adeilad ac ansawdd ei du mewn yn dangos i'r neuadd hon fod yn gartref o gryn statws a bu'n gysylltiedig, mae'n debyg, â 'barwniaid' Dyffryn Edeirnion. Neuaddau fel hon oedd y prif ystafelloedd byw a ddefnyddid gan bawb yn y tŷ yn yr Oesoedd Canol.

Figure 76 (left). Plas-uchaf in Cynwyd is a medieval hallhouse built from timber felled in 1435, which was restored by the Landmark Trust in the late twentieth century. A substantial part of the building's original fabric has survived and some exceptionally fine detail has been preserved. The scale of the building and the quality of its interior show that the hall was a high-status home, probably associated with the 'barons' of Edeirnion. Halls like this were the main living rooms used by everyone in the household during the medieval period.

Ffigur 77 (de). Tua diwedd yr unfed ganrif ar bymtheg, gwelwyd cynllun tai yng Nghymru yn dechrau newid. Codwyd Great Cil-llwch, Llandeilo Gresynni, tua 1600 ac ynddo ceir lle tân amgaeedig sydd â simnai o gerrig a ffliw. Dyna'r datblygiad arloesol a ysgogodd y broses o droi'r parlwr, y siambr gymharol fach y tu ôl i'r llwyfan yn y neuadd ganoloesol, yn brif siambr a chynnwys lle tân ynddi.

Figure 77 (right). In the later sixteenth century, house plans in Wales began to change. Great Cilwch, Llantilio Crossenny was constructed in about 1600, and features an enclosed fireplace with stone chimney and flue. It was this innovation that promoted the parlour from a relatively small chamber behind the dais in the medieval hall to a principal heated chamber in its own right.

Ffigur 78 (chwith). Codwyd Gloddaith yn Llandudno yn gynnar yn yr unfed ganrif ar bymtheg pan briododd aeres ystâd Gloddaith ag aelod o deulu Mostyn. Yr oedd y neuadd fawr, fel y mae'r ystafell fyw fodern, yn fan pwysig i arddangos ynddo ac yng Ngloddaith gwnaed sioe o arddangos teyrngarwch y teulu i'r Goron: mae arfbais y Frenhines Elizabeth I wedi'i pheintio ar y cilfwâu uwchlaw llwyfan y neuadd ac wedi goroesi hyd heddiw mewn cyflwr gwych. Rhan o ysgol fyrddio Coleg Dewi Sant yw Gloddaith erbyn hyn.

Figure 78 (left). Gloddaeth in Llandudno was built in the early sixteenth century when the heiress of the Gloddaeth estate married into the Mostyn family. Like the modern living room, the great hall was an important arena for display, and at Gloddaeth the loyalties of the household to the Crown were prominently exhibited: the coat of arms of Queen Elizabeth I is painted on the coving of the hall dais and survives today in fine condition. Gloddaeth now forms part of St. David's College boarding school.

Ffigur 79 (isod). Tŷ tref o oes Elizabeth yw Plas Mawr yng Nghonwy. Fe'i codwyd tua diwedd yr unfed ganrif ar bymtheg gan Robert Wynn, masnachwr a diplomydd hirben a ddefnyddiodd ei ffortiwn i godi cartref ffasiynol a gyfunai arddulliau poblogaidd Llundain â phensaernïaeth Cymru. Yr oedd yr addurno cywrain mewn plastr yn y tŷ yn ffasiynol ymhlith uchelwyr yr oes, ac mae i'w weld ledled y tŷ. Mae'r cynlluniau a ddefnyddiwyd amlaf yn cynnwys arfbeisiau'r gwahanol deuluoedd a oedd yn gysylltiedig â'r cartref. Yn yr ystafell hon, mae'r llythrennau 'E R' i'w gweld yn glir uwchlaw'r lle tân. Cynrychiolant 'Elizabeth Regina' neu 'y Frenhines Elizabeth' ac anrhydeddant y Frenhines Elizabeth I. Byddai'r gwaith plastr gwreiddiol wedi'i beintio mewn lliwiau llachar ac mae Cadw wedi adfer y lliwiau hynny mewn ffordd eithriadol o drawiadol.

Figure 79 (below). Plas-mawr in Conwy is an Elizabethan town house built in the later sixteenth century by Robert Wynn, a shrewd merchant and diplomat who used his fortune to construct a fashionable home that blended popular London styles with Welsh architecture. The elaborate plaster decoration in the house was in vogue among the contemporary nobility, and extends throughout the house. The designs used most frequently feature the coats of arms of the different families connected to the household. In this room, the initials 'E R' are emblazoned above the fireplace. The initials stand for 'Elizabeth Regina' or 'Elizabeth, Queen' and honoured Queen Elizabeth I. Originally, the plasterwork would have been painted in bright colours, and has been re-displayed to stunning effect by Cadw.

M
K
E
R
1 5
8 2

Ffigur 80. Ym Maenan ger Llanrwst, caiff teyrngarwch y teulu i'r Frenhines Elizabeth I ei amlygu unwaith eto drwy'r addurno ar waith plastr y tŷ. Ar ben hynny, mae gwaith plastr y neuadd hefyd yn cynnwys sgrolwaith cywrain sy'n ymestyn dros rannau helaeth o'r ystafell ac mae hwnnw'r un mor drawiadol i ymwelwyr heddiw ag y byddai ef wedi bod yn ystod yr unfed ganrif ar bymtheg.

Figure 80. At Maenan near Llanrwst, the family's loyalty to Queen Elizabeth I is once again declared through the plasterwork decoration of the house. However, the plasterwork in the hall at Maenan (above) also features ornate scroll work that covers extensive areas of the room and is as impressive to visitors today as it would have been during the sixteenth century.

Ffigur 81. Codwyd Castell Gwydir yn ystod cyfnod y Tuduriaid, ac fe ailwampiwyd ei du mewn a'i du allan sawl gwaith yn ystod ei hanes. Tynnwyd y llun hwn ym 1912 ac ynddo fe welir man byw helaeth a addurnwyd â nenfwd plastr addurnol o oes Elizabeth, a phaneli pren sy'n gyforiog o gerfiadau. Yn ystod y 1950au, tynnwyd amryw o'r nenfydau plastr yng Ngwydir gan agor yr ystafelloedd i'r trawstiau a'r distiau. Cynhesid yr ystafell fyw hon gan le tân amgaeedig a chedwid tipyn o'r gwres ynddi gan y tapestrïau mawr a hongiai o'r waliau.

Figure 81. Gwydir Castle was built during the Tudor period, and has been remodelled inside and out several times during its history. This photograph was taken in 1912, and shows a large living area adorned with a decorative Elizabethan plaster ceiling, and lavishly treated wooden panelling. During the 1950s a number of the plaster ceilings at Gwydir were removed, opening rooms to the beams and joists. This living room was warmed by an enclosed fireplace, and was further insulated by large tapestries that were hung from the walls.

Ffigur 82. Awgryma'r dystiolaeth archaeolegol y gall murluniau fod wedi'u defnyddio i addurno cartrefi yng Nghymru o gyfnod y Rhufeiniaid – o leiaf –ymlaen, ond perthyn i'r cyfnod wedi'r Oesoedd Canol wna'r mwyafrif o'r enghreifftiau sydd wedi goroesi. Yn Waun, ger Llanfihangel Troddi yn Sir Fynwy, ceir patrwm lliwgar ac ailadroddus o flodau a ffrwythau ar y pared pren yn y prif le byw ac mae'n fwy na thebyg iddo gael ei greu tua dechrau'r ail ganrif ar bymtheg. Adferwyd y ffermdy a'r paentiadau'n sensitif yn 2010 ac maent yn enghraifft brin a thrawiadol o oroesiad addurno modern cynnar ar du mewn adeilad.

Figure 82. Archaeological evidence suggests that wall paintings may have been used to decorate homes in Wales from at least the Roman era, though most surviving examples are post-medieval. At Waun near Mitchel Troy, Monmouthshire, the wooden partition in the main living area features a brightly coloured, repeating pattern of stylised flowers and fruits, and was probably created during the early seventeenth century. The farmhouse and paintings were sensitively restored in 2010, and provide a rare and striking survival of early modern interior decoration.

Ffigur 83. Ym 2005, cafwyd hyd i furlun – anhysbys cynt – yn y Ciliau ger Castell-paen. Yr oedd mewn cyflwr rhyfeddol o dda ac fe orchuddiai bared postyn-a-phanel ym mhen uchaf y neuadd. Mae iddo gynllun cymhleth sy'n defnyddio ffris o ddail yr arth uwchlaw panel canolog ynghyd â llinynnau llawrydd o ddail a blodau sy'n frith o adar ac anifeiliaid. Awgryma'r gwaith ymchwil ar y tŷ fod y murlun hwn yn perthyn i sawl cyfnod o addurno'r neuadd ac mae'n dangos sut y bu i ffyrdd o harddu tu mewn tŷ newid i gyd-fynd â chwaeth a ffasiynau newydd ar hyd yr oesoedd.

Figure 83. In 2005, a previously unknown wall painting was discovered at Ciliau near Painscastle. The wall painting was remarkably well-preserved and covered a post-and-panel partition at the upper end of the hall. The design is complex, and uses a frieze of stylised acanthus above a central panel, and freehand trails of leaves and flowers interspersed with birds and animals. Investigation of the house suggests that this painting is one of several phases of hall decoration, and shows how the embellishment of the interior changed throughout time to suit new tastes and fashions.

Ffigur 84. Yng nghartrefi llawer o'r cyfoethogion câi peintiadau fframiedig eu hongian yn y mannau byw i'w haddurno ac i gyfleu chwaeth a gwerthoedd y teulu. Yn yr ystafell fyw hon yn Nantclwyd y Dre yn Rhuthun ceir portread mawr a thrawiadol ar un wal a thirwedd glasurol yn hongian uwchlaw'r lle tân. Yn aml, câi portreadau o hynafiaid eu harddangos yn ystafelloedd cyhoeddus cartrefi'r dosbarth uchaf fel ffordd o dynnu sylw at linach y teulu.

Figure 84. In many wealthy homes, framed paintings were commonly hung in living areas as both decorative items and social statements of values and taste. In this living room at Nantclwyd House in Ruthin, a large and impressive portrait adorns one wall, while a classical landscape hangs over the fireplace. Portraits of ancestors were often displayed in the public rooms of upper-class homes as a way of exhibiting the household's lineage.

Ffigur 85. Yn ystod y bedwaredd ganrif ar bymtheg, bu'r parlwr yn lle byw hanfodol yng nghartrefi pobl gefnog. Mae'r parlwr hwn wedi'i ddodrefnu a'i addurno'n chwaethus a cheir cadeiriau cyffyrddus a byrddau hwylus yma i'r preswylwyr. Ond y ddau beth mwyaf trawiadol yn yr ystafell yw dau beintiad mawr sydd, mae'n debyg, yn darlunio tirwedd hyfryd Dyffryn Llangollen. Bu tirwedd gogledd Cymru'n bwnc poblogaidd ymysg artistiaid, beirdd ac awduron yn y bedwaredd ganrif ar bymtheg ac arferai paentiadau fel y rhain fod yn boblogaidd ymysg y dosbarthiadau uchaf. Gwariai'r rheiny eu harian yn aml ar noddi artistiaid mawr yr oes.

Figure 85. During the nineteenth century, the drawing room was an essential living space in affluent homes. This drawing room is finely furnished and decorated, and provides comfortable seating and convenient tables for occupants. However, the room is dominated by two large landscape paintings that reputedly depict the picturesque Vale of Llangollen. The landscape of north Wales was a popular subject for artists, poets and writers during the nineteenth century, and paintings such as these were popular among the upper classes, whose wealth was often used to support the great artists of the time.

Ffigur 86. Yn ystod y bedwaredd ganrif ar bymtheg y gwelwyd y broses o amlhau ystafelloedd byw arbenigol yng nghartrefi Cymru ar ei hanterth. Yng Ngarthewin, ger Llanfair Talhaearn, yr oedd gan hyd yn oed y parlwr ei ragystafell ei hun ac ynddi fe arddangosid llestri a dodrefn traddodiadol Cymru i'r gwesteion: cwpwrdd tridarn cain o bren ac arno jygiau a llestri yfed ac, wrth ei ochr, gadair plentyn a honno wedi'i cherfio'n gelfydd. Yn yr alcof arddangosir platiau cain mewn ffordd sy'n dwyn i gof y ffordd y rhoddid llestri a phatrwm helyg arnynt ar ddreselau Cymreig i'w harddangos.

Cafodd y parlwr eang, a gweddill y tŷ, ei ailwampio yn y 1930au gan y pensaer o Gymro, Clough Williams-Ellis. Er bod drws mawr y parlwr fel petai'n un deuddarn, mae'n ddiddorol mai'r panel chwith yn unig y gellir ei ddefnyddio: drws ffug yw'r panel ar y dde a does dim modd ei agor. Ceid ystryw o'r fath yn gyffredin yng nghynllun cartrefi'r cyfoethogion am fod canlyn y ffasiwn a sicrhau'r olwg 'iawn' yn y cartref weithiau'n drech na'r gofynion ymarferol.

Figure 86. The proliferation of specialist living rooms in Welsh homes reached its peak in the nineteenth century. At Garthewin near Llanfair Talhaearn, even the drawing room had its own ante-room where crockery and traditional Welsh furniture were displayed for guests: a large, finely decorated wooden three-tier cupboard (*cwpwrdd tridarn*) displays jugs and drinking vessels, with an elaborately carved child's chair set beside it. The alcove displays fine plates, in a manner reminiscent of exhibitions of willow-patterned pottery on Welsh dressers.

The drawing room itself is spacious, and was refurbished with the rest of the house in the 1930s by Welsh architect Clough Williams-Ellis. Interestingly, while the large drawing-room door appears double-leaved, only the left panel can be used: the right panel is a false door and cannot be opened. Such artifice was common in the design of wealthy homes, where the pursuit of fashion and the 'right' look in the home sometimes prevailed over practical requirements.

Ffigur 87. Ystafell Dderw Dr Thomas yw'r enw ar yr ystafell banelog hon ym mhlasty Gloddaith, Llandudno. Ar yr olwg gyntaf, mae'r addurno helaeth ar yr ystafell, a'i ffitiadau a'i dodrefn pren gloyw, fel petai'n eithaf digysur, ond o graffu'n fanylach ceir cip ar *chaise longue* glustogog yn erbyn wal chwith yr ystafell yn ymyl y lle tân (a ddangosir gyferbyn). Byddai honno wedi bod yn ddodrefnyn digon dymunol i orffwys arno yn ymyl gwres y tân.

Figure 87. This lavishly carved wood-panelled room in Gloddaeth, Llandudno is known as Dr. Thomas' Oak Room. At first glance, this extravagantly decorated room with its gleaming wooden fixtures and furniture appears to offer little comfort to its users. However, on closer inspection an upholstered long chair can be glimpsed against the left wall of the room adjacent to the fireplace (shown opposite), and would have provided a forgiving surface on which to recline close to the warmth of the fire.

Ffigur 88 (chwith). Campwaith o gynllunio Gothig uchel o oes Victoria yw Castell Coch. Fe'i codwyd ar sylfeini castell canoloesol ar ôl i drydydd Ardalydd Bute fynd ati ym 1875 i gomisiynu'r athrylith ecsentrig William Burges i greu ffantasi canoloesol i'w deulu ar gyrion Caerdydd. Ym marn llawer, parlwr Castell Coch yw un o'r ystafelloedd prydferthaf i Burges eu cynllunio erioed: mae'r nenfwd hynod fowtiog yn codi drwy ddau lawr ac wedi'i addurno'n odidog ag ieir bach yr haf, adar, sêr a dail sydd wedi'u peintio'n lliwgar iawn.

Figure 88 (left). Castell Coch is a masterpiece of high Victorian gothic design that was built on the foundations of a medieval castle. In 1875, the third Marquess of Bute commissioned the eccentric genius William Burges to create a medieval fantasy for his family on the outskirts of Cardiff. The drawing room at Castell Coch is considered by many to be one of the most beautiful rooms Burges ever designed: its highly vaulted ceiling rises through two storeys, and is opulently decorated with butterflies, birds, stars and foliage painted in sumptuous colours.

Ffigur 89 (uchod). Mewn parlwr helaeth fel hwn yn Nantllys, Tremeirchion, Sir Ddinbych, gellid defnyddio sgriniau plygu i rannu'r ystafell dros dro. Yma, gosodwyd sgrin rhwng y drws a'r ddesg ysgrifennu fach a'i chadair i'w cuddio. Yn aml, byddai'r sgrin wedi'i haddurno'n helaeth. Ar hon, gellid defnyddio'r paneli gwydr i arddangos gwahanol ddyluniadau a newid golwg y sgrin yn ddigon rhwydd.

Figure 89 (above). In generously sized drawing rooms such as this one at Nantllys in Tremeirchion, Denbighshire, folding screens could be used to create temporary partitions within the main space. Here, a screen is being used to conceal a small writing desk and chair from the doorway. Screens were often highly decorative: this one features glass panels that could be used to display different designs, and would have allowed the look of the screen to be easily changed.

Ffigur 90. Yn ystod ail hanner y bedwaredd ganrif ar bymtheg, daeth datblygiadau technolegol â ffynonellau amgen o ynni i'r cartref. Gan fod nwy a thrydan yn danwydd glanach ar gyfer goleuo a gwresogi tai, ceid llai o lwch a baw yn y cartref. Golygai hynny fod llai o angen glanhau ystafelloedd yn drylwyr ac y gellid eu haddurno â lliwiau goleuach a defnyddiau mwy cynnil eu golwg, fel y gwnaed yn y parlwr hwn ym Monachty, Dyffryn Arth, ger Aberaeron. Mae'r gwresogydd bach trydan yng nghornel chwith y llun yn dangos y cynnydd a wnaed o ran gwresogi cartrefi yn sgil dyfodiad trydan.

Figure 90. In the second half of the nineteenth century, advances in technology provided access to alternative energy sources in the home. Gas and electricity provided cleaner fuels for lighting and heating houses, reducing the amount of dust and dirt in the domestic environment. The lack of grime meant that interiors required less intensive cleaning, and could be decorated in lighter colours and with more delicate fabrics, as in this drawing room in Monachty, Dyffryn Arth. A small electric heater can just be seen in the left-hand corner of this photograph, showing how heating options improved with the introduction of electricity.

Ffigur 91. Er i gartrefi yn niwedd y bedwaredd ganrif ar bymtheg ac yn ystod yr ugeinfed ganrif allu dewis mwy a mwy o fathau o ynni, daliodd llu o gartrefi yng Nghymru i losgi tanwyddau solid i ategu'r gwresogi ar ystafelloedd mawr. Yn y llun hwn o barlwr yn Sir Gaernarfon ym 1952, mae tân yn llosgi yn y lle tân. Trefnwyd y dodrefn mewn ffordd sy'n dangos mai'r tân yn y grât yw canolbwynt yr ystafell.

Figure 91. Despite the increasing availability of alternative domestic energy sources in the late nineteenth and twentieth centuries, many homes in Wales continued to use solid fuels to reinforce the heating of large rooms. This photograph of a drawing room in Caernarfonshire taken in 1952 shows the fireplace in use. The furniture in the room is arranged with the fireplace as its focus, indicating the centrality of the fire to the room.

Ffigur 92. Mae'r llun hwn o Middleton Hall ger Caerfyrddin yn dangos parlwr sy'n fôr o addurniadau, planhigion, tecstilau a chelfi sy'n gyforiog o batrymau a defnyddiau. Gan mai'r elw a wnaed o fusnesau yn y Dwyrain a dalodd am godi'r plasty, mae llawer o'r eitemau yn yr ystafell yn adlewyrchu'r cysylltiad hwnnw: ar ddwy sgrin ceir patrymau o adar a blodau a ysbrydolwyd gan rai'r Dwyrain. Yng nghornel dde'r llun fe welwch chi fwrdd bach bambŵ.

Figure 92. This image of Middleton Hall near Carmarthen shows a drawing room full of decorative ornaments, plants, textiles and furniture and busy with different patterns and materials. This house was built using the profits from businesses in the Orient, and many of the items in this room reflect this connection: two decorative screens feature eastern-inspired designs using stylised birds and flowers, and a small bamboo table can be seen in the right corner of the image.

Ffigur 93. Ganol y bedwaredd ganrif ar bymtheg, bu pensaernïaeth a dyluniadau'r Adferiad Tuduraidd yn boblogaidd ym Mhrydain. Codwyd plasty Treberfedd ger Trefaldwyn yn yr arddull honno tua diwedd y 1840au. Er i gynllun cywrain lle tân y parlwr (manylyn ar y dde) gael ei gerfio mewn cerrig yn null pensaernïaeth plastai a phalasau Prydain yn yr unfed ganrif ar bymtheg, mae'r dodrefn ynddo'n cadw peth o'r naws Cymreig: yn erbyn y wal dde saif dresel Gymreig ac arni grochenwaith patrwm helyg.

Figure 93. In the mid-nineteenth century, Tudor-revival architecture and design became popular in Britain. Treberfydd mansion was built in the revival style in the late 1840s. The drawing-room fireplace (detail right) has an ornate, stone-carved design inspired by sixteenth-century architecture in the grand houses and palaces of Britain. Despite this, the furniture in the room retains some Welsh character: a Welsh dresser, adorned with willow-pattern crockery, stands against the right-hand wall.

Ffigur 94. Tua diwedd y 1800au, dechreuodd perchnogion ym Mhrydain ddefnyddio technoleg newydd ffotograffiaeth i dynnu ffotograffau o'u cartrefi. Mae'n fwy na thebyg i'r llun hwn o barlwr Hafod Uchtryd ger Pontrhydygroes gael ei dynnu'n gynnar yn yr ugeinfed ganrif ychydig cyn i oes y plasty ddod i ben. Mae cynllun a phatrwm y parlwr yn debyg i rai'r mwyafrif o barlyrau'r dosbarthiadau uchaf ar y pryd, sef bod yno gadeiriau cyffyrddus a digonedd o addurniadau o amgylch y lle tân.

Figure 94. In the late 1800s, British home owners began to make visual records of their own homes using new photographic technology. This photograph of Hafod Uchtryd, Pontrhydygroes, was probably taken in the early twentieth century shortly before the house was abandoned, and shows the drawing room of the property. The design and layout of the space is similar to most upper-class drawing rooms at this time, with comfortable fireside seating and plenty of decorative objects arranged around the fireplace.

Ffigur 95. Plasty a godwyd yn yr arddull Eidalaidd glasurol yn y bedwaredd ganrif ar bymtheg oedd Pantglas, Llanfynydd, Sir Gaerfyrddin. Yn ôl y manylion a roddwyd amdano gan yr asiantau Millar & Son adeg ei werthu ym 1919, hon oedd yr 'Ystafell Ddwyreiniol' am mai'r Dwyrain a ysbrydolodd gynllun yr addurno ynddi. Mae celfi gwych yr ystafell yn awgrymu mai ymlacio'n anffurfiol a wneid yma ac mae'n fwy na thebyg mai ystafell ysmygu gŵr bonheddig oedd hi.

Figure 95. Pantglas in Carmarthenshire was an Italianate classical country house built in the nineteenth century. Sales particulars produced by Millar & Son estate agents in 1919 identify this as the 'Oriental Room' because of the eastern-inspired decorative scheme. The opulent furnishing of this room suggests that it was used for informal relaxation, possibly as a gentleman's smoking room.

Ffigur 96. Tua 1900, Glan-brân ger Llanymddyfri yn Sir Gaerfyrddin oedd cartref Isaac Haley. Fel y gwnaeth llu o dirfeddianwyr cyfoethog eraill, dechreuodd ef ddefnyddio technoleg newydd ffotograffiaeth i gofnodi ystafelloedd ei gartref. Mae'r parlwr llawn yng Nglan-brân yn nodweddiadol o'r cyfnod uchel-Fictoraidd. Diben y drychau uwchlaw'r lle tân ac ar y wal wrth y drws yw creu'r argraff fod yno fwy o le a lleddfu'r teimlad bod yno ormod o gelfi ac addurniadau. Maent hefyd yn goleuo rhywfaint yn rhagor ar yr ystafell drwy adlewyrchu cymaint â phosibl o olau dydd. Defnyddiodd Mr Haley ragor ar y drychau i dynnu'r hunanbortread hwn.

Figure 96. Isaac Haley lived at Glan-brân near Llandovery in Carmarthenshire around 1900, and like many other wealthy home owners started to record the rooms of his home using new photographic technology. The drawing room at Glan-brân shows a characteristically busy high Victorian interior. Mirrors above the fireplace and on the wall adjacent to the doorway attempt to alleviate the cramped feel caused by overcrowded furniture and ornaments by creating the illusion of greater space. They also improve the illumination in the room by maximising the use of available daylight. Mr Haley made further use of mirrors to take the self-portrait below.

Ffigur 97. Cyn dyddiau ffotograffiaeth, gwnâi pobl yng Nghymru gofnodion o'u cartrefi drwy ysgrifennu amdanynt neu dynnu lluniau ohonynt. Rhwng 1826 a 1829 y codwyd y Pool Park a welwn ni heddiw ac mae'r llun hwn o'r hen Pool Park ger Rhuthun yn awgrymu'r math o olwg a allai fod wedi bod ar brif ran y man byw cyn i'r tŷ gael ei ailgodi. Erbyn 1937, cawsai Pool Park ei brynu gan Ysbyty Meddwl Siroedd y Gogledd i gymryd y cleifion nad oedd lle iddynt yn Ysbyty Dinbych.

Figure 97. Prior to the invention of photography, people in Wales made records of homes through writing, drawing and painting. The Pool Park that we see today was built between 1826 and 1829, and this image of Old Pool Park near Ruthin suggests how part of the main living area might have looked before the rebuilding of the house. By 1937, Pool Park had been acquired for use by the North Wales Counties Mental Hospital to provide an overflow space for the overcrowded Denbigh Hospital.

Ffigur 98. Erbyn y 1950au, yr oedd ffasiwn diwedd y ddeunawfed ganrif a dechrau'r ganrif ddilynol o orlenwi parlyrau wedi'i disodli gan awydd pobl i'w hystafelloedd byw fod yn gymen a thaclus. Er hynny, ceid addurniadau o hyd – ond rhai mwy cynnil – mewn parlwr destlus fel hwn yng Nghefn Mine ger Llannor.

Figure 98. By the 1950s, the clutter of late eighteenth and early nineteenth-century drawing rooms had fallen out of fashion, and a preference for neat, tidy living rooms had developed. However, orderly interiors like this one at Cefn Mine near Llannor were still decorative, though more restrained in their ornamentation.

Ffigur 99. Yn ddiweddar, mae Ymddiriedolaeth Landmark wedi adfer y bwthyn hwn a godwyd ger Conwy yn y bedwaredd ganrif ar bymtheg. Byddai bythynnod bach o'r fath wedi bod yn gartref i'r werin bobl ledled cefn gwlad Cymru ar y pryd. Byddai'r brif ystafell fyw wedi'i defnyddio at sawl diben: iddi hi y byddai'r teulu wedi dod ynghyd i goginio, i fwyta a hyd yn oed i weithio.

Figure 99. This nineteenth-century cottage near Conwy has recently been restored by the Landmark Trust. Small cottages such as this would have been home to ordinary people throughout rural Wales at this time. The main living room would have been a multi-use space: the family would have congregated in this space to cook, eat and even work.

Ffigur 100. Gall mannau byw newid yn rhyfeddol dros amser. Fe adnewyddodd yr Ymddiriedolaeth Genedlaethol adeilad Egryn yn Nyffryn Ardudwy yn gynnar yn yr unfed ganrif ar hugain gan osod cyfleusterau modern ynddo heb i hynny amharu dim ar naws hanesyddol yr adeilad. Mae'r cofnodion sydd gan y Comisiwn Brenhinol yn dangos sut y câi'r brif ystafell ei defnyddio pan oedd y tŷ'n dal i fod yn eiddo preifat, ac yn cyferbynnu'n ddiddorol â gwedd fodern y tu mewn erbyn heddiw.

Figure 100. Living spaces can change dramatically through time. Egryn in Dyffryn Ardudwy is currently in the care of the National Trust, who renovated the building in the early twenty-first century to provide modern facilities while retaining a sense of the building's long history. Records held by the Royal Commission show how the main living space was used when the house was still in private ownership (above), which provides an insightful contrast to the modern interior.

Ffigur 101. Yn ddiweddar, moderneiddiodd yr Ymddiriedolaeth Genedlaethol fwthyn Pontbrenmydyr, bwthyn a godwyd yng ngorllewin Cymru yn y ddeunawfed ganrif. Mae nodweddion gwreiddiol fel y lle tân a'r man coginio wedi'u hadfer yn sensitif, ac i gydweddu â'r rheiny ceir celfi brodorol yno. Er bod offer gwres canolog wedi'u cynnwys, gosodwyd rheiddiaduron o haearn bwrw yma am eu bod yn cyd-fynd yn well â hanes y bwthyn na rheiddiaduron diweddarach. Er hynny, ceir soffas a nwyddau trydan o'r unfed ganrif ar hugain yn yr ystafell fyw i gynnig y cyffyrddusrwydd a'r mathau o adloniant y bydd pobl yn disgwyl eu cael mewn ystafelloedd byw heddiw.

Figure 101. The National Trust recently modernised Pontbrenmydyr, an eighteenth-century cottage in west Wales. Original features such as the fireplace and cooking range have been sensitively restored, and are complemented by the use of vernacular furniture in the room. Central heating has been introduced, but cast-iron radiators more in keeping with the history of the cottage have been used in place of more recent radiator designs. However, contemporary sofas and electrical goods furnish the living room to provide the level of comfort and kind of entertainment that people expect from modern living rooms.

Ffigur 102 (chwith a de). Gan mai yn y prif ystafelloedd byw yr arferai preswylwyr bythynnod yng Nghymru goginio a bwyta, y rheiny oedd canolbwynt bywyd y cartref. Ar y meinciau wrth ochr y lle tân ym Mhen-lôn, Llanfihangel Ystrad ger Llanbedr Pont Steffan, yr arferai'r preswylwyr eistedd i gadw'n gynnes pan fyddai hi'n oer. Mae'r fainc ar y chwith yn rhan o'r lle tân a'r fainc ar y dde yn un frodorol ei chynllun ac yn nodweddiadol o bob rhan o Gymru. Wrth ochr y tân mae dau degell yn twymo dŵr wrth y tân sy'n llosgi yn y grât.

Figure 102 (left and right). Main living rooms in Welsh cottages often functioned as the cooking and dining areas of the home as well, and formed the focus of domestic life. The benches alongside the fireplace at Pen-lôn near Lampeter provide seating for the people of the household, offering warmth during cold periods. The bench on the left is built into the fireplace, while the bench on the right is a typical free-standing vernacular fireside bench common throughout Wales. Two kettles can be seen on the range here.

Ffigur 103. Mae'r ddresel Gymreig ym mhrif ystafell fyw Pen-lôn yn llawn dop o lestri: mae'r jygiau, y mygiau, y cwpanau te a'r llestri bwyd wedi'u gosod ar y ddresel yn y ffordd arferol o arddangos nwyddau materol y cartref. Mae'n fwy na thebyg mai'r Beibl yw'r llyfr mawr ar fwrdd y ddresel: yno, yn aml, y câi beiblau eu harddangos. Yn y gist ddroriau y cedwid nwyddau eraill y cartref ac arni gellid arddangos ffotograffau ac eitemau eraill o bwys teuluol. Ar y wal ceir sampler o frodwaith ac o dani mae pedol i ddod â lwc i'r cartref.

Figure 103. The Welsh dresser in the main living room at Pen-lôn is densely packed with crockery: jugs, mugs, teacups and serving dishes are arrayed on the dresser in a customary show of material household goods. The large book on the dresser table is most likely a Bible, copies of which were frequently displayed. A large chest of drawers provides storage for other domestic goods and an area for the exhibition of photographs and other family keepsakes. An embroidered sampler hangs framed on the wall, with a horseshoe beneath it to bring luck to the home.

Ffigur 104 (uchod). Er bod rhai bythynnod wedi cadw eu lleoedd tân a'u stofiau gwreiddiol o haearn bwrw hyd heddiw, mae eraill wedi mabwysiadu'r dechnoleg newydd i goginio ac i gynhesu eu prif fannau byw. Tynnwyd y llun hwn o Dyn-bedw, Nancwnlle, Sir Aberteifi, tua 1960 ac ynddo gwelir lle tân modern o frics ochr yn ochr â'r ffwrn ddiweddaraf. Mae'r lle tân newydd wedi cadw'r silff ben tân gynharach ac mae honno wedi'i haddurno â phresynnau meirch yn y ffordd draddodiadol.

Figure 104 (above). Whilst some cottages retain their original fireplaces and cast-iron stoves even today, others have adopted new cooking and heating technology in main living areas. Tyn-bedw in Nantcwnlle, Cardiganshire was photographed in about 1960, and shows a modern brick fireplace alongside an up-to-date range for cooking. The new fireplace retains its earlier mantelpiece, which is decorated in a traditional manner using horse brasses.

Ffigur 105 (de). Cyn dyddiau oergelloedd a sefydlogyddion i gadw bwyd yn ffres, cyffeithid bwydydd i estyn eu hoes, a'u storio'n ddigon pell o gyrraedd plâu a thamprwydd. Mewn cartrefi cyffredin yng Nghymru, fel Blaen-waun Ganol yn Llanwnnen, y brif ystafell fyw oedd y lle mwyaf hwylus i gadw'r cig a gawsai ei halltu. Câi'r bwyd ei hongian ar fachau yn y nenfwd y tu hwnt i gyrraedd y llygod a'r llygod mawr, ac uwchben y lle tân am fod gwres y tân yn cadw llwydni draw. Weithiau, gellid diogelu rhagor ar y bwyd drwy ei lapio â lliain.

Figure 105 (right). Before modern refrigeration and food stabilisers were available, perishable foodstuffs had to be preserved to ensure their longevity, and then stored away from pests and damp. In Wales, in ordinary homes like Blaen-waun-ganol in Llanwnnen, the most practical place to store cured meat was in the main living room. Food items were suspended from hooks in the ceiling out of the reach of rats and mice, and above the fireplace where warm rising air kept mould at bay. Sometimes these items might be wrapped in cloth to provide another layer of protection.

Ffigur 106. Mae digon o le yn y prif le byw yn Aberdeunant yn Llansadwrn, Sir Gaerfyrddin, i fainc fawr bren wrth y tân, cadair bren, dresel gam sylweddol a chloc hir (de). Gellir storio nwyddau a defnyddiau eraill y tŷ yn y cypyrddau (chwith). Mae'r cloc hir yn gelficyn cyfarwydd mewn cartrefi yng Nghymru – o blastai crand yr ystadau mawr i ffermdai fel hwn.

Figure 106. The main living area at Aberdeunant, Llansadwrn is spacious, with ample room for a large, wooden fireside bench and single wooden chair, a substantial corner dresser and tall longcase clock (right). Inbuilt cupboards (left) provide further storage for household goods and materials. The long-case clock is a familiar piece of furniture found in Welsh homes, from grand estate mansions to farmhouses like this.

Ffigur 107. Codwyd y tŷ tref nodedig hwn yng Nghonwy tua diwedd yr Oesoedd Canol. Mae'n unigryw ac mewn cyflwr da. Pan ddyddiwyd blwyddgylchau'r coed ynddo, gwelwyd iddo gael ei godi gyntaf yn gynnar yn y bymthegfed ganrif, ond bu llawer o newid arno dros y chwe chanrif ddiwethaf. Tynnwyd y llun ym 1951 ac mae'n dangos y ddresel Gymreig gyfarwydd, sy'n drymlwythog o lestri, ym mhrif ystafell fyw'r tŷ.

Figure 107. This later medieval town house in Conwy is an unique and well-preserved exampleof a distinguished urban home. Tree-ring dating of the timbers used in the initial construction of the house show it was first built in the early fifteenth century, though it has been extensively altered in the last six hundred years. This photograph was taken in 1951 and shows the familiar Welsh dresser standing in the main living room of the house, bedecked with crockery.

Ffigur 108. Ym 1958, mae pared pren yn rhannu'r prif le byw yn y Gwindy Mawr, Rhuddlan, yn ddwy. Y naill ochr iddo, gwelir parlwr bach a gaiff ei wresogi gan stof o haearn bwrw. Mae ef wedi'i ddodrefnu'n helaeth â mainc a chadeiriau pren wrth y tân. Er bod rhesel sychu i'w gweld ar y nenfwd uwchlaw'r tân, caiff y dillad eu sychu ar silff ben tân y parlwr. Mae hynny'n ein hatgoffa nad lle i ymlacio ynddo'n unig oedd y man byw mewn llawer cartref.

Figure 108. In 1958, the main living area at Gwindy Mawr, Rhuddlan, is split into two by a wooden partition. On one side, a small parlour is visible. It is heated by a cast-iron stove and well furnished with a fireside bench and wooden chairs. Although a drying rack is visible on the ceiling above the fire, laundry is instead being dried on the parlour mantelpiece and is a reminder that the living areas of many homes were not reserved solely for relaxation.

Ffigur 109. Teras a godwyd ganol y bedwaredd ganrif ar bymtheg ym Methania, Blaenau Ffestiniog, yw Uwchlaw Ffynnon. Fe'i codwyd i gartrefu gweithwyr diwydiannol medrus a'u teuluoedd. Gwnaed y lle tân hwn o beth o'r llechi da y ceir cymaint ohonynt yn y fro. Gellir gweld bod y papur newydd, a ddefnyddid yn wreiddiol yn haen fforddiadwy i'w rhoi o dan y papur wal, yn dod yn rhydd o'r waliau. O graffu ar y papurau newydd, ceir rhyw syniad o'r bobl a arferai fyw yma: mae copïau o'r *Daily Mirror* a'r *Liverpool Echo* i'w gweld yn y llun.

Figure 109. Uwchllaw Ffynnon is a mid-nineteenth-century terraced cottage in Bethania, Blaenau Ffestiniog, and was used to provide housing for skilled industrial workers and their families. The fireplace is made from good-quality slate, which was available in abundance locally. Newspaper can be seen peeling away from the walls, where it was originally used as an affordable underlay for wallpaper. Closer inspection of the newspapers hint at the people who once lived here: copies of the *Daily Mirror* and the *Liverpool Echo* are both visible in this image.

Ffigur 110. Drwy ddyddio'r blwyddgylchau ynddo gwelwyd bod Tŷ-mawr, Castell Caereinion, neuadd ganoloesol uchel ei statws, wedi'i godi ym 1460. Ychwanegwyd y fantell fwg uwchlaw'r lle tân rhwng 1593 a 1594 adeg creu llawr cyntaf yn y neuadd wreiddiol. Erbyn tua diwedd yr ugeinfed ganrif, yr oedd y tŷ mewn cyflwr gwael ac fe'i hadferwyd ym 1997 a 1998. Er bod ei du mewn heddiw'n parchu fframwaith gwreiddiol yr adeilad, fe ychwanegwyd cryn dipyn ato: mae goleuadau trydan, soffas cyffyrddus a gwres canolog yn sicrhau bod modd i'r neuadd ddiwallu anghenion beunyddiol bywyd modern yng Nghymru.

Figure 110. Tree-ring dating shows that Tŷ-mawr, Castell Caereinion, a high-status medieval hall, was built in 1460. The smoke hood above the fireplace was added between 1593-94, when the upper floor was inserted into the original hall. By the late twentieth century the house had fallen into disrepair, and was restored during 1997 and 1998. The present interior respects the original structure of the building, but has also been extensively enhanced: electric lighting, comfortable sofas and discreet central heating equip the hall for the daily needs of modern life in Wales.

Ffigur 111. Y lle tân oedd canolbwynt pennaf prif ystafelloedd byw'r mwyafrif o dai nes i setiau teledu gyrraedd ganol y 1950au. Mae'r brasluniau hyn o'r lleoedd tân yn nhai'r gweithwyr yng Ngloddfa Ganol yn y gogledd yn gofnod gwerthfawr o'r mathau o leoedd tân a geid yng nghartrefi'r werin bobl ac o'r defnyddiau a'r dulliau a ddefnyddid i'w codi. Llechi yw'r defnydd sydd wedi'i osod o amgylch y tân yma am ei fod yn ddefnydd lleol fforddiadwy a hawdd cael gafael arno. Er hynny, mae'r llechi wedi'u peintio i efelychu marmor, defnydd llawer crandiach a fyddai wedi bod yn rhy ddrud o lawer i weithwyr diwydiannol ei brynu bryd hynny.

Figure 111. The fireplace was the main focus of the main living rooms in most houses up until the widespread adoption of television in the mid-1950s. These sketches of fireplaces in workers' houses at Gloddfa-ganol in north Wales provide a valuable record of the kinds of fireplaces installed in ordinary homes, and the materials and methods used in their construction. One of the fire surrounds depicted here is made from slate, an affordable and readily available local material. However, it has been painted to simulate marble, a much grander material, which would have been prohibitively expensive for industrial workers at this time.

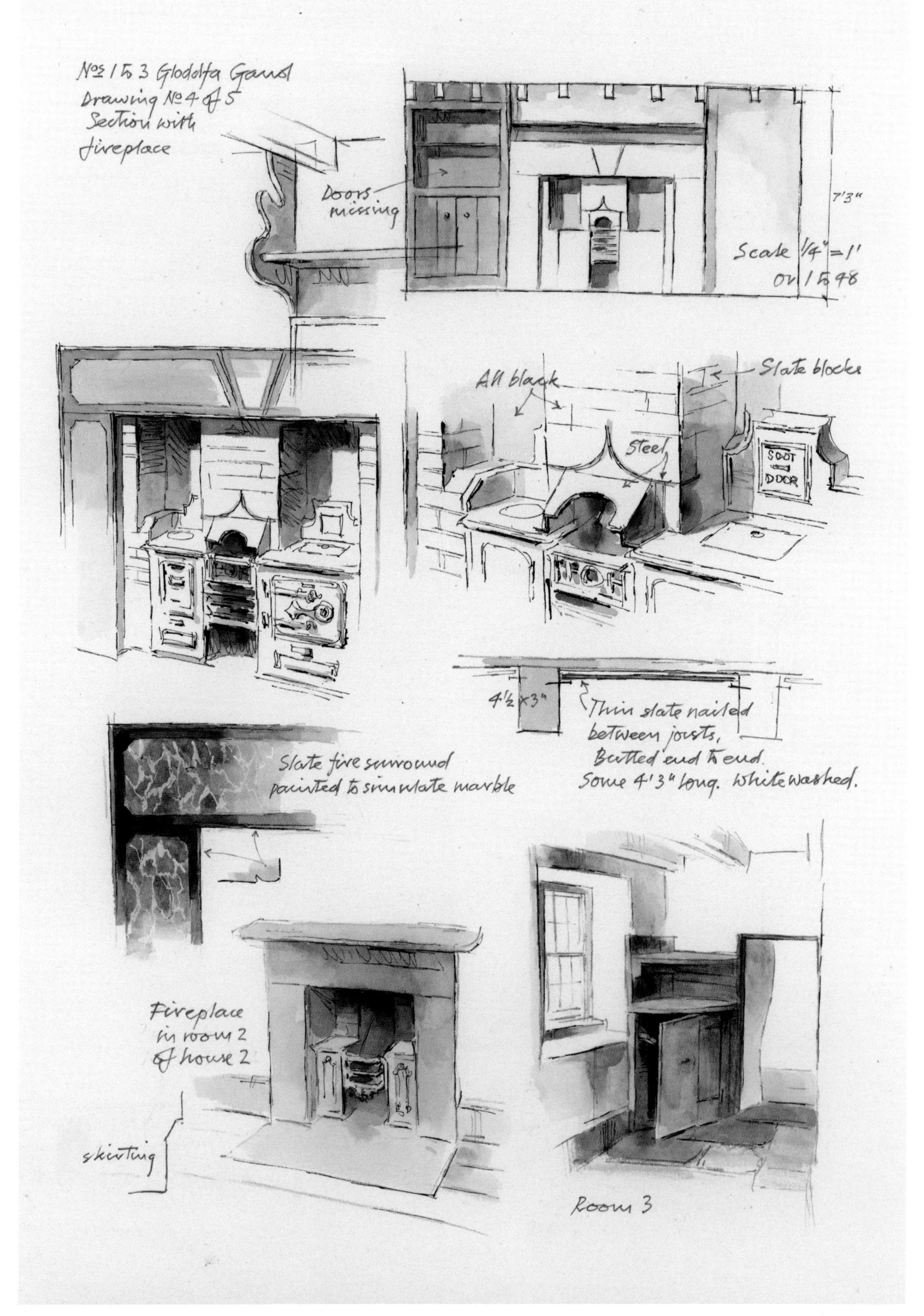

Ffigur 112. Elfen amlycaf yr ystafell fyw yn Nhrecastell, Llangoed, Môn, yw'r lle tân mawr a phlaen a'r offer helaeth sydd yno ar gyfer cyflawni tasgau ymarferol beunyddiol. Wrth yr aelwyd ceir amryw o'r pedyll mawr a'r tegellau a ddefnyddid wrth goginio. Ar silff i'r chwith o'r prif grât ceir stof wersylla sy'n llosgi nwy i gynhesu'r canistr dŵr. Mae'r tap arno'n fodd i gael dŵr poeth heb fod angen cynnau'r prif dân. Mae'n fwy na thebyg mai lein i i sychu dillad arni yw'r weiren denau sy'n hongian uwchben y lle tân.

Figure 112. The main living room at Trecastell in Llangoed, Anglesey is dominated by a large, plain fireplace that is well-equipped for the practical, day-to-day tasks carried out in the space. A number of large pans and kettles sit in the hearth area, which would have been used for cooking meals. A small gas-powered camping stove sits on a ledge to the left of the main fire grate, and is shown heating a water canister with a tap, allowing hot water to be provided without the need to light the main fire. A fine wire has been suspended above the fireplace, and would have probably been used to dry clothes.

Ffigur 113. Er bod y cloc hir yn ystafell fyw Ivy Cottage ger y Bers fel petai'n amhriodol o fawr mewn gofod mor fach ac afreolaidd ei siâp, yr oedd clociau hir, fel y ddresel Gymreig a meinciau ger y tân, yn ddodrefn o bwys cymdeithasol. Yn aml, felly, gwneid ymdrech fawr i'w cynnwys yn y cartref.

Figure 113. The longcase clock in the living room at Ivy Cottage near Bersham seems over large and out of place in the small, irregularly shaped space. However, longcase clocks were socially significant pieces of furniture like the Welsh dresser and fireside benches, so great effort was often made to accommodate them in the home.

Ffigur 114. Herbert Luck North, y pensaer yn null y Celfyddydau a'r Crefftau, wnaeth gynllunio'r tŷ hwn yng Nghefn-isaf, Caerhun. Trefnodd i holl brif ystafelloedd yr adeilad wynebu tua'r de ac edrych allan dros y gerddi. Yn yr ystafell fyw, yr oedd ffenestri sylweddol a phaneli gwydr y drysau'n agor y gofod i gymaint o olau dydd â phosibl ac yn sicrhau bod yr ystafelloedd wedi'u hawyru'n dda. Mae'r ystafell fyw wedi'i dodrefnu'n chwaethus ac yn cynnwys seddau ffenestr braf yn ogystal â soffas confensiynol.

Yng Nghefn-isaf, fel yn y mwyafrif o ystafelloedd byw heddiw, mae'r teledu'n darparu adloniant i'r teulu ac wedi disodli'r lle tân fel canolbwynt yr ystafell.

Figure 114. Arts and Crafts architect Herbert Luck North planned this house at Cefn Isaf, Caerhun, so that all the principal rooms in the building faced south, overlooking the gardens. In the living room, substantial windows and glass-panelled doors opened the space to as much daylight as possible and ensured rooms were well ventilated. The living room is well appointed, featuring padded window seats in addition to conventional sofas.

At Cefn Isaf, as in most modern living rooms, a television provides entertainment for the family and has succeeded the fireplace as the focus of the room.

Ffigur 115. Yn aml, y lle tân fyddai canolbwynt gweithgarwch yr ystafell fyw am ei fod yn darparu gwres a golau cyn i nwy a thrydan wella'r ffyrdd o oleuo a gwresogi'r cartref. Bu hefyd, felly, yn ganolbwynt addurnol i'r ystafell. Yn Wern Isaf, Llanfairfechan, gosodwyd teils lliwgar mewn patrwm syml o amgylch y lle tân, ac ar y silff ben tân syml o bren gellir arddangos addurniadau. Mae'r trefniant blodeuog cydnaws yn cuddio'r grât pan na fydd tân ynddo.

Figure 115. The fireplace was often at the centre of activity in the living room, providing warmth and light before domestic gas and electricity improved lighting and heating in the home. As a result, it was frequently a decorative focus of the room too. At Wern Isaf, Llanfairfechan the fireplace surround features bright tiles arranged in a simple pattern, with a plain wooden overmantel where ornaments can be displayed. The co-ordinating floral arrangement conceals the grate while it is out of use.

Ffigur 116. Peth anarferol yn yr ystafell fyw ym Mhlas Rhianfa, Cwm Cadnant, yw'r lle tân yn y gornel. Fel rheol, ar ganol prif wal yr ystafell fyw y byddai lleoedd tân am fod digon o le yno i silff ben tân ac am fod modd cyrraedd y simnai a'r ffliw yn hwylus. Codwyd y lle tân ym 1850, yr un pryd â gweddill y tŷ.

Figure 116. The living room at Plas Rhianfa, Cwm Cadnant, features an unusual corner fireplace. Fireplaces were usually sited centrally on a main wall of the living room, where there was ample space for a mantelpiece and practical access to a chimney and flue. The fireplace is contemporary with the rest of the house, which was built in 1850.

Ffigur 117. O'r 1950au ymlaen, dechreuodd yr awdurdodau lleol roi rhaglen adeiladu uchelgeisiol ar waith i geisio gwella'r amodau byw anfoddhaol mewn ardaloedd trefol. Ym Mhenarth, codwyd blociau isel o fflatiau – a thai teras – rhwng dechrau'r 1960au a'r 1970au. Fe'u cynlluniwyd yn unol â Safonau Parker Morris a ddatblygwyd ym 1961, ac ynddynt ceid isafswm y gofod y byddai ei angen ar eu preswylwyr i fyw'n gyffyrddus. Mae'r ystafell fyw yn Prince Charles Court yn nodweddiadol o'r gofod a roddid fel rheol i'r ystafelloedd byw yn y cartrefi hynny.

Figure 117. From the 1950s onwards, local authorities started an ambitious building programme designed to improve on sub-standard living conditions in urban areas. In Penarth, low-rise blocks of flats and terraced homes were built between the early 1960s and 1970s. They were designed in accordance with the Parker Morris Standards developed in 1961, and provided occupants with the minimum space needed to live comfortably. The living room at Prince Charles Court is characteristic of the space allocated to living rooms in these homes.

Ffigur 118. Dechreuodd cyflwr llu o blastai ddirywio yn ystod yr ugeinfed ganrif. Gellid tynnu'r celfi a'r ffitiadau ohonynt cyn eu gwerthu a gadael yr ystafelloedd yn wag. Tynnwyd y llun hwn o Derry Ormond ger Llanbedr Pont Steffan ym 1952. Yr afliwio ar y papur wal ac estyll y llawr yw unig olion yr hyn a fyddai wedi bod yn ystafell chwaethus.

Figure 118. In the twentieth century, many upper-class houses began to fall into decline. Homes could be stripped of their furnishings and fixtures before being sold, leaving bare rooms behind. This image of Derry Ormond near Lampeter was captured in 1952. Discolouration of the wallpaper and floorboards are the only surviving traces of what would have been a well-appointed living space.

Ffigur 119. Erbyn y 1950au, câi tai hŷn yng Nghymru eu moderneiddio. Bu cynllun y Grantiau Gwella Tai yn fodd i bobl ledled y wlad osod lleoedd tân newydd a fyddai'n lanach ac yn fwy effeithlon na'r lleoedd tân agored traddodiadol a'r lleoedd tân o haearn bwrw. Yn y tŷ hwn yn Council Street yng Nglynebwy fe osodwyd stof a losgai danwyddau solid. Yr oedd iddi foeler cefn a allai dwymo dŵr i'r teulu. Cafodd y llun, sy'n rhan o gasgliad y Swyddfa Hysbysrwydd Ganolog, ei arddangos mewn sioeau amaethyddol yn 1960 i ddangos sut yr oedd cartrefi yng Nghymru wedi elwa o'r gwelliannau a wnaed iddynt.

Figure 119. By the 1950s, older properties in Wales were being modernised. The nationwide Housing Improvement Grant scheme funded the installation of new, more efficient fireplaces, which were cleaner to operate than traditional cast-iron or open fireplaces. At this house on Council Street in Ebbw Vale, a stove was installed that used solid fuel, and had a back boiler that could heat water for the household. This photograph is part of the Central Office of Information collection, and was exhibited at agricultural shows in 1960 to show how homes in Wales had benefited from home improvements.

Ffigur 120. Wedi'r Ail Ryfel Byd, codwyd cannoedd o dai parod i letya'r teuluoedd a gawsai eu symud o'u cartrefi neu a gollodd eu cartrefi oherwydd y bomio mawr ar ganolfannau trefol a diwydiannol allweddol yng Nghymru. Er mai'r bwriad oedd iddynt fod yn rhai dros dro'n unig, cawsant eu galw'n 'balasau i'r bobl'. Cymaint fu'r ymserchu ynddynt nes i bobl, yn fynych, ddal i'w defnyddio ymhell y tu hwnt i'w hoes arfaethedig. Mae'r ystafell fyw betryal a syml hon mewn tŷ parod ar Ystâd Bishpool, Casnewydd, yn nodweddiadol o'r mannau byw a roddwyd i'r teuluoedd, ac fe ragorent ar yr ystafelloedd yn y terasau trefol yr oedd y teuluoedd wedi'u gadael.

Figure 120. In the aftermath of the Second World War, hundreds of prefabricated housing units were erected to accommodate the families displaced or made homeless by the bombing of key urban and industrial centres in Wales. These prefabs were intended to serve as interim housing only, but became known as 'palaces for the people' and were well-loved homes that frequently outlasted their intended lifespan. The simple rectangular living room of this prefab on the Bishpool Estate, Newport, is characteristic of the living spaces provided for families, and compared favourably with the smaller rooms of the urban terraces they left behind.

Ffigur 121. Y bwriad wrth adeiladu'r tŷ-yn-y-ddaear hwn ym 1994 oedd iddo effeithio cyn lleied â phosibl ar y dirwedd o'i amgylch. Y tu mewn iddo, mae'r tŷ'n un cynllun-agored ac wedi'i drefnu'n anffurfiol mewn ffordd sy'n atgoffa dyn o'r neuadd ganoloesol. Er nad oes yno ystafell fyw ffurfiol ac ar wahân, ceir gofod canolog sy'n cyflawni swyddogaeth ystafell fyw gonfensiynol ac wedi'i drefnu o amgylch tân agored sy'n llosgi boncyffion. Mae Malator yn cynrychioli'r mathau o arbrofion mewn cynllunio cartrefi a fydd yn dal i newid ein syniadau ynghylch trefn y gofod yn ein cartrefi.

Figure 121. This earth-sunk house was constructed in 1994 and was designed to have minimal impact on the surrounding landscape. Inside, the house is open-plan and informally arranged in a manner reminiscent of the medieval hall. Although there is no separate, formal living room, there is a central, communal seating space arranged around an open log fire that fulfils the function of a conventional living room. Malator represents the sort of experiments in home design that will continue to change our ideas about the arrangement of our domestic space.

Ceginau
Kitchens

Swyddogaeth sylfaenol y gegin fodern yw bod yn ofod ymarferol a phriodol i gadw a pharatoi bwyd ynddo. Yn y cyfnod cynhanesyddol a'r Oesoedd Canol cynnar, câi bwyd ei goginio ar yr aelwyd agored a fyddai'n ganolbwynt i fywyd a chymdeithas y cartref. Er i'r lle tân amgaeedig a'i simnai gerrig a'i ffliw ddechrau disodli'r aelwyd ganolog draddodiadol yn yr unfed ganrif ar bymtheg ac ailddiffinio cynllun y cartref, daliodd y lle tân a'r gwaith coginio i fod yn allweddol i waith y tŷ.

Yng nghartrefi'r cyfoethogion y gwelir gyntaf wahanu'r ystafelloedd ar gyfer cadw a choginio bwyd. Gwahanwyd y prif fannau byw oddi wrth y ceginau rhag i aroglau annymunol bwyd darfu arnynt, ac i gyfyngu ar sŵn a gweithgarwch staff y gegin wrth iddynt baratoi bwyd mewn cartrefi mawr a phrysur. Erbyn yr ail ganrif ar bymtheg, fe achosodd y ffaith fod gwahanol fwydydd ar gael yn fwy hwylus newid yn agweddau pob haen o gymdeithas at gynnwys prydau bwyd. Gan i bobl gefnog farnu nad oedd rhai gweithgareddau paratoi bwyd, a'r aroglau a ddeuai ohonynt, yn ddymunol, gwahanwyd y gegin fwyfwy oddi wrth weddill y cartref. Erbyn y cyfnod Sioraidd, câi ceginau eu codi mewn aden a fyddai'n gwbl ar wahân i'r tŷ, ac yn y trefi poblog yn oes Victoria fe neilltuwyd y gegin i'r islawr.

Ganol y 1700au y cychwynnodd esblygiad y gegin sy'n gyfarwydd i ni heddiw. Bryd hynny, rhoes datblygiadau technolegol y Chwyldro Diwydiannol gychwyn i ffyrdd newydd a mwy effeithiol o baratoi bwyd. Proses ddigon aneffeithlon oedd coginio ar dân agored gynt: fel rheol, câi'r bwyd ei goginio mewn crochan a hongiai uwchben y fflamau neu mewn pot a osodid ar drybedd, a rheolid y tymheredd coginio drwy amrywio uchder y llestr coginio uwchben y tân. Nid dyna'r ffordd fwyaf effeithlon o ddefnyddio gwres. Byddai'n creu cryn dipyn o fwg ac yn achosi cryn berygl o gael tân yn y tŷ. Erbyn y ddeunawfed ganrif, dechreuwyd gosod stofiau haearn mewn cartrefi. Y cynllun cynharaf sy'n hysbys ar gyfer stof haearn yw stof Franklin, un a ddyfeisiwyd yn America ym 1741. Drwy gydol y ddwy ganrif wedi

Ffigur 122. Yn aml, bydd ceginau'n cynnwys eitemau addurnol sy'n gysylltiedig â phrif swyddogaethau'r gofod hwnnw, sef coginio, bwyta, a pharatoi bwyd. Yng Nghymru, y llestri 'gorau' sydd i'w gweld amlaf yn eu holl ogoniant ar ddresel Gymreig, ac yno hefyd y cedwir Beibl y teulu. Ar y ddresel hon yn y gegin yn Nantclwyd y Dre, Rhuthun, ceir set nodweddiadol o blatiau a llestri, ac arnynt 'batrwm helyg', ynghyd ag amrywiaeth o jygiau sy'n hongian o'r bachau. Mae'r cyfan yn cyfleu lletygarwch a glendid y cartref ac yn arddangos trysorau'r teulu.

The fundamental function of the modern kitchen is to provide an appropriate practical space for food storage and preparation in the home. In the prehistoric and early medieval periods, food was cooked at an open hearth located at the centre of the household both structurally and socially. During the sixteenth century, the enclosed fireplace with its stone-built chimney and flue began to replace the traditional central hearth, redefining the plan of the home. Despite this, the fireplace and the act of cooking remained vital to the function of the household.

Separate rooms for food storage and cooking first appeared in the grand houses of medieval Wales, with kitchens being moved away from the main living areas. This was to reduce the incursion of unpleasant food smells and limit the disruption caused by the noise and activity of a working kitchen supplying food to large and busy households. By the seventeenth century, improvements in the availability of food caused attitudes towards contemporary cuisine to change across society. Certain food preparation activities and scents became repugnant, and the kitchen was increasingly segregated from other parts of the home in affluent houses. By the Georgian period, kitchens were often constructed in an entirely separate wing of the house, while those in densely urbanised Victorian towns were relegated to basements.

The evolution of the kitchen as we recognise it today began in the mid-1700s, when the technological advances of the Industrial Revolution gave rise to new and more effective ways of preparing food. Cooking on an open fire was inefficient: food was usually cooked in cauldrons suspended above the flames or in pots placed on a trivet, with the cooking temperature regulated simply by changing the distance between the cooking vessel and the fire. This method did not make the most efficient use of the heat available; it also produced high levels of smoke and posed a significant fire hazard to the whole house. By the eighteenth century, iron stoves began to appear in homes. The earliest known design for an iron stove is the Franklin stove, invented in America in 1741. The variety

Figure 122. Kitchens often display decorative items related to the principal functions of the space: cooking, eating, and food preparation. In Wales, the 'best' crockery is most often on display, arrayed in splendour on a Welsh dresser, which is also the place of the family Bible. The dresser shown in this kitchen at Nantclwyd House, Ruthin, has a typical set of 'willow pattern' plates and dishes alongside a variety of jugs suspended from ceiling hooks, all serving to demonstrate the hospitality and cleanliness of the household, in addition to displaying family heirlooms.

hynny cafwyd mwy a mwy o amrywiaeth o stofiau masnachol, a cheid rhai i gyd-fynd â maint a chyllideb bron pob cartref. Gan eu bod yn coginio bwyd dan fwy o reolaeth ac yn cynhyrchu llai o fwg, byddai hynny'n gwella'r awyrgylch yn y tŷ ac yn lleihau'r risg y byddai tân yn y gegin yn rhoi'r tŷ i gyd ar dân. Erbyn canol y 1800au, yr oedd stofiau o haearn bwrw i'w cael yn gyffredin mewn ceginau, yn enwedig yn nhai pobl gefnog ac mewn tai yn y trefi.

Arweiniodd datblygu ffynonellau eraill o ynni i'r cartref at ragor o ddatblygiadau arloesol yn nhechnoleg coginio yn y bedwaredd ganrif ar bymtheg. Er i stofiau nwy gael eu dyfeisio'n gynnar yn y bedwaredd ganrif ar bymtheg, ni ddaethant yn boblogaidd am ganrif a rhagor am fod rhaid i gartrefi fod â chyflenwad dibynadwy o nwy. Cyfyngid eu defnyddio, felly, i dai'r cyfoethogion ac, yn ddiweddarach, i gartrefi a oedd wedi'u cysylltu â'r prif gyflenwad nwy. Gan nad yw llawer o gartrefi yng nghefn gwlad, hyd yn oed heddiw, wedi'u cysylltu â'r prif gyflenwad nwy, mae hynny'n cwtogi ar ddefnyddio poptai nwy mewn rhai rhannau o'r Gymru. Yn ystod y 1890au y datblygwyd y stofiau trydan cyntaf ac fe gynigient ddulliau glanach a mwy diogel o goginio na stofiau tanwydd-solid a stofiau nwy. Er hynny, ni chymerodd Prydain at y syniad o goginio'n ddi-fflamau tan y 1930au – yn rhannol am na fu trydan ar gael drwy Grid Cenedlaethol go iawn tan 1933. Er bod nwy a thrydan yn cael eu defnyddio yn y mwyafrif llethol o geginau modern yng Nghymru, delir i arfer technegau a thechnoleg hŷn i goginio mewn rhai ardaloedd gwledig. Yn ystod y blynyddoedd diwethaf, mae ffasiwn a hiraeth am yr hen oes wedi cynyddu poblogrwydd y stof o haearn bwrw mewn tai sydd fel arall wedi'u moderneiddio, yn enwedig felly yng nghartrefi'r dosbarth canol.

Pan gafwyd nwy a thrydan yn y gegin, newidiwyd y ffyrdd o storio bwyd. Yn draddodiadol, cedwid bwyd mewn ystafelloedd oer neu gypyrddau pwrpasol lle byddai'r tymheredd isel a'r aer sych yn eu cadw'n ffres am gyfnod hwy. Nodwedd gyffredin ar gartrefi Cymru oedd y pantri. Gellid mynd iddo o'r gegin, ac fel rheol byddai ei faint yn adlewyrchu maint y teulu. Gall cartrefi mawr pobl gyfoethog hefyd fod â seleri i gadw gwin ac unrhyw fwydydd nad oeddent yn addas i'w cadw yn y prif bantri, ac yn ffermdai'r de-ddwyrain ceid seleri i gadw seidr cartref ynddynt. Yn niffyg ychwanegion bwyd modern a thechnegau oeri, byddai'n rhaid cyffeithio bwydydd tymhorol, ac unrhyw fwyd a oedd dros ben, i sicrhau bod gan y cartref ddigon o fwyd yn yr hydref a'r gaeaf. Gallai bwyd gael ei sychu mewn mwg, ei halltu, ei biclo, ei sychu neu ei droi'n gyffaith ar sail priodweddau'r bwydydd unigol a pha mor hir y bwriedid eu cadw. Proses a fynnai gryn lafur oedd cyffeithio bwyd ac mae'n un go anghyfarwydd yn y Gymru fodern am fod oergelloedd, rhewgelloedd a chyffeithyddion bwyd modern yn ymestyn oes ein bwyd heb fod angen i ni wneud fawr o ddim. Mae'r ffaith fod nwyddau a arferai fod yn rhai tymhorol yn awr ar gael bron ar hyd y flwyddyn, a dyfodiad technegau modern i dyfu bwyd, hefyd wedi cwtogi ar yr angen i ni gyffeithio ffrwythau a llysiau. Gan fod mefus ar gael ar hyd y flwyddyn yn y mwyafrif o

of commercially available kitchen stoves increased throughout the eighteenth and nineteenth centuries, with models available to suit almost every household size and budget. They provided more controlled and manageable cooking temperatures, improved the atmosphere of the home by lessening the amount of smoke released into the interior, and lowered the risk of a house fire starting in the kitchen. By the mid-1800s, cast-iron stoves were a common feature of contemporary kitchens, especially in affluent houses and in urban homes.

In the nineteenth century, the development of alternative energy sources in the home led to further innovations in cooking technology. Gas-powered stoves were invented in the early nineteenth century, but did not become popular until more than a hundred years later, because their function was limited to those homes with a reliable gas supply, which confined use to wealthy houses, and later to homes with mains gas connections. Even in the modern period many rural homes in Wales are not connected to the gas main, which lowers the use of gas cookers in some parts of the country. Prototype electric stoves, first developed in the 1890s, provided cleaner, safer methods of cooking than solid fuel and gas stoves. However, the idea of cooking without a flame did not truly become popular in Britain until the 1930s. This was due in no small part to the fact that electricity was not available through a synchronised National Grid until 1933. Although modern Welsh kitchens are overwhelmingly powered by gas and electricity, in some rural areas older cooking techniques and technology are still favoured. In recent years, vintage fashion and nostalgia have also led to a resurgence of the cast-iron stove in otherwise modernised properties, especially in middle-class homes.

The availability of gas and electricity in the kitchen also changed established methods of food storage. Traditionally, food was stored in cold rooms or ventilated cupboards, where low temperatures and dry conditions would preserve perishable foodstuffs for longer. Pantries that were accessible from the kitchen were a common feature in Welsh homes, and their size typically reflected the size of the households they supplied. Larger, wealthier homes may have also had cellars for the storage of wine and any stock unsuitable for storage in the main pantry, and farmhouses in the south-east had cellars to store home-made cider. In the absence of modern food additives and refrigeration techniques, seasonal and surplus food would also have to be preserved to ensure the household was adequately supplied throughout the autumn and winter months. Foods could be smoked, salted, pickled, dried or made into conserves, depending on the properties of each food item and how long it was to be kept for use. Food preservation was a labour-intensive process and one that we are largely unfamiliar with in modern Wales, where refrigerators, freezers and modern food preservatives increase the longevity of our food without the need for much work on our part. The greater year-round availability of traditionally seasonal goods through foreign imports and modern cultivation techniques has also reduced the need for us actively to

archfarchnadoedd, does dim angen bellach i ni wneud jam mefus i sicrhau bod modd i'r teulu allu cael tipyn o flas o'r haf yn oerni'r gaeaf. Rhwng blynyddoedd cynnar a chanol yr ugeinfed ganrif dechreuwyd gwerthu unedau oeri masnachol a ddefnyddiai nwy a thrydan, ond fel yn achos stof y gegin fe'u defnyddiwyd, i gychwyn, yng nghartrefi'r dosbarth uchaf yn unig ac yna yn y cartrefi dosbarth-canol a dosbarth-gweithiol a oedd â chyflenwadau o nwy a thrydan. Bellach, wrth gwrs, ceir oergell a rhewgell yn y mwyafrif o geginau a chredir eu bod yn rhan hanfodol o briod swyddogaeth y gegin fodern yng Nghymru.

Arweiniodd newidiadau yn nhechnoleg a thechnegau paratoi a storio bwyd yn ystod y Chwyldro Diwydiannol at chwyldro ym mhatrwm y gegin. Hyd at y bedwaredd ganrif ar bymtheg, y confensiwn yng nghartrefi'r dosbarth uchaf oedd paratoi a choginio bwyd mewn dau le gwahanol, sef y gegin a'r gegin fach. Yn y gegin fach y câi ffrwythau a llysiau eu glanhau, cig a physgod eu paratoi a llestri brwnt eu golchi. Yn y gegin câi'r bwyd ei baratoi'n fanylach a'i goginio. Am fod mwy a mwy o dechnolegau newydd ar gael i helpu pobl i goginio'n fwy effeithiol, sbardunwyd penseiri a pherchnogion cartrefi i feddwl yn ehangach am fanteisio i'r eithaf ar ofod y tŷ. Ganol y 1800au, arweiniodd hynny at ddatblygu'r gegin gynlluniedig gyntaf i'w chofnodi erioed. Fe'i gwelwyd mewn llyfr o'r enw *A Treatise on Domestic Economy* a gynigiai syniadau ynglŷn â'r ffordd orau o reoli ceginau cartrefi cyfoethogion yr oes yn ogystal â cheginau tai'r dosbarth canol. Dadleuai'r awdur o blaid ffyrdd newydd a darbodus o gynllunio gofod y gegin i wella'r ffordd y câi ceginau a cheginau bach eu defnyddio. Arweiniodd hynny yn y pen draw at ddatblygu'r ceginau modern pwrpasol sydd i'w cael heddiw yn y mwyafrif o gartrefi Cymru, beth bynnag fo'u hoed.

Y trawsffurfio mawr olaf ar batrwm y gegin, ac ar ddefnyddio'r gegin, oedd trefnu i ddŵr croyw fod ar gael drwy'r tap yng nghartrefi Prydain. Oherwydd y pryderon ynghylch safonau isel o ran iechyd a hylendid yng nghartrefi Prydain yn y bedwaredd ganrif ar bymtheg, aeth y llywodraeth ati i ddarparu dŵr glân, draeniau effeithiol a charthffosiaeth briodol i bob cartref. Cyn i Ddeddf Iechydaeth 1866 wella'r cyfleusterau yn y cartref, byddai pobl mewn ardaloedd gwledig a threfol yn gorfod teithio at afonydd, pympiau dŵr a ffynhonnau i dynnu dŵr croyw ohonynt ac yna'i gludo adref. Rhaid oedd cael dŵr ym mhob cegin i goginio a glanhau. Yng nghartrefi'r cyfoethogion, byddai'r gegin a'r gegin fach hefyd yn cyflenwi dŵr poeth ac oer i weddill y preswylwyr iddynt allu ymolchi, ac ar gyfer golchi dillad: byddai boeleri mawr o gopr a phlwm wrthi'n gyson yn cynhesu'r dŵr a byddai angen i'r staff roi sylw cyson iddynt. O ddiwedd y bedwaredd ganrif ar bymtheg ymlaen, hefyd, golygai bodolaeth systemau gwres canolog fod dŵr poeth ar gael drwy'r tap. Gwnaeth hwylustod hynny lawer iawn i gynyddu hylendid y gegin a chaniatáu i'r staff dreulio mwy o'u hamser ar weithgareddau eraill y tŷ. A chan fod cyflenwadau dŵr ar gael fel hyn, ysgogwyd arloeswyr yr oes i greu ffyrdd newydd o ddefnyddio dŵr yn y gegin: dechreuwyd gwerthu peiriannau golchi

conserve fruit and vegetables: strawberries are available throughout the year in most supermarkets, so there is no longer a need to make strawberry jam to ensure the family can indulge in the taste of summer in cold weather. Refrigeration units powered by both gas and electricity were commercially available in the early to mid-twentieth century but, just as with the kitchen stove, they were initially used only in upper-class homes, and later only in those middle and working-class homes with domestic gas and electricity supplies. The fridge and freezer are now ubiquitous, of course, and are considered essential to the proper function of the modern Welsh kitchen.

Changes in the technology and techniques of food preparation and storage during the Industrial Revolution led to a domestic revolution in the layout of the kitchen. Up until the nineteenth century, the process of preparing and cooking food in upper-class houses conventionally took place in two different areas: the scullery and the kitchen. The scullery was a separate area or room accessible from the kitchen where fruit and vegetables were cleaned, meat and fish were prepared and dirty dishes were washed, while the kitchen was the area where more refined culinary preparations took place, and where the cooking was done. The increased availability of new technologies that improved the effectiveness of cooking encouraged architects and homeowners to think about optimising their use of space more broadly in these areas. In the mid-1800s, this led to the development of the first planned kitchen ever recorded. It appeared in a book entitled *A Treatise on Domestic Economy* and set out ideas about how best to manage contemporary kitchens, in the houses of the wealthy as well as those of the middle classes. It advocated new, economic ways of designing kitchen spaces as a way of improving the operation of sculleries and kitchens, and ultimately led to the development of the modern fitted kitchens that have now been installed in most homes in Wales, irrespective of their age.

The final major transformation in the layout and use of the kitchen occurred when the implementation of a domestic water infrastructure in Britain made fresh water available on tap in the home. Following concerns about poor standards of health and hygiene in British homes in the nineteenth century, the government set about providing clean water, good drainage and proper sewers to all households. Before the Sanitary Act of 1866 improved facilities in the home, people in rural and urban areas alike would have to travel to rivers, water pumps and wells to draw fresh water and then transport it back to the home for use. In all kitchens, water was required for cooking and cleaning. In the homes of the wealthy, the kitchen and scullery would also supply hot and cold water to the rest of the household for personal bathing and laundry: large copper and lead boilers would have been continuously heating water, and required the constant attention of the staff. Central heating systems also made hot water available on tap from the late nineteenth century. The convenience of indoor plumbing and drainage immeasurably improved the hygiene of the kitchen and allowed staff

cynnar yn fasnachol cyn 1910 ac fe gwtogodd hynny ar ddwyster y llafur a maint y gofod y byddai eu hangen ar gyfer golchi dillad ac ati.

Codwyd llawer cartref yng Nghymru cyn dyddiau cyflenwi nwy, trydan a dŵr. Oherwydd trafferthion ymarferol gosod peipiau i'w cyflenwi i lawer cymuned anghysbell, fe gymerodd hi fwy o amser i'r datblygiadau hynny gyrraedd cartrefi yng Nghymru nag mewn rhannau eraill o Brydain. Yn ystod y 1950au, hyrwyddodd y llywodraeth broses o foderneiddio ceginau ledled Cymru a cheisio darparu'r holl gyfleusterau modern y credid eu bod eu hangen er mwyn i geginau'r oes allu gweithio'n dda.

Yn ogystal â bod yn ofod ymarferol hanfodol yn y cartref, mae'r gegin yn adlewyrchu gwleidyddiaeth ac egwyddorion cymdeithasol y tŷ. Yn y cyfnod cynhanesyddol a'r Oesoedd Canol cynnar, yr aelwyd ganolog agored oedd canolbwynt y cartref ac fe roddai honno olau a gwres i'r neuadd yn ogystal â'r gofod angenrheidiol i baratoi a choginio bwyd i'w holl breswylwyr. Mewn llawer bwthyn a llawer cartref dosbarth-gweithiol, y gegin yw canolbwynt y cartref hyd heddiw. Fe'i defnyddir nid yn unig i goginio a bwyta ynddi ond yn brif ystafell fyw'r teulu. Yng nghartrefi'r dosbarthiadau uchaf, symudwyd y ceginau ymhellach ac ymhellach oddi wrth y prif fannau byw a'u troi'n lle i'r gweision a'r morynion. Câi gweithgareddau paratoi bwyd, coginio a glanhau eu dirprwyo i staff y tŷ heb i'w cyflogwyr cyfoethog roi fawr o gyfarwyddyd iddynt. Yn nhai'r dosbarth canol a'r dosbarth gweithiol, lle na cheid na gwas na morwyn, menywod – yn draddodiadol – fyddai'n gofalu am y cartref o ddydd i ddydd. Gan mai'r gegin, yn aml, oedd canolbwynt gwaith tŷ beunyddiol y menywod, diben llawer o'r dyfeisiau a grëwyd yn yr ugeinfed ganrif oedd hwyluso gwaith menywod yn y gegin. Gwelwyd mwy a mwy o ddyfeisiau fel y ffwrn ficrodon, y tegell trydan, y cymysgydd bwyd, y rhewgell a'r peiriant golchi yng nghartrefi Prydain, ac erbyn hyn ystyrir eu bod yn rhan annatod o'r gegin. Newidiodd y cynhyrchion hynny nid yn unig y ffordd y gwneid gwaith yn y gegin, ond hefyd batrwm y coginio a'r bwyta. Mae hwylustod prydau parod a phrydau microdon wedi esgor ar newidiadau mewn deiet a bwyd sy'n peri pryder i weithwyr proffesiynol byd iechyd ym Mhrydain hyd heddiw.

Yn y 1980au, bu dyfeisio'r lwfer popty'n fodd i dynnu'r aroglau coginio o aer y gegin. Ysgogodd hynny gynllunio ceginau mwy cynllun-agored, tebyg i rai'r hen oesoedd, ac arwain at greu ceginau bwyta lle cyfunwyd gwahanol ystafelloedd arbenigol yn ofodau helaethach ac aml-eu-defnydd. Erbyn hyn, mae'r gegin fodern yn troi'n ofod cymdeithasol unwaith eto. Gan fod coginio'n hobi poblogaidd yn ogystal â bod yn rheidrwydd ymarferol, bydd llawer o bobl yn dewis treulio'u hamser hamdden yn y gegin.

to devote more time to other housekeeping activities. Domestic water supplies also led contemporary innovators to create new ways of using water in the kitchen: early washing machines became commercially available before 1910, reducing the labour and space required for conventional laundry.

Many homes in Wales were built before domestic gas, electricity and water were available. It also took longer for these innovations to be implemented in Welsh homes compared with other parts of Britain owing to the geographical isolation of many communities and the practical difficulties of laying mains supplies to these areas. During the 1950s, the post-war government promoted the modernisation of kitchens across Wales, and endeavoured to provide all the modern conveniences believed necessary to the good functioning of contemporary kitchens.

As well as being an essential practical space in the home, the kitchen reflects the social politics and principles of the household. The open central hearth of the prehistoric and early medieval periods was the focus of the home, providing light and heat for the hall as well as the space needed to prepare and cook food for all its occupants. In many cottages and working-class homes, the kitchen has remained at the centre of domestic life, used not only for cooking and dining but as the main living room for the family. In upper-class homes, kitchens became ever further removed from the main living areas: they were the servants' domain. Food preparation, cooking and cleaning were activities delegated to the household staff with minimal direction from their wealthy employers. In middle and working-class households without servants, the daily care and maintenance of the home was traditionally carried out by women. The kitchen was often at the centre of women's daily housekeeping work, and many of the twentieth-century inventions designed for use in the kitchen aimed to make housework easier for women. Labour-saving devices such as microwave ovens, electric kettles, food mixers, freezers and washing machines became increasingly popular in British homes, and are now considered integral to the basic function of the kitchen. These products not only changed the way work was done in the kitchen, but also affected patterns of cooking and eating. The convenience of pre-packaged frozen meals and microwave meals led to changes in diet and consumption that remain a concern of health professionals in Britain to the present day.

In the 1980s, the invention of the extractor hood allowed cooking smells to be removed from the kitchen atmosphere. This prompted a return to more open-plan designs for kitchens, leading to the introduction of larger multi-use spaces like kitchen-diners, where different specialist rooms were merged into one. The modern kitchen is now becoming a social space once again. Cooking is a popular hobby and not just a practical necessity, with many people choosing to spend free time in the kitchen.

Ffigur 123. Mae'r lluniau hyn gan yr artist Falcon Hildred yn dangos y newid a fu yn hanes yr hyn a arferai fod yn rhan hanfodol o'r gegin: y lle tân. Mae'r cyntaf yn dangos y tân agored a'r crochan a arferai hongian wrth ei ddolen uwchlaw'r fflamau. Mae'r ail yn dangos y lle tân o haearn bwrw a ddaliai i ddefnyddio'r simnai ond a fyddai â ffyrnau amgaeedig bob ochr iddo a bar uwch ei ben i dempru dillad. Mae'r trydydd yn dangos y lle tân diangen bellach sydd wedi'i gau: mae'n debyg mai stof nwy neu drydan sydd yno bellach.

Figure 123. These drawings by the artist Falcon Hildred illustrate the changes to that once essential kitchen facility: the fireplace. The first shows the open fire with the cooking pot, which would have been suspended above the flames by its handle. The second shows the inserted cast-iron range still utilising the chimney for its fire, but with enclosed ovens to either side and a bar above for airing clothes. The third shows the now redundant fireplace, blocked off and probably replaced by a free-standing stove fuelled by gas or electricity.

Ffigur 124. Yn y gegin bwrpasol hon o ddechrau'r 1970au ym Mryndraenog, Bugeildy, fe welwn ni ddechreuadau math newydd o gegin, un ag arwynebau hawdd eu glanhau a dyfeisiau ffasiynol i arbed gwaith – fel yr agorwr tuniau ar y wal, y cyflenwr te, y tostiwr a'r tegell. Mae defnyddiau newydd fel Formica, dur di-staen a phapur wal sy'n hawdd ei lanhau yn golygu bod y gegin, serch ei bod yn ofod ymarferol, yn lle dymunol yr olwg. Yn ddiddorol ddigon, ffwrn fach sydd yno yn lle un fawr ac mae'r bwrdd ciniawa â dalennau plyg yn llai nag y disgwylid ei weld mewn tŷ arferol. Mae'r hambwrdd lliwgar yn dwyn i gof y math newydd o wyliau hedfan rhatach, ac yn y gegin y câi eitemau o'r fath, fel y lliain llestri â rysáit arno, eu harddangos fel rheol.

Figure 124. In this early 1970s fitted kitchen at Bryndraenog, Beguildy, we see the beginnings of a new type of kitchen with streamlined, wipe-clean surfaces and fashionable labour-saving devices like the wall-mounted tin opener, tea-dispenser, toaster and kettle. New materials such as Formica, stainless steel and 'wipe-clean' wallpaper are used to embellish the kitchen, providing practical yet pleasing decoration. Interestingly, the cooker is reduced to a miniature worktop version and the drop-leaved dining table is smaller than might be expected in an average household. The souvenir tray signals the new type of holiday being enabled by cheaper air travel, and typically the kitchen was the place where souvenirs of this kind, like the recipe tea towel, would have been displayed.

Ffigur 125. Mae'r llaethdy neu'r pantri hwn ger Llanarthne yn Sir Gaerfyrddin yn nodweddiadol o'r ystafell ddi-wres ger y gegin lle câi bwyd ei baratoi a'i gadw ar slabiau oer o lechi. Bellach, defnyddir yr ystafell mewn sawl ffordd. Delir i gadw llysiau'n oer ynddi, ond yno hefyd y mae'r rhewgell, esgidiau i'w gwisgo i fynd allan, basgedi i gasglu cynnyrch o'r ardd, a buddai menyn nad oes dim diben iddi mwyach.

Figure 125. This dairy or pantry near Llanarthney, Carmarthenshire, is typical of the unheated room adjoining the kitchen where food would have been prepared and stored on cold slate slabs. This room is now a multi-use space – still a place for keeping vegetables cold, but also used to store the freezer, outside footwear, baskets for collecting produce from the garden, and the now redundant butter churn.

Ffigur 126 (chwith). Dyma lun arall a ddefnyddiwyd i ddarlunio cynllun Grantiau Gwella Tai 1959. Mae'n dangos cegin fach iawn yng Nglynebwy, Sir Fynwy, ac mae uned y sinc newydd ynddi'n cynnwys tapiau dŵr twym a dŵr oer. Byddai honno, a'r peiriant i wasgu dŵr o ddillad ar y dde, wedi hwyluso cryn dipyn ar waith golchi dillad. Yr oedd papur wal feinyl golchadwy yn boblogaidd yng ngheginau'r oes, ac mae'r papur wal yma'n nodweddiadol o batrymau 'cegin' y cyfnod. Ysbrydolwyd y patrymau gan y ffasiynau newydd ym myd dylunio mewnol a gawsai eu poblogeiddio ym 1951 ar ôl iddynt gael eu gweld yn arddangosfeydd Gŵyl Prydain.

Figure 126 (left). Another photograph used to illustrate the Housing Improvement Grant scheme of 1959 shows a tiny kitchen in Ebbw Vale, Monmouthshire, with its new sink unit complete with hot and cold taps. This would have made washing clothes considerably easier, as would the 'wringing machine' to the right. Washable vinyl wallpaper was a popular wall-covering in contemporary kitchens, and the wallpaper used here is typical of the period's stylised 'kitchen' themed designs. These patterns were inspired by new fashions for interior design which had been popularised in 1951 when they appeared in exhibitions organised for the Festival of Britain.

Ffigur 127 (uchod). Mae'r llun hwn o'r gegin yn 2 High Street yn Ysbyty Ifan ger Betws-y-coed yn dangos uned sinc newydd a chypyrddau bwyd a awyrir, sef yr hyn sy'n cyfateb erbyn heddiw i'r rhewgell drydan. Defnyddiwyd y llun i ddarlunio cynllun Grantiau Gwella Tai y llywodraeth ym 1959. Mae'n cynnig cipolwg hynod ddiddorol ar amodau byw'r tlodion yng Nghymru yn ystod y 1950au a'r 1960au, cyfnod pwysig pryd y gwelwyd ffyrdd o fyw yn newid a phryd y golygodd gwelliannau bach fel gosod boeleri cefn a pheipiau dŵr fod dŵr poeth i'w gael o'r tap am y tro cyntaf.

Figure 127 (above). This photograph of the kitchen at 2 High Street in Ysbyty Ifan, Caernarfonshire, shows a new sink unit and ventilated food cupboards, the equivalent of today's electric-powered refrigerator, and was used as an illustration of the government's Housing Improvement Grant scheme of 1959. It gives a fascinating insight into the living conditions of poorer sections of society in Wales during the 1950s and 1960s – an important period of transition from old to new lifestyles, when small improvements, such as the installation of back boilers and water pipes, provided running hot water for the first time.

Ffigur 128. Maenordy sylweddol a godwyd gyntaf yn yr ail ganrif ar bymtheg oedd Pen-pont ger y Trallwng yn Sir Frycheiniog. Byddai'r gegin wedi bod yn ganolbwynt i weithgarwch gwasanaethu'r cartref ar hyd oes y tŷ. Olion y gorffennol hwnnw yw'r rhesi o fachau ar hyd trawstiau'r nenfwd y rhoddid cig moch i hongian ohonynt, y ddresel enfawr sy'n dal y llestri cinio, a bwrdd hir y gegin. Gorchuddid y llawr o fflagiau â linoliwm ac mae'r mannau gwag yn amlygu'r newid a fu yn hanes defnyddio'r gegin yn ystod y cyfnod diweddar.

Yn wreiddiol, yr oedd y lle tân ym Mhen-pont yn rhan o'i ragflaenydd, sef ffermdy Abercamlais Isaf. Pan godwyd maenordy Pen-pont yn yr ail ganrif ar bymtheg, llyncwyd y ffermdy gan yr adeilad newydd. Mae'r llun hwn (chwith) yn dangos lle tân a ffwrn fara gynnar y gegin.

Figure 128. Penpont near Trallong was a substantial manor house first built in the seventeenth century. The kitchen would have been the centre of the service activity for the household throughout its lifetime. Traces of this past can be seen in the rows of hooks along the ceiling beams, from which hams and bacon were hung, also the immense fitted dresser holding the dinner service, and the long kitchen table. The linoleum covering the flagstone floor and the empty spaces signify the kitchen's changing use in recent times.

The kitchen range at Penpont was originally part of the pre-existing farmhouse of Abercamlais Isaf. When Penpont Manor was built in the seventeenth century, the farmhouse was subsumed into the new building. This photograph (left) shows the early kitchen fireplace and bread oven.

Ffigur 129. Er i rewgelloedd modern ddechrau cael eu gwerthu ar ôl yr Ail Ryfel Byd, ni welwyd mohonynt mewn amryw o gartrefi Cymru tan yn ddiweddarach. Tynnwyd y llun hwn o Henryd yn Sir Gaernarfon ym 1950 ac mae cig yn dal i gael ei gyffeithio a'i gadw yn y ffordd draddodiadol.

Figure 129. Although modern refrigeration became commercially available following the Second World War, the technology was not always taken up by homes in Wales until later. This photograph of Henryd in Caernarfonshire was taken in 1950, and shows that meat was still being preserved and stored in the traditional way.

Ffigur 130. Mân gerrig o'r afon yw'r llawr coblog cywrain â'i ymylon saethben yng nghegin Hen Felin, Cwm Mabws. Yr oedd yn llawr cadarn a golchadwy, a chasglwyd defnyddiau cyfleus ynghyd i'w greu. Mae'n debyg i'r cerrig ddod o'r nant a lifai heibio i fwthyn yr hen felin ac yna i afon Wyre. I gulhau'r lle tân, codwyd colofn o frics bob ochr iddo, ac mae'r ffwrn fara ar y dde iddo wedi colli ei drws o haearn bwrw.

Figure 130. The intricate cobbled flooring with its herringbone borders in the kitchen at Hen Felin, Cwm Mabws, is made up of river pebbles and provided a hard-wearing, washable floor surface, made of materials found locally. The pebbles probably came from the tributary of the Wyre river that flowed alongside this old mill cottage. The fireplace has been bricked up on either side, and the bread oven to its right is missing its cast-iron door.

Ffigur 131 (de). Yng nghegin maenordy Plas-y-llan y mae'r lle tân mawr hwn. Er bod yr herodraeth mewn plastr dros y silff ben tân yn dyddio'r lle tân i ganol y 1600au, ni fyddai'r stof o haearn bwrw wedi'i gosod yno tan ymhell ar ôl hynny.

Figure 131 (right). This large fireplace is in the kitchen of the seventeenth-century manor house at Plas-y-llan. The plaster heraldry over the mantel dates the fireplace to the mid-1600s, though the cast-iron stove would have been fitted much later.

R
S·IW
16

Ffigur 132. Yn y llaethdy hwn mewn tŷ hir ger Llanwenog fe gadwyd y llechi bas a ddefnyddid i wneud menyn a chaws arnynt. Byddai'r llechen oer wedi cadw'r llaeth yn glaear a byddai'r gwyngalch ar waliau'r nenfwd wedi helpu i gadw heintiau draw.

Figure 132. This dairy in a longhouse near Llanwenog retains the shallow slate sinks used during butter and cheese making. The cold slate would have kept the milk cool, and the limewash on the walls and ceiling would have helped keep the room sterile.

Ffigur 133. Tynnwyd y llun hwn o gegin tŷ parod yn Bishpool ger Casnewydd yn 2003 ychydig cyn i'r tŷ gael ei ddymchwel. Mae yno lu o ychwanegiadau modern fel y ffwrn ficrodon a goleuadau stribed, ond ni fu fawr o newid ar gynllun modern golau ac agored y tŷ ers ei godi gyntaf yn y 1950au. Cynlluniwyd tai parod gan y Weinyddiaeth Weithfeydd i ddarparu'r cartrefi dros dro yr oedd cymaint o'u hangen ar ôl yr Ail Ryfel Byd. Fe'u codwyd o amgylch craidd canolog, sef cegin ag oergell a ffwrn, dŵr twym o'r tap, gofod storio, a goleuadau a socedi trydan. Ar y pryd, yr oedd hynny'n uchafbwynt moethusrwydd ac fe lawn haeddent eu llysenw 'Palasau i'r Bobl'.

Figure 133. This photograph of a kitchen in a prefab house in Bishpool near Newport was taken in 2003, just before its demolition. The prefab kitchen has many modern additions such as the microwave oven and strip lighting, but the light, airy, modern design has changed little since it was first built in the 1950s. Prefabs were designed by the Ministry of Works to provide much-needed temporary homes after the Second World War. They were built round the central core of a fitted kitchen with a fridge and cooker, hot running water, built-in storage, electric lighting and sockets. For the time, this was the height of luxury, and their nickname 'Palaces for the People' was well deserved.

Ffigur 134 (chwith). Diben y lifer ar graen sgleiniog y crochan o Oes Victoria uwchlaw'r lle tân yn Nhŷ-mawr, Bryneglwys, oedd addasu'r pellter rhwng y tân a'r crochan er mwyn gallu rheoli tymheredd y coginio. Ar y braced crwm ar ffurf 'C', daliai'r nobiau y lifer mewn amrywiaeth o safleoedd ac maent yn nodweddiadol o'r ffitiadau a geid ar y lle tân mewn llawer cartref.

Figure 134 (left). This highly-polished Victorian pot-crane above the kitchen range at Tŷ-mawr, Bryneglwys had a lever that adjusted the distance between the fire and cooking pot, allowing the cooking temperatures to be controlled. The knobs on the curved C-shaped bracket held the lever in a variety of positions, and is typical of the fittings found on kitchen ranges in many homes.

Ffigur 135 (uchod). Adeilad unllawr anarferol o bren ac iddo sylfeini cerrig a waliau pren oedd Plas Cregennen yn Arthog. I gyd-fynd â gweddill y tŷ yr oedd haen o bren o amgylch y gegin i gyd, ac mae yno ffwrn Rayburn a losgai danwydd solid. Mae'r math hwnnw o ffwrn yn nodweddiadol o leoedd gwledig sydd ymhell o'r prif gyflenwad nwy, ac yn aml caiff ei bwydo â phren sydd wedi'i dorri'n lleol. Tynnwyd y llun hwn tua diwedd yr ugeinfed ganrif a chyn i Blas Cregennen gael ei ddymchwel.

Figure 135 (above). Plas Cregennen in Arthog was an unusual single-storey wooden building with a stone foundation and timber walls. Its kitchen was entirely clad in wood, in keeping with the rest of the house, and it is fitted with a Rayburn solid fuel cooker. This type of cooker is typical of rural places far from a mains gas supply and they were often fed with wood cut locally. This photograph was taken in the later twentieth century, and Plas Cregennen has since been demolished.

Ffigur 136. Tynnwyd y llun hwn ym 1954 ac mae'n dangos yn glir sut y câi lleoedd tân eu haddasu yn sgil y newidiadau yn nhechnoleg coginio. Ynddo, gwelir y popty enfawr a osodwyd yn yr hen le tân yn y Faenol Fawr, Bodelwyddan. Ar fantell y simnai mae arysgrif sy'n dweud mai dyddiad y lle tân gwreiddiol oedd 1690. Bryd hynny, byddai ef wedi cynnwys tân agored mawr iawn, craeniau i godi a gostwng y crochanau, a chigwain i rostio cig arni. O ganol y 1700au ymlaen, câi poptai haearn eu masgynhyrchu, a byddai un ohonynt wedi'i osod yn y cartref goludog hwn a chael ei olynu'n ddiweddarach gan yr Aga hwn â'i bedwar popty. Arddangoswyd ffyrnau Aga mewn sioeau amaethyddol ym Mhrydain yn y 1930au ac fe'u ceid mewn llawer ffermdy ledled Cymru cyn pen dim.

Figure 136. The adaptation of existing fireplaces to reflect the changes in cooking technology is illustrated well in this photograph from 1954, which shows the enormous cooking range fitted into the old fireplace at Faenol Fawr, Bodelwyddan. An inscription on the mantel dates the original fireplace to 1690, when it would have accommodated a huge open fire with cranes for cooking pots and a spit for roasting. From the mid-1700s, mass-produced iron ranges became available, and one would have been installed in this affluent household as the predecessor of this four-oven Aga cooker. Agas were demonstrated at agricultural shows in Britain in the 1930s and rapidly became popular in farmhouses across Wales.

Ffigur 137. Mae'r gegin ddel yn Nantllys, Tremeirchion, yn enghraifft dda o gyfuno'r hen dechnoleg ddomestig a'r un newydd ac yn nodweddiadol o geginau cefn gwlad Cymru. Mae'r ffwrn Aga wedi'i gosod yn yr hen le tân, ac yn erbyn un wal ceir fersiwn o'r ddresel Gymreig draddodiadol a gafodd ei pheintio yn y 1970au. Mae gorchudd Formica wedi'i osod ar fwrdd y gegin ac mae'r papur wal yn arddull 'retro' oes Victoria o'r 1980au. Adlais o wir orffennol y gegin yn oes Victoria yw'r mowldiau jeli o gopr ar y silff ben tân.

Figure 137. This pretty kitchen at Nantllys, Tremeirchion, is a good example of old and new domestic technology coexisting peacefully, a characteristic of rural kitchens across Wales. The Aga cooker is fitted into the old fireplace, while a 1970s painted version of the traditional Welsh dresser sits against one wall. The kitchen table has been fitted with a formica top, and the style of the wallpaper is 1980s retro 'Victorian'. The copper jelly moulds on the mantelpiece provide echoes of the true Victorian past of the kitchen.

Ffigur 138. Pentwr o botiau dan-y-gwely sydd yn y sinc gerrig hon yng nghegin fach 32 Glan y Môr yn Aberystwyth. Dyna le addas iddynt am mai yn y gegin fach y gwnâi'r forwyn isaf ei statws yn y tŷ - y forwyn fach - y gwaith bryntaf. Tŷ tref trillawr o oes Victoria oedd hwn ac fe gyrhaeddid y gegin fach yng nghefn y tŷ drwy'r gegin yn yr islawr.

Figure 138. This stone sink in the scullery at 32 Marine Terrace in Aberystwyth contains a pile of chamber pots. This is a fitting place for chamber pots, as the scullery was where the dirtiest jobs were carried out by the lowest status house servant – the scullery maid. This was a three-storey Victorian town house and the scullery, at the back of the house, was accessible through the basement kitchen.

Ffigur 139. Mae'r llun hwn o weddillion cegin mewn fflat yn Prince Charles Court ar ystâd y Billy Banks, Penarth, yn un o gyfres o luniau a dynnwyd o'r ystâd a godwyd yn y 1960au yn unol â safonau uchel 'Parker Morris' yr oes. Ceid golygfeydd panoramig ar draws Bae Caerdydd o'r ystâd lle'r oedd tai cymdeithasol i ryw 600 o bobl. Ar ei anterth, galwyd y Billy Banks yn 'galon' Penarth ond wrth iddi ddadfeilio fe drodd yn ddolur i'r llygad ac yn 'erchylltra'. Symudwyd y preswylwyr oddi yno ym 1998.

Figure 139. This view of the remains of a kitchen in a flat at Prince Charles Court on the Billy Banks, Penarth, is one of a series of photographs taken of the 1960s estate, which had been built to the high Parker Morris standards of the time. With panoramic views over Cardiff Bay, the estate provided social housing for around 600 people. In its heyday, the Billy Banks was described as the 'heart and soul' of Penarth, but in its derelict years the site came to be seen as an eyesore and 'monstrosity' and in 1998 its occupants were rehoused.

Ffigurs 140 (chwith) a 141 (uchod). Mae'n debyg mai tua diwedd y bedwaredd ganrif ar bymtheg y tynnwyd y llun hwn o gegin Plas Penmynydd, Môn. Bob ochr i'r lle tân gwelir y meinciau pren a geid yn gyffredin yn ffermdai a bythynnod Cymru. Yn aml, yr aelwyd honno fyddai canolbwynt gweithgarwch y cartref am fod lle yno i goginio ac i fwynhau cwpanaid o de wrth y tân.

Figures 140 (left) and 141 (above). These photographs of Plas Penmynydd in Anglesey was probably taken in the late-nineteenth century. They show the kitchen fireplace flanked by wooden fireside benches that were a common feature of welsh farmhouses and cottages. The kitchen fireplace was often at the centre of activity in the home, providing both a space for cooking and a place to enjoy a cup of tea by the warming flames.

PENNOD CHWECH - CHAPTER SIX

Ystafelloedd Bwyta
Dining Rooms

Er mai'r rhain yw'r mannau yn y cartref sydd wedi'u neilltuo i fwyta ynddynt, mae'r weithred o fwyta yn fwy na dim ond llyncu bwyd. Mae'r ystafell fwyta, fel yr ystafell fyw, yn llwyfan i arddangos daliadau a gwerthoedd y tŷ i'r preswylwyr a'u gwesteion.

Yn nhai neuadd Cymru'r Oesoedd Canol, y neuadd fawr oedd y prif le byw yn y cartref ac yno y byddai'r preswylwyr yn cyd-gysgu, yn cyd-goginio ac yn cyd-fwyta. Cyd-fwyta oedd gweithgarwch canolog y neuadd ac fe'i trefnid yn ofalus i hybu a hyrwyddo hierarchaethau cymdeithasol a diwylliannol y byd canoloesol. Gan fod y teulu'n bwyta ar lwyfan dyrchafedig yn un pen i'r neuadd, codai hynny hwy uwchlaw preswylwyr eraill y cartref yn llythrennol ac yn symbolaidd. Ar sail eu statws, rhoddid gweddill y preswylwyr i eistedd yn bellach ac yn bellach oddi wrth y teulu. Prin yw'r dystiolaeth archaeolegol a hanesyddol sydd gennym am y gwrthrychau a'r celfi a ddefnyddid wrth fwyta yn y neuadd ganoloesol, ond yng nghywyddau Guto'r Glyn yr awgrym yw y câi bwrdd y teulu ei orchuddio â lliain gwyn adeg prydau bwyd ac y byddai gweision a morynion wedi gweini'n ffurfiol ar aelodau'r teulu yn ystod y prydau hynny.

Daliodd bwyta ffurfiol i fod yn gonglfaen i fywyd beunyddiol cartrefi'r cyfoethogion yng Nghymru o'r Oesoedd Canol tan ganol yr ugeinfed ganrif. Ond yn raddol, ac oherwydd datblygu'r tŷ deulawr neu drillawr yn yr unfed ganrif ar bymtheg, trodd bwyta prydau beunyddiol yn weithgarwch mwyfwy preifat. Mewn tai ledled Cymru defnyddid mwy a mwy ar y parlwr yn fan i'r teulu fwyta ynddo bob dydd, ac yn y pen draw fe gyflawnai'r parlwr y mwyafrif o'r swyddogaethau sy'n gysylltiedig â'r ystafell fwyta fodern: o fynd yno, byddai'r teulu a'u hymwelwyr ar wahân i aelodau'r staff. Dal i gyd-fwyta wnâi'r rheiny. Erbyn y bedwaredd ganrif ar bymtheg, cawsai'r gwahanu hwnnw ei ffurfioli drwy greu ystafell i'r gwasanaethyddion yng nghartrefi'r dosbarthiadau uchaf. Gan mai yno, gerllaw'r gegin a'r ystafelloedd gwasanaethu yn y cartrefi mwy-o-faint, y câi'r gwasanaethyddion eu bwyd, byddai pellter corfforol yn ogystal â chymdeithasol rhwng y teulu a'u staff. Yn sgil datblygu cynllun canolog i'r cartref, trodd yr ystafell fwyta'n

Dining rooms are spaces dedicated to the consumption of food in the home. However, the act of dining is about more than the mere ingestion of food. The dining room, like the living room, provides a stage where the beliefs and values of the household are displayed for the benefit of occupants and guests alike.

In the hallhouses of the medieval period in Wales, the great hall was the main living space of the home where occupants would sleep, cook and eat together. Communal dining was the focal activity of the hall and was carefully scripted to promote and propagate the social and cultural hierarchies that supported the contemporary medieval world order. The family would dine at a raised platform or dais at one end of the hall, which elevated them above the other inhabitants of the home both literally and symbolically. The rest of the household would be seated away from the family in order of decreasing rank. Very little in the way of archaeological proof has survived to tell us about the objects and furnishings used for dining in the medieval hall, but rare historical evidence preserved in the poems of Welsh poet Guto'r Glyn suggests that the family's high table would have been covered in a white cloth at meal times, and that they would have been attended formally by servants during the meal.

Formal dining remained a cornerstone of everyday life in wealthy households in Wales from the medieval period until the mid-twentieth century. However, following the development of the new storeyed house in the sixteenth century, the consumption of daily meals gradually became more private. The parlours in houses across Wales were increasingly favoured by the family as everyday dining spaces, and eventually assumed many of the functions associated with the modern dining room: the family and their visitors would dine in the parlour, away from other members of the household who continued to take their meals in communal areas. By the nineteenth century, the separation of servants from the family was formalised with the introduction of the servants' hall to upper-class homes. Servants would take their meals in the servants' hall, which was typically set close to the kitchen and service range

Ffigur 142. Dyma lun prin o deulu dosbarth-canol yn eistedd i lawr i gael te gyda'i gilydd ym Mhenydarren, Merthyr Tudful, tua diwedd y bedwaredd ganrif ar bymtheg. Yr oedd ffotograffiaeth yn hobi mwyfwy poblogaidd ymhlith yr aelodau mwy cefnog o gymdeithas ledled Prydain, a'r cartref yn bwnc cyfleus – ond technegol anodd – i'r ffotograffwyr amatur cynnar. Er bod rhannau o'r llun yn aneglur am i rywrai symud wrth iddo gael ei dynnu, mae'n cyflwyno darlun sy'n gyfarwydd i ni heddiw.

Figure 142. This rare snapshot shows a middle-class family sitting down to take tea together at Penydarren, Myrthyr Tydfil in the late nineteenth century. Photography was becoming a popular hobby among more affluent members of society across Britain, and the home was a convenient if technically challenging subject for early amateur photographers. The blurring and fading of parts of this image are caused by people moving as the photograph was being taken. Despite this, the domestic scene it presents is familiar to us today.

ofod arbenigol yn llawer o gartrefi pobl gefnog.

Bu celfi ystafelloedd bwyta'r dosbarthiadau uchaf yn eithaf cyson ar hyd yr amser. Ar ganol yr ystafell ceid bwrdd ciniawa mawr, a phetryal fel rheol, a chadeiriau o'i amgylch. Ar hyd waliau'r ystafell ceid amrywiol eitemau a ddefnyddid wrth gyflwyno'r pryd bwyd. Ar y seld, yn aml, dangosid llestri arian y teulu ac yno'n aml y dangosid arfbeisiau a oedd yn destun balchder ac o bwys mawr i'r uchelwyr. Gan fod yr ystafell fwyta hefyd yn ofod hanfodol ar gyfer derbyn a difyrru gwesteion, câi ei haddurno'n ofalus i gyflwyno'r arddangosfa fwyaf priodol o gyfoeth, agweddau a safonau'r cartref i bob ymwelydd. Gan fod arddangos y bwyd yr un mor bwysig â gorchuddion y waliau a'r celfi cain, fe chwaraeai rôl hanfodol yn ystafell fwyta'r dosbarthiadau uchaf. Datblygwyd rôl fwyfwy arbenigol i'r llestri, y cyllyll a'r ffyrc, y gwydrau yfed a'r llestri cyflwyno a ddefnyddid yn ystod y prydau bwyd, a datblygwyd defodau cymhleth ynghylch bwyta a chyflwyno bwyd. Dibynnai rhwysg y ciniawa hefyd ar ddarparu seigiau cymhleth, ac yn llawer o'r llenyddiaeth yn y bedwaredd ganrif ar bymtheg a'r ugeinfed ganrif ynghylch cadw tŷ cynigir cyngor a ryseitiau ar gyfer bwydlenni priodol o gywrain sydd, yn aml, braidd yn theatrig.

Yng nghartrefi'r dosbarth canol yn y bedwaredd ganrif ar bymtheg, y drefn yn aml oedd defnyddio'r ystafell fwyta ar adegau arbennig yn unig. Bwyteid y prydau beunyddiol yn y prif fannau byw. Datblygodd cartrefi'r dosbarth canol eu moesau ciniawa ffurfiol eu hunain dan ddylanwad arferion y dosbarthiadau uchaf. Er bod celfi a ffitiadau ystafell fwyta'r dosbarth canol yn eithaf tebyg i rai'r cartrefi cyfoethocaf, byddent ar raddfa lai ac yn cyd-fynd yn well ag ystafelloedd llai a chyllidebau llai y dosbarth hwnnw. Dylanwadwyd ar yr addurno ar ystafelloedd bwyta'r dosbarth canol yn ystod oes Victoria gan y gred gyffredin y gallai'r lliwiau a ddefnyddid i addurno ystafelloedd effeithio ar y sawl a'u defnyddiai. Oherwydd y gred bod lliwiau cynnes a chyfoethog, ac arlliwiau tywyll o goch yn arbennig, yn gwella archwaeth ac yn hwyluso treulio bwyd, byddai llawer o gynlluniau addurno ystafelloedd bwyta'n defnyddio coch ar y cyd â phren a chelfi tywyll.

Prin y ceid ystafell fwyta ffurfiol yn y cartrefi llai a mwy diymhongar yn y wlad a'r dref. Yn aml, byddai teuluoedd yng Nghymru yn bwyta yn y prif fan byw sef, yn fynych ddigon, y gegin. Yng nghartrefi pobl fwy cefnog, cyfyngid defnyddio'r ystafell fwyta yn ffurfiol i oedolion y tŷ a bwytâi'r plant wrth fwrdd ar wahân neu mewn ystafell gwbl wahanol ac ar adegau gwahanol. Ond mewn rhai cartrefi dosbarth-canol ac yn y mwyafrif o gartrefi'r dosbarth gweithiol lle ceid trefniadau bwyta llai ffurfiol, bwytâi'r plant fel rheol yn yr un man â phawb arall yn y cartref.

Bellach, does gan lawer o gartrefi newydd ym Mhrydain ddim ystafell fwyta ar wahân. Yn aml, cyfunir y man bwyta â'r gegin neu'r ystafell fyw, ac mewn llawer cartref cyfyngir y bwyta ffurfiol i achlysuron a gwyliau arbennig.

of larger homes, maintaining a physical as well as a social distance between the family and their staff. With the development of the centrally-planned home, the dining room became a specialised space in its own right in many affluent homes.

The furnishing of upper-class dining rooms has remained fairly consistent through time. A large, usually rectangular dining table with chairs arrayed around it dominated the centre of the room, with various items to support the serving of the meal arranged around the walls. Family silver was often displayed on the sideboard, and was often the prime place for the display of heraldry, which was of great pride and importance to the gentry. The dining room was also a vital space for the reception and entertainment of guests, and was therefore carefully decorated to provide the most appropriate display of the wealth, attitudes and standards of the home to its visitors. The display of the food itself was just as important as the wall-coverings and finely crafted furniture, and played an essential role in the upper-class dining room. The crockery, cutlery, drinking glasses and serving dishes used during meals became specialised, and a complex etiquette developed around the consumption and serving of food. The spectacle of dining also relied on the provision of elaborately prepared dishes, and much of the housekeeping literature of the nineteenth and twentieth centuries provides advice and recipes for suitably ornate and often rather theatrical menus.

In middle-class homes in the nineteenth century, the dining room was often reserved for use on special occasions, with daily meals taken in the main living areas. Middle-class homes developed a formal dining etiquette of their own, influenced by the practices of the upper classes. The furnishings and fittings of the middle-class dining room were broadly similar to those of wealthier homes, though on a lesser scale, better suited to the smaller rooms and smaller budgets of the middle classes. During the Victorian period, the decoration of middle-class dining rooms was influenced by the popular belief that the colour used to decorate rooms could have an impact on the people using them. It was believed that rich, warm colours – particularly dark shades of red – improved appetite and digestion. As a result, many decorative schemes designed for dining rooms used red in combination with dark woods and furnishings.

In smaller, more humble Welsh homes in both rural and urban areas, formal dining rooms were rare. Families would often eat in the main living area, which frequently functioned as a kitchen too. In more affluent homes, formal use of the dining room was limited to the adults of the household, with children eating either at a separate table, or in entirely different rooms and at different times. However, in some middle-class and most working-class homes with more casual dining arrangements, children commonly shared dining areas with everyone else in the home.

Many newly-built homes in Britain no longer have separate dining rooms. Dining areas are commonly amalgamated with kitchens or living rooms, and formal dining in many households is limited to special occasions and holidays.

Ffigur 143. Plasty neoglasurol oedd Middleton Hall yn Sir Gaerfyrddin. Fe'i codwyd yn y ddeunawfed ganrif gan William Paxton, masnachwr a wnaeth ei ffortiwn o fusnesau yn y Dwyrain. Byddai celfi'r tŷ wedi cyfleu cyfoeth, steil a chwaeth y perchennog i'w ymwelwyr. Cynlluniwyd yr ystafell fwyta yn Middleton Hall i wneud argraff ar westeion ac mae'n sicr y byddai wedi gwneud hynny. Llosgodd Middleton Hall i'r llawr ddechrau'r 1930au. hynny. Mae Middleton Hall wedi'i ddymchwel ers hynny.

Figure 143. Middleton Hall in Carmarthenshire was a neoclassical mansion built in the eighteenth century by William Paxton, a merchant who made his fortune from businesses in the Orient. The furnishings of the house would have demonstrated the wealth, style and taste of the householder to visitors. The dining room at Middleton Hall was designed to impress, and would no doubt have succeeded in making an impact on guests. Middleton Hall has since been demolished.

Ffigur 144. Mae paneli pren tywyll ystafell fwyta Plas-y-wern ger Llannarth yn dyddio'n ôl i'r ail ganrif ar bymtheg. I'r dde o'r drws ceir cwpwrdd storio cerfiedig o bren – nodwedd arferol ar ystafelloedd bwyta'r dosbarthiadau uchaf ledled Cymru o'r Oesoedd Canol ymlaen. Ar y bwrdd bwyta solet o bren ceir llestri arian a chandelabrwm, ac mae'r rheiny'n awgrymu'r math o brydau ffurfiol a gâi eu bwyta yma.

Figure 144. The dark wood panelling in the dining room at Plas-y-wern near Llanarth dates back to the seventeenth century. A carved wooden storage cupboard stands to the right of the doorway, and would have been a typical feature of upper-class dining rooms throughout Wales from the medieval period onwards. The sturdy wooden dining table is set with silver serving dishes and candelabra, hinting at the kinds of formal meals that would have been consumed here.

Ffigur 145. Adnewyddwyd Egryn, Sir Feirionnydd, gan yr Ymddiriedolaeth Genedlaethol yn gynnar yn yr unfed ganrif ar hugain. Sefydlwyd y gofod hwn yn ystafell fwyta i westeion a gosodwyd bwrdd bwyta a meinciau cadarn o bren ynddi. Yn erbyn y pared postyn-a-phanel saif dresel Gymreig, ac er bod arni ambell ddarn o'r llestri â phatrwm helyg glas a gwyn, mae llai o'r rheiny arni nag a gewch chi fel rheol ar ddreselau ledled Cymru.

Figure 145. Egryn in Merioneth was renovated by the National Trust in the early twenty-first century. This space was set up as a dining room for guests to the house, with a solid wooden dining table and bench seating. A Welsh dresser stands up against a post-and-panel partition, and displays a few items of the blue-and-white willow-patterned crockery that is conventionally exhibited on dressers throughout Wales, though usually in far greater numbers.

Ffigur 146. Ni chynlluniwyd pob ystafell fwyta ar raddfa fawr. Am nad oedd digon o le mewn llawer o gartrefi mwy cyffredin i greu man bwyta arbenigol, byddai'r teulu'n aml yn bwyta'n weddol anffurfiol wrth fwrdd eithaf syml yn y brif gegin neu'r prif fan byw. Mae'r bwrdd hwn yn Hen Neuadd y Penrhyn yn Llandudno wedi'i osod i ddau, ac er bod y napcynau a'r cyllyll a'r ffyrc wedi'u rhoi ar y bwrdd, nid ydynt wedi'u trefnu'n ffurfiol. Mae'r bwrdd wedi'i osod ger y lle tân a'r popty er mwyn i'r rhai a fydd yn bwyta yno deimlo'r gwres o dân y stof fach yng nghornel chwith yr ystafell.

Figure 146. Not all dining rooms were designed on a grand scale. In many more ordinary homes, there was not enough space for a specialist dining area. Instead, the family would often eat food in the main kitchen or living area, at a modest table with less formal dining arrangements. This table in Penrhyn Old Hall in Llandudno is set for two, and while napkins and cutlery are set out on the table, they are not arranged into place settings. The table has been placed close to the fireplace and cooking range, where diners would have felt the warmth from the stove and small brazier in the left corner of the room.

Ffigur 147. Ym 1921 fe dynnwyd yr ystafell fwyta hon a'i phaneli pren o Gastell Gwydir ger Llanrwst a'u gwerthu mewn ocsiwn i'r perchennog papurau newydd o America, William Randolph Hearst. Pan fu ef farw ym 1951, gadawyd dodrefn yr ystafell fwyta i'r Metropolitan Museum of Art yn Efrog Newydd a'u rhoi i gadw yn storfeydd enfawr yr amgueddfa. Anghofiwyd am y paneli a'r dodrefn cain am flynyddoedd maith tan i bâr ifanc brynu Gwydir a dechrau adnewyddu ei du mewn. Ymhen hir a hwyr, drwy eu hymdrechion a'u trafodaethau, a thrwy gael grant gan Cadw, fe ddychwelwyd yr ystafell fwyta i Gymru a'i hailosod yn ei lleoliad gwreiddiol ym 1998 mewn seremoni y bu Tywysog Cymru'n bresennol ynddi. Tynnwyd y llun hwn ym 1912 cyn i ffitiadau'r ystafell fwyta gael eu tynnu oddi yno.

Figure 147. In 1921, this wood-panelled dining room was stripped out of Gwydir Castle near Llanrwst and sold at auction to the American newspaper baron William Randolph Hearst. Following his death in 1951, the dining-room furnishings were bequeathed to the Metropolitan Museum of Art in New York City where they were absorbed into the museum's vast stores. The ornate panelling and furniture were out of sight and mind for many years, until Gwydir was purchased by a young couple who began to renovate the interior. Through their effort and negotiation and a grant from Cadw, the dining room was eventually returned to Wales and reinstated in its original location in 1998, at a ceremony attended by the Prince of Wales. This image was taken in 1912, before the dining room fixtures were first removed.

Ffigur 148. Er y gallai'r amrywiaeth mawr o jygiau ceramig sy'n hongian o nenfwd yr ystafell fwyta yn Nantclwyd y Dre yn Rhuthun fod yn olygfa anghyfarwydd i ni heddiw, bu casgliadau o lestri fel y rhain yn nodwedd gyffredin ar gartrefi'r cyfoethogion a'r tlodion yng Nghymru o'r Oesoedd Canol ymlaen. Yn aml, bydd dyddiaduron a brasluniau'r rhai a deithiai drwy Gymru yn niwedd y ddeunawfed ganrif a dechrau'r ganrif ddilynol yn sôn am bwysigrwydd cymdeithasol a diwylliannol jygiau a llestri eraill.

Figure 148. The large assortment of ceramic jugs hanging from the ceiling in the dining room at Nantclwyd House in Ruthin might appear unusual to the modern eye, but collections of crockery such as this were a common feature of Welsh homes both rich and poor from the medieval period onwards. Travellers undertaking tours of Wales in the late eighteenth and early nineteenth centuries often recorded the social and cultural importance of jugs and other crockery in their diaries and sketches.

Ffigur 149. Serch mai gofod cymedrol ei faint yw'r ystafell fwyta yn nhŷ Garthgynan yn Sir Ddinbych o'i gymharu â'r rhai yn nhai boneddigion Cymru, byddai digon o lestri ac ati ynddi i'r teulu allu bwyta yno bob dydd yn ogystal â bwyta'n fwy ffurfiol ar achlysuron arbennig. Ar y seld ar y dde gallai'r staff osod y llestri rhwng holl gyrsiau'r pryd bwyd. Mae'r cwpwrdd yn yr alcof hefyd yn lle defnyddiol i gadw'r cyllyll a'r ffyrc a'r eitemau arbenigol y gellid bod eu hangen ar gyfer gwahanol brydau. Yn ddiweddarach, defnyddiwyd y cwpwrdd i storio ac arddangos addurniadau. Unwaith eto, gwelir y ddresel Gymreig gyffredin yn yr ystafell fwyta ac mae'n ddodrefnyn pwysig ar gyfer arddangos llestri. Arni, yn yr achos hwn, ceir sawl tlws.

Figure 149. The dining room at Garthgynan House in Denbighshire is a moderately sized space compared with those in the grander houses of Wales. However, it would have been well equipped to provide everyday dining for the family, as well as more formal dining on special occasions. A sideboard on the right would have acted as a service area, where staff could place dishes between each course of the meal. A built-in cupboard (left) also provides useful storage space for the cutlery and specialist dining items that may have been needed at different meals. This cupboard was later used for the storage and display of ornaments. The ubiquitous Welsh dresser is once again visible in the dining room, providing an important place for the display of crockery and, in this case, several trophies.

Ffigur 150. Mae manylion gwerthu'n ffynhonnell werthfawr o wybodaeth am ein cartrefi ni. Wrth i asiantau gwerthu tai roi tai ar y farchnad, fe luniant daflen i roi gwybod i ddarpar brynwyr am fanylion yr eiddo – fel sy'n digwydd heddiw. Daw'r llun hwn o'r ystafell fwyta yn Nhregunter yn Nhalgarth o'r daflen a ddosbarthwyd cyn i'r eiddo gael ei werthu mewn ocsiwn cyhoeddus ar 29ain Medi 1916. Yn hytrach na gosod y bwrdd cinio ar gyfer pryd bwyd, rhoddwyd trefniant o flodau ar ganol y lliain bwrdd gwyn i'w addurno. Yr oedd gosod trefniant o flodau mewn ystafelloedd bwyta yn boblogaidd ar y pryd a gwneid hynny'n aml i addurno byrddau cinio gwag.

Figure 150. Sales particulars are a valuable source of information about our homes. Just like today, when homes were put on the market a brochure featuring details of the property was produced by estate agents for prospective buyers. This image shows the dining room at Tregunter in Talgarth as it appeared in a brochure before the property went to a public auction held on the 29th September 1916. The dining table shown here is covered in a white tablecloth, but is not set up for meals. Instead, a decorative arrangement of flowers takes centre place on the table. Floral arrangements were popular in dining rooms at this time and were often used to decorate dining tables when they were not in use.

Ffigur 151. Ar ddiwedd y bedwaredd ganrif ar bymtheg a dechrau'r ugeinfed ganrif, credid y gallai lliw ystafell gael effaith uniongyrchol a phendant ar y sawl a'i defnyddiai. Oherwydd y gred bod arlliwiau tywyll o goch yn codi archwaeth ac yn help i dreulio bwyd, defnyddiwyd lliwiau cynnes a chyfoethog mewn llu o ystafelloedd bwyta. Cynlluniwyd y papur wal a ddefnyddiwyd i addurno'r yr ystafell hon yng Nghefn Isaf ger Conwy gan John Henry Dearle ar gyfer Morris & Co tua 1912. Enw'r patrwm yw 'Michaelmas Daisy' a'r lliwiau yw coch, gwyrdd tywyll a phincfelyn gwelw. Mae'n nodweddiadol o'r math o orchuddion wal a gâi eu ffafrio gan aelodau o fudiad y Celfyddydau a'r Crefftau.

Figure 151. In the late nineteenth and early twentieth centuries, it was believed that the colour of a room could have a direct and tangible impact on the people who used it. Dark shades of red were thought to stimulate the appetite and aid digestion, so many dining rooms adopted warm, rich colour schemes. The wallpaper used to decorate this room at Cefn-isaf near Conwy was designed by John Henry Dearle for Morris & Co in about 1912. The design is known as 'Michaelmas Daisy' and appears here in a red, dark green and pale peach colour scheme. It is typical of the kinds of wall-coverings favoured by proponents of Arts & Crafts interior design.

Ffigur 152. Yn Berth-lwyd ger Henryd, goleuir bwrdd yr ystafell fwyta gan olau uwch ei ben, a lle mae'r ffitiad golau'n cysylltu â'r nenfwd mae modd defnyddio'r chwerfan i addasu safle'r golau drwy ei godi neu ei ostwng i roi'r lefel o olau y mae ei hangen ar y rhai sy'n ciniawa. Pan osodwyd goleuadau mewn tai mawr am y tro cyntaf, sef yn gynnar yn y bedwaredd ganrif ar bymtheg, yr oedd ffitiadau o'r fath yn ddefnyddiol am fod golau'r bylbiau cynnar yn llawer gwannach na golau lampau heddiw. Yr oedd angen iddynt, felly, fod yn nes at bobl a phethau i fod yn effeithiol.

Figure 152. At Berth-lwyd near Henryd, the dining-room table is illuminated by an adjustable overhead light. The light fitting can be raised up or lowered down to adjust the level of illumination to the levels required by diners, using a pulley mechanism that is visible in this photograph where the light fitting attaches to the ceiling. These sorts of fittings were useful in the early nineteenth century when electric lighting was first installed in large houses, as early bulbs emitted a much dimmer light than their modern counterparts and needed to be closer to people and objects to be effective.

Ffigur 153. Erbyn y 1950au, ceid trydan yn y mwyafrif o gartrefi modern. Mae'r llun yn dangos yr ystafell fwyta olau ym Mryn-hir, Cricieth, ym 1955 pan fu staff o'r Cofnod Adeiladau Cenedlaethol yn ymweld â'r lle. Mae'r bwrdd wedi'i osod ar gyfer pryd bach, ac yma eto mae trefniant bach o flodau yn ei addurno.

Figure 153. By the 1950s, electricity was available in most modern homes. This image shows the brightly-lit dining room at Bryn-hir, Criccieth in 1955, when staff from the National Buildings Record visited the property. The table is set for a small meal, and adorned once again with a small floral arrangement.

Ffigur 154. Maenordy Pen-pont, Sir Frycheiniog. Ceid staff helaeth o wasanaethyddion domestig yn nhai mawr y dosbarthiadau uchaf. Cyflawnent dasgau beunyddiol y tŷ a byddent yn bwyta ar wahân i'r teulu. Mae ystafell y gwasanaethyddion ym Mhen-pont yn enghraifft nodweddiadol o'i bath. Yma, ychydig oddi ar y gegin, ceir bwrdd mawr plaen a meinciau hir ynghyd â lle tân i gynhesu'r lle a ffenestri i roi golau.

Figure 154. Penpont Manor, Brecknockshire. Large upper-class houses were supported by an extensive team of domestic servants who attended to the day-to-day tasks of the household. They dined separately from the main household. The servants' hall at Penpont is a typical example of this sort of space. A large, plain table with long benches for seating occupies a room just off the kitchen, with a fireplace for warmth and windows to provide illumination.

Ffigur 155. Dyma lun o'r dynion, y menywod a'r plant a weithiai yn Nannau ger Brithdir pan oedd y plasty ar ei anterth tua diwedd y bedwaredd ganrif ar bymtheg. Mae'n rhoi syniad go dda o nifer y gweithwyr y byddai eu hangen i redeg plastai'r cyfoethogion. Byddai'r gwasanaethyddion yn bwyta mewn man ar wahân i'r prif dŷ ac yn ymyl y ceginau.

Figure 155. This group portrait shows the men, women and children who were employed at Nannau near Brithdir in the late nineteenth century, during the heyday of the house, and gives a reasonable idea of the level of labour needed to sustain wealthy homes. These servants had their own dining area separate from the main house and close to the kitchens.

Ffigur 156 (chwith). Yr oedd byrddau bwyta bach crwn yn gyffredin yn nhai'r teuluoedd llai cefnog a lluosog. Yno, byddai'r angen i'r teulu fwyta mewn ystafell hwylus ei maint yn drech na'r angen i sicrhau bod gwychder eu cartref yn gwneud argraff ar gymdogion a gwesteion. Ym Mhlasnewydd yn Rhuddlan, mae bwrdd crwn o faint canolig wedi'i osod i pump, ac arno mae holl lestri ac ati ffordd y dosbarth canol o fwyta.

Figure 156 (left). Smaller, circular dining tables were common in less affluent households with fewer family members, where the need for a practical dining space to accommodate the family outweighed the need to impress neighbours and guests with the grandeur of the home. At Plasnewydd in Rhuddlan, a modestly sized circular table has been set for five, with all the trappings of respectable middle-class dining.

Ffigur 157 (uchod). Ar ddiwedd y bedwaredd ganrif ar bymtheg a dechrau'r ugeinfed ganrif bu Mudiad y Celfyddydau a'r Crefftau yn dadlau o blaid cael celfi syml ac ymarferol, ond dymunol eu golwg, yn y cartref. Hyrwyddent hefyd ddefnyddio'r crefftau traddodiadol wrth adeiladu. Mae'r ystafell fwyta yn Wern-isaf yn enghraifft o'r math o addurno mewnol a hoffid gan bleidwyr pensaernïaeth a chynlluniau'r Celfyddydau a'r Crefftau. Saif bwrdd bwyta a chadeiriau solet o bren mewn ystafell blaen sydd â'u waliau wedi'u peintio.

Figure 157 (above). The Arts and Crafts movement of the late nineteenth and early twentieth century advocated simple, functional but aesthetic designs for home furnishings, and promoted construction methods using traditional crafts. The dining room at Wern Isaf exemplifies the kind of interior decoration favoured by proponents of Arts and Crafts architecture and design. A well-built wooden dining table and chairs sit in a plain, painted room.

PENNOD SAITH - CHAPTER SEVEN

Ystafelloedd Ymolchi
Bathrooms

Yr ystafell ymolchi yw un o'r rhai diweddaraf i ymddangos yn y cartref. Nid tan y can mlynedd diwethaf y daeth hi i fod fel gofod domestig pwrpasol ac ar wahân yng Nghymru, a hynny yn sgil gosod peipiau mewnol a systemau carthffosiaeth a draenio effeithiol mewn tai yn gyffredinol. Cyn hynny, darperid cyfleusterau ymolchi personol a chyfleusterau toiled mewn mannau eraill yn y cartref neu mewn adeiladau y tu allan.

Gan fod agweddau modern at iechyd a hylendid yn cydnabod pwysigrwydd ymolchi'n feunyddiol, y farn ym Mhrydain yw bod rhaid i gyfleusterau pwrpasol fod ar gael mewn cartrefi cyn iddynt allu cyrraedd safonau byw derbyniol. Ond 'slawer dydd ni chredid bod ymolchi mynych yn un o angenrheidiau bywyd beunyddiol. Yn ystod yr Oesoedd Canol diweddar, bernid bod ymolchi'n beth annoeth oherwydd y gred bod hynny'n gadael i'r croen ollwng germau i mewn i'r corff. Yn hytrach, cymeradwyid baddonau chwysu fel y ffordd orau o lanhau baw o'r corff ac argymhellid defnyddio peraroglau i guddio aroglau annymunol y corff. Cyn dyfodiad peipiau dŵr i gartrefi, gwaith beichus oedd cludo dŵr i'r tŷ i ymolchi ynddo: rhaid oedd codi'r dŵr o ffynnon neu ddefnyddio pwmp dŵr, cludo'r dŵr yn ôl i'r tŷ, ei gynhesu yn y gegin fach ac yna'i arllwys i faddon neu fasn mewn rhan arall o'r tŷ. Cyfyngid baddonau preifat i gartrefi'r cyfoethogion, felly, am fod digon o wasanaethyddion yno i wneud y gwaith ac am fod modd cael gafael ar ddigon o ddŵr croyw.

Hyd at y bedwaredd ganrif ar bymtheg yng Nghymru, fel yng ngweddill Prydain, daliodd y mwyafrif o gartrefi i ddefnyddio potiau dan-y-gwely i gymryd gwastraff dynol, a jwg dŵr a basn syml fyddai'r cyfleusterau ymolchi beunyddiol yn y cartref. Ond wrth i boblogaeth y trefi gynyddu'n gyflym ac i bobl gael eu gwasgu at ei gilydd heb wneud fawr o ymdrech ffurfiol i greu

Ffigur 158. Pan aed ati yn y bedwaredd ganrif ar bymtheg i osod peipiau mewn tai i sicrhau bod modd cael dŵr poeth ac oer drwy'r tap, penderfynodd perchnogion cyfoethog osod ystafelloedd ymolchi pwrpasol yn eu cartrefi. Cynhwysent faddon mawr a sinc i ymolchi'n rheolaidd ynddynt. Oherwydd eu tamprwydd cyson, bu'n rhaid i'r perchnogion arfer agwedd ymarferol at eu haddurno. Yn Nantllys yn Sir y Fflint, gosodwyd llawr o linoliwm solet a hawdd ei lanhau. Daeth linoliwm yn orchudd llawr fforddiadwy a phoblogaidd ers ei gyflwyno ledled Prydain tua diwedd y bedwaredd ganrif ar bymtheg. Yng nghartrefi'r rhai a allai fforddio prynu papur wal, defnyddid papurau glanwaith yn aml i orchuddio'r waliau â phapur cadarn, golchadwy ond deniadol mewn ystafelloedd ymolchi. Câi'r papurau hynny eu hargraffu gan ddefnyddio powdr mân ar roleri copr ysgythredig i gynhyrchu arwyneb llyfn ac yna câi hwnnw ei farneisio.

The bathroom is one of the most recent rooms to appear in the home. It only became a separate, dedicated domestic space in Wales in the last hundred years with the advent of indoor plumbing and the widespread provision of effective domestic sewerage and drainage systems. Prior to this, personal washing and toilet facilities were provided in other spaces within the home, or accommodated in outbuildings.

Modern attitudes towards health and hygiene recognise the importance of personal washing every day, and deem the provision of access to sanitary conveniences a minimum requirement for homes to meet acceptable living standards in Britain. However, in the past, frequent washing and bathing was not considered necessary to daily life. During the late medieval period, bathing was thought to be ill-advised, as it was believed that it permitted germs to enter the body through the skin. Instead, sweat baths were endorsed as the best way to cleanse the body of dirt, and perfumes were favoured for disguising unpleasant body odours. Before the widespread adoption of domestic plumbing in households, the provision of water for bathing was also tiresomely labour-intensive: water had to be drawn from wells or water pumps, transported back to the home, heated in the scullery and then poured into a bath or basin elsewhere in the house for washing. As a result, private bathing was limited to the households of the wealthy where there were sufficient servants to carry out this task, and where there was ample access to fresh water.

Up until the nineteenth century in Wales – as in the rest of Britain – most homes continued to use chamber pots as household receptacles for human waste, and a simple ewer and basin to provide daily washing facilities in the home. However, rapidly increasing urban populations that were densely packed together

Figure 158. When indoor plumbing made fresh hot and cold water available on tap in the nineteenth century, wealthy households often installed a dedicated bathroom with a large bathtub and sink unit that was used for regular washing. The perpetually damp conditions in the bathroom required homeowners to take a practical approach to decoration. At Nantllys in Flintshire, a hard-wearing, easy-clean linoleum floor has been laid. Linoleum was an affordable and popular floor-covering that was available from the late nineteenth century across Britain. In households that could afford wallpaper, sanitary papers were often used to provide an enduring, washable yet attractive wall-covering in bathrooms. These papers were printed using fine powder on engraved copper rollers, producing a smooth surface that was then varnished.

amodau iach, cynyddu hefyd wnaeth clefydau ymysg y trigolion. Ym 1849 fe laddodd colera gannoedd o drigolion tai gorlawn y gweithwyr ym Merthyr Tudful, Aberdâr a Dowlais. Oherwydd y mynych epidemigau o deiffoid a dysentri, aeth llywodraeth Prydain ati ymhen hir a hwyr i gomisiynu cyfres o adroddiadau i bwyso a mesur natur a maint problemau iechyd y canolfannau trefol. Yn y pen draw fe esgorodd y rheiny ar Ddeddf Glanweithdra 1866, deddf a orfodai awdurdodau lleol i wella amodau tai anaddas drwy godi carthffosydd a rhwydwaith o beipiau dŵr domestig a sicrhau y câi'r strydoedd eu glanhau'n gyson. Effaith y Ddeddf Glanweithdra, ynghyd ag isddeddfau lleol a reolai'r datblygu ar dai trefol, oedd sicrhau bod y mwyafrif o dai'r gweithwyr a godwyd ar ôl y 1870au nid yn unig yn gadarnach eu cynllun a'u hadeiladwaith na chartrefi cynharach i weithwyr ond bod ganddynt fynediad hwylusach nag erioed o'r blaen i doiledau allanol pwrpasol a chyflenwadau o ddŵr i'r tŷ. Llwyddodd y Ddeddf Glanweithdra, a deddfau tebyg wedi hynny, hefyd i godi safonau glanweithdra cartrefi'r dosbarth canol yn y trefi. Moderneiddiwyd cartrefi lu, ac yng nghartrefi'r dosbarthiadau uchaf a chanol defnyddiwyd gofod diangen i greu ystafell ymolchi. Ond gwelwyd yr union un patrwm ag wrth ddatblygu cyfleusterau eraill ym Mhrydain, sef iddi gymryd ychydig yn fwy o amser i garthffosiaeth a chyflenwadau dŵr domestig gyrraedd cefn gwlad. Yr oedd y bath tun wedi tyfu'n nodwedd eiconig ar gartrefi'r dosbarth gweithiol, yn enwedig yn y meysydd glo, ac mewn aml i le fe ddaliwyd i'w ddefnyddio tan ganol yr ugeinfed ganrif. Erbyn hynny, gellid adnewyddu tai gwledig a chynnwys ynddynt - o'r diwedd - ofod pwrpasol i greu ystafell ymolchi.

Yn wreiddiol, man ymarferol yn y cartref oedd ystafell ymolchi. Yr oedd ymolchi'n weithgarwch angenrheidiol a wneid yn breifat mewn ystafell ddigon diaddurn. Ystafell 'at iws' oedd hi ac yr oedd cyflawni gweithredoedd da a phriodol ynddi'n bwysicach na chysur ac addurn. Ond yn gynnar yn yr ugeinfed ganrif gwelwyd yr agweddau at ymolchi yn newid. Oherwydd poblogrwydd cynyddol y sinema, cafodd pobl Prydain eu denu gan gyfaredd ffilmiau Hollywood, ac mewn llawer ffilm fe welwyd y sêr yn ymlacio mewn baddonau moethus mewn ystafelloedd ymolchi chwaethus. Dechreuodd cartrefi pobl gefnog efelychu addurniadau a moeth yr ystafelloedd ymolchi a welid ar y sgrin fawr. Esblygodd hi'n ystafell i ymlacio ynddi ac erbyn hyn fe'i hystyrir bron yn lle y gall aelodau'r teulu gilio iddo i fyfyrio a gorffwys ar ôl pwys a gwres y dydd. Yn aml, drws yr ystafell ymolchi yw'r unig un sy'n dal i fod â chlo arno, a'r unigolyn sy'n ei defnyddio sy'n rheoli mynediad iddi. Er bod cawodydd wedi'u gosod mewn ystafelloedd ymolchi oddi ar eu dyfeisio yn y bedwaredd ganrif ar bymtheg, gwelwyd hwy'n ymledu llawer iawn yn yr ugeinfed ganrif ac erbyn hyn fe ystyrir bod cawod yn elfen hanfodol mewn ystafell ymolchi. Yn aml iawn, defnyddir y gawod yn hytrach na'r baddon.

with little or no formal sanitary arrangements led to ever higher rates of disease among urban residents. In 1849, cholera outbreaks in overcrowded workers' houses in Merthyr Tydfil, Aberdare and Dowlais killed hundreds. Epidemics of typhoid and dysentery were also common, eventually leading the British government to commission a series of reports to evaluate the nature and extent of the sanitation problems in urban centres. This ultimately resulted in the 1866 Sanitary Act, which obliged local authorities to enhance unsuitable housing conditions by constructing sewers, implementing a domestic water infrastructure and ensuring streets were regularly cleaned. The Sanitary Act, combined with local by-laws regulating urban housing development, guaranteed that the majority of workers' houses built after the 1870s were not only better designed and built than workers' homes in earlier times, but had better access to flushing outdoor toilets and domestic water supplies than ever before. The Sanitary Act, and similar subsequent legislation, also improved the sanitary conditions in middle-class urban homes. At this time, many homes were modernised – the bathroom appears as a separate room in upper and middle-class homes, in spaces converted from other, less necessary uses. However, just as with other infrastructure developments in Britain, the provision of sewers and domestic water supplies took slightly longer to disseminate to rural areas. The tin baths that became iconic features of working-class homes, particularly on the coalfield, often remained in use until the mid-twentieth century, when rural homes could finally be renovated to provide dedicated space for bathrooms.

Bathrooms were originally practical spaces in the home. Personal cleansing was a necessary activity carried out in private, in rooms that were generally lacking decoration. Bathrooms were utilitarian spaces, with good and proper function promoted over comfort and ornamentation. However, in the early twentieth century, attitudes towards the act of bathing changed. The growing popularity of cinema entertainment exposed British people to the glamour of Hollywood, and many new films, alongside the growing visual culture of celebrity, showed attractive stars relaxing in luxurious bubble baths, in large and opulent bathrooms. Affluent households began to imitate the decoration and sumptuousness of bathrooms on the big screen. The bathroom evolved into a room for relaxation, and is now regarded almost as a meditative space where members of the household can retreat to soak away the stresses of the day. The bathroom door often remains the only door in the household that is fitted with a lock, with access controlled by the individual using the room. Although showers have been fixtures of bathrooms since their invention in the nineteenth century, they became truly widespread in the twentieth century and are now considered essential to the function of the bathroom: in many cases, the bathroom might be more accurately described as a shower room in the modern period.

Toiledau

Ar eu gorau, go gyntefig, a dweud y lleiaf, fu cyfleusterau toiledau domestig yn ystod y rhan fwyaf o hanes Prydain.

Yng nghestyll canoloesol Cymru, bu geudai pwrpasol yn ffordd o gael gwared ar wastraff dynol: llifai gwastraff dynol drwy dwll yn y wal. Yn ystod cyfnod y Rhufeiniaid y codwyd y toiledau sylfaenol cyntaf ym Mhrydain i gael eu glanhau â dŵr, ond wedi i'r Rhufeiniaid gilio aeth y dechnoleg honno'n angof. Welwyd mohoni eto ym Mhrydain tan gyfnod y Tuduriaid, a hyd yn oed bryd hynny fe'i cyfyngwyd i balasau Llundain gan mwyaf. Bu Hampton Court yn enwog am fod y 'Great House of Easement' yno'n cynnwys 'lle chwech' i bedwar ar ddeg ar y tro. Tua diwedd yr ail ganrif ar bymtheg a dechrau'r ganrif ddilynol, dechreuodd tai'r cyfoethogion yng Nghymru ddefnyddio toiledau drwy fanteisio ar nentydd byrlymus i gael gwared ar y gwastraff. Fel eu rhagflaenwyr ym mhalasau Llundain, nid geudai preifat oedd y toiledau elfennol hynny: yn y mwyafrif ohonynt ceid sawl sedd a gellid eu defnyddio i gyd yr un pryd. Yn nhai'r bobl gyffredin, defnyddid potiau siambr a phyllau allanol i gymryd gwastraff y cartref, ond yma eto doedd fawr o breifatrwydd ac ni ddisgwylid mohono. Gan i'r llestri i gymryd gwastraff pobl yn y cartref dyfu'n bethau mor angenrheidiol a chyffredin, tyfodd diwylliant materol cyfoethog, arloesol – a hynod, yn aml – o amgylch y pot o-dan-y-gwely.

Man cychwyn datblygu'r toiled modern oedd sefydlu trefn gadarn i ddarparu llif dŵr croyw a charthffosydd i gartrefi Prydain. Yn raddol, datblygwyd y closedau dŵr cynnar yn doiledau modern. Fe'u sefydlwyd i gychwyn mewn blociau o doiledau yn yr awyr agored adeg y don gyntaf o foderneiddio cartrefi Cymru a bu'r 'tŷ bach' yn nodwedd gyffredin ar gartrefi Cymru o'r bedwaredd ganrif ar bymtheg ymlaen.

Ymhen hir a hwyr, symudwyd y toiled i mewn i'r tŷ ac, yn y pen draw, i'r ystafell ymolchi. Mewn rhai tai, cadwyd y toiled mewn ystafell ar wahân. Gwelwyd tuedd dros y degawdau diwethaf, hefyd, i osod sawl toiled yn y cartref. Mae gosod toiled y tu allan i'r brif ystafell ymolchi wedi apelio mwy a mwy wrth i honno droi o fod yn lle 'at iws' yn ystafell i dreulio amser ynddi ac ymlacio.

Toilets

Throughout most of British history, domestic toilet facilities might generously be described as rudimentary at best.

In the medieval castles of Wales, specially built garderobes provided an outlet for human waste: a rather basic conduit in the stonework provided a channel for human waste, usually by venting it directly outside the building. Basic flushing toilets first appeared in Britain during the Roman period, but following the end of the Roman occupation the technology fell out of use. The flushing toilet did not return to Britain until the Tudor period, and even then was restricted mostly to the palaces of London. Hampton Court famously provided a toilet that could accommodate up to fourteen people at once, and was known as 'The Great House of Easement'. In Wales, toilets that made use of quick-flowing streams to remove waste began to appear in wealthy homes during the late seventeenth and early eighteenth centuries. Like their forerunners in London's palaces, these basic toilets were not private: most of them had multiple seats that could be used by several people at once. In ordinary homes, people used chamber pots and outdoor pits to accommodate the waste of the household. Again, privacy was not guaranteed or even expected at this time. However, receptacles for human waste in the home were such necessary and common domestic items that a rich, innovative and often quirky material culture grew up around the chamber pot.

The development of a domestic water infrastructure that provided fresh flowing water and robust sewers to British homes launched the development of the modern toilet. Early water closets gradually developed into modern flushing lavatories, which were initially installed in outdoor toilet blocks during the first wave of modernisation in Welsh homes. The *tŷ bach* was a common feature of Welsh homes from the nineteenth century onwards.

Eventually, the toilet was brought into the home and ultimately into the bathroom itself. In some houses, lavatories were kept in a separate room. In recent decades there has also been a trend to install multiple toilets in the home. The availability of lavatories outside the main bathroom has become more appealing as the bathroom developed from a utilitarian space into a room for relaxation and personal time.

Ffigur 159. Yn yr adeilad bach a dirodres hwn a godwyd o gerrig ceir tŷ bach o'r ddeunawfed ganrif. O fwriad, fe'i codwyd dros nant. Cawsai ei godi, yn wreiddiol, ryw hanner can metr o blasty Caerau yng Nghylch-y-garn, Môn, a hynny, mae'n debyg, adeg adnewyddu'r prif dŷ yn gynnar yn y 1800au.

Figure 159. This small and unassuming rubble stone building houses an eighteenth-century privy. The privy was constructed over a stream, which carried waste away from the building. It was originally sited about 50 metres from Caerau mansion in Cylch-y-garn, Anglesey, and was probably built when the main house was renovated in the early 1800s.

Ffigur 160. 'Lle chwech' i dri oedolyn a phlentyn sydd yma ac mae'n syndod o grand am fod iddo seddau panelog. Byddai'r plentyn wedi defnyddio'r sedd fach ar y dde. I bob golwg, defnyddiwyd dodrefn a ffitiadau eraill o'r tŷ wrth ei adeiladu ac mae hynny fel petai'n cadarnhau'r awgrym iddo gael ei godi adeg adnewyddu'r prif blasty. Mae *Inventory* y Comisiwn Brenhinol o Fôn hefyd yn nodi bod cornisiau plastr, tebyg i'r hyn a geid yn y plasty, i'w gweld o hyd uwchben y seddau pan wnaed arolwg o'r adeilad yn y 1930au.

Figure 160. The privy interior at Caerau is surprisingly well appointed. Panelled seats with backrests provided toilet facilities for three adults and one child, who would have used the smaller seat at the right of the image. The privy appears to have been constructed from other household furnishings and fixtures, lending credence to the suggestion that it was built during renovation of the main mansion. The Royal Commission's Anglesey *Inventory* also notes that when the building was surveyed in the 1930s, plaster cornicing similar to that in the mansion was still visible above the seats themselves.

Ffigur 161. Yn y 1950au, dechreuodd llywodraeth Prydain ddefnyddio arian o gynllun newydd y Grantiau Gwella Tai i foderneiddio cartrefi hŷn yng Nghymru. Gosodwyd ystafell ymolchi, fel hon yn Ysbyty Ifan ger Betws-y-coed, mewn llawer tŷ i gynnig man ymolchi pwrpasol, a hynny'n aml am y tro cyntaf. Mae'r ystafell ymolchi hon â'i baddon â phanelau du a'i hunedau gwyn yn nodweddiadol o'r newidiadau hynny. Yma, mae'r waliau wedi'u peintio â phaent sgleiniog arbennig i greu arwyneb hwylus y gellid ei sychu'n lân.

Figure 161. In the 1950s, the British government began to modernise older homes in Wales using funds from the new Housing Improvement Grant scheme. New bathrooms were installed in many houses such as this one in Ysbyty Ifan, Caernarfonshire, providing dedicated bathing space in the home, often for the first time. This bathroom suite with its black panelled bath and white units is characteristic of the renovations that took place. The walls here have been painted with a special high-gloss paint, which provided a hygienic, wipe-clean surface that was quick to set up and easy to maintain.

Ffigur 162. Pan symudwyd y toiled i'r prif dŷ yn y bedwaredd ganrif ar bymtheg, fe'i gosodwyd yn aml ar ei ben ei hun mewn ystafell arbennig ac ar wahân i'r ystafell ymolchi. Peth anarferol yw bod y toiled hwn ym Mhlas Cregennen yn Arthog mor bell o'r drws: gosodid y mwyafrif ohonynt mewn ystafelloedd digon cymedrol eu maint er mwyn gallu manteisio i'r eithaf ar ofod y cartref.

Figure 162. When the toilet was brought into the main house in the nineteenth century, it was often located in a special room of its own, separate from the bathroom. The rather long walk to this toilet at Plas Cregennen in Arthog is unusual: most were accommodated in modestly sized rooms to make the most effective use of space in the home.

Ffigur 163 (chwith). Y drws nesaf, mewn ystafell ymolchi eithaf llwm yr olwg, ceir baddon â thraed fel traed crafanc, ac iddo ymyl wastad glasurol. Moeth oedd baddonau o'r fath yn ystod y bedwaredd ganrif ar bymtheg a chaent eu gwneud yn wreiddiol o haearn bwrw a'u leinio â phorslen. Byddai hwn wedi bod yn ddrud i'w brynu a'i osod.

Figure 163 (left). Next door, a claw-foot bathtub with a classic flat rim stands out in an otherwise sparsely decorated bathroom. During the nineteenth century, large, deep claw-foot bathtubs were a luxury item. They were originally made from cast iron and lined with porcelain, and would have been expensive to buy and install.

Ffigur 164 (uchod). Mae'n fwy na thebyg i'r closed dŵr hwn gael ei osod yn Nantllys tua diwedd y bedwaredd ganrif ar bymtheg neu ddechrau'r ugeinfed ganrif. Mae'n uned sydd wedi'i chynllunio'n ddyfeisgar i gymryd y toiled a chynnwys lle i gadw'r eitemau hylendid angenrheidiol – a'u cuddio o'r golwg pan na ddefnyddir mohonynt.

Figure 164 (above). This boxed water closet was probably installed at Nantllys in the late nineteenth or early twentieth century. The unit is cleverly designed to house the toilet, provide storage for necessary hygiene items, and can be completely hidden away when not in use.

Ffigur 165. Am nad oedd gan lawer o dai hŷn Cymru le i gyfleusterau ystafell ymolchi, cafodd arian o gynllun Grantiau Gwella Tai y llywodraeth yn y 1950au ei ddefnyddio weithiau i godi estyniad modern i osod ystafell ymolchi ynddo. Yn y tŷ hwn yn Birchfield Cottages, Garth, mae estyniad o frics wedi'i ychwanegu at gefn tŷ a godwyd o gerrig yn wreiddiol, ac ar y dde gellir dal i weld adeilad yr hen dŷ bach.

Figure 165. Many older houses in Wales did not have space to accommodate new bathroom facilities. In the 1950s, funds from the government's Housing Improvement Grant scheme were sometimes used to construct modern extensions where bathrooms could be fitted. At this house in Birchfield Cottages, Garth, a brick extension has been added to the rear of the original stone-built house, while the small building that would have housed the outdoor toilet can still be seen on the right of this image.

Ffigur 166. Y tu mewn, gosodwyd sinc, baddon a thoiled modern ar lawr cyntaf y tŷ. Gosodwyd llawr cadarn o linoliwm yno a byddai'r waliau wedi'u peintio â phaent sgleiniog y gellid ei lanhau'n rhwydd. I gychwyn, lle plaen ac ymarferol oedd ystafell ymolchi yn y cartrefi. Y dewis gan amlaf oedd i bopeth fod yn wyn am fod hynny'n amlygu'r baw a'r llwch y byddai angen eu tynnu oddi yno, ond tua chanol yr ugeinfed ganrif daeth rhai lliw'n ffasiynol a chynigiai manwerthwyr fel Twyfords amrywiaeth mawr o gynlluniau lliw i'w cwsmeriaid.

Figure 166. Inside, a modern sink, bath and toilet were fitted on the first floor of the house. A resilient linoleum floor was laid and the walls would have been painted with gloss paint that could be easily cleaned. These bathrooms were initially plain, practical spaces in homes. White bathroom suites were usually favoured because they showed accumulations of dirt and grime that could then be cleaned away. However, during the mid-twentieth century, coloured bathroom suites became fashionable and retailers like Twyfords offered a wide range of colour schemes to customers.

Ffigur 167. Yn ystod yr ugeinfed ganrif yng Nghymru cafodd llu o dai mawr y trefi eu troi'n fflatiau neu randai i'w gosod ar rent. Gan fod rhaid darparu cyfleusterau modern ym mhob un, gosodwyd llawer cyfleuster mewn mannau na chynlluniwyd mohonynt yn wreiddiol i'w cymryd. Mae'r addasiad hwn o dŷ tref yng Nglan-y-Môr yn Aberystwyth yn dangos hen groglofft sydd wedi'i throi'n ystafell ymolchi. Mae cynllun a lliw teils trawiadol y llawr yn awgrymu mai yn y 1970au yr adnewyddwyd yr ystafell ymolchi hon ddiwethaf.

Figure 167. During the twentieth century in Wales, large town houses were often converted into a number of separate flats or apartments that were then made available for private rent. Modern bathroom facilities had to be provided for each new household, with many fitted in spaces that were not originally designed for bathing. This town-house conversion on Marine Terrace in Aberystwyth shows a bathroom suite installed in an old attic room. The design and colour of the impressive floor tiling suggests that this bathroom was last renovated in the 1970s.

Ffigur 168. Erbyn canol yr ugeinfed ganrif, yr oedd dylanwad ffilm a theledu wedi troi'r ystafell ymolchi'n lle mwy moethus. Gan fod angen iddi fod yn fwy na rheidrwydd ymarferol, fe ailgynlluniwyd llawer ystafell ymolchi i ddynwared y rhai moethus a welid mewn ffilmiau a chylchgronau. Mae'n debyg bod hon yn Pigeonsford, Llangrannog, yn dyddio o ganol yr ugeinfed ganrif a'i bod yn ceisio creu awyrgylch moethus drwy ddefnyddio arwynebau tebyg i farmor. Mae'r problemau a ddaw yn sgil y moethusrwydd hwnnw i'w gweld yma hefyd. Am fod y panel wrth ochr y baddon wedi'i dynnu, gwelir bod copïau o'r Daily Mail wedi'u defnyddio i atal dŵr rhag dianc o beipen.

Figure 168. By the mid-twentieth century, the influence of film and television had glamorised bathing. It was no longer a practical necessity but a desirable luxury, and many bathrooms were redesigned in imitation of the lavish bathing suites seen in films and magazines. This suite in Pigeonsford, Llangrannog, probably dates from the mid-twentieth century and attempts to create an air of opulence by using simulated marble surfaces. The problems that come with bathing luxury are visible here too: a panel beside the bath has been removed, exposing crumpled copies of the Daily Mail newspaper that have been used to fix a leaking water pipe.

Ffigur 169 (chwith). Cynlluniwyd Cefn Isaf gan Herbert Luck North, y pensaer o fyd y Celfyddydau a'r Crefftau, yn gartref gwyliau i ŵr busnes o Sir Gaerhirfryn. Fe'i codwyd rhwng 1904 a 1908 ac mae'n dal i gadw llu o'i nodweddion gwreiddiol. Mae'r ystafell ymolchi a osodwyd yma'n dyddio'n ôl i flynyddoedd cynnar yr ugeinfed ganrif. Pwynt diddorol yw bod y tanc dŵr wedi'i osod yn uchel ar y wal wrth ochr y toiled, yn hytrach nag uwch ei ben, i greu lle i'r ffenestr fawr.

Figure 169 (left). Cefn Isaf was designed by Arts & Crafts architect Herbert Luck North as a holiday home for a Lancashire businessmen. It was built between 1904 and 1908 and retains many of its original features. The bathroom suite installed here dates back to the early twentieth century, and shows a toilet with a raised cistern. Interestingly, the cistern has been placed on the wall adjacent to the toilet rather than above it, to accommodate the large bathroom window.

Ffigur 170 (uchod). Gosodwyd yr ystafell ymolchi fodern a chryno hon mewn bwthyn o'r ddeunawfed ganrif adeg ei adnewyddu. Mae llawer o'r pren yn yr ystafell ymolchi wedi'i beintio'n wyn i gyd-fynd â swyddogaeth ac estheteg newydd yr ystafell.

Figure 170 (above). This compact modern bathroom has been installed in a renovated eighteenth-century cottage in mid Wales. Much of the woodwork in the bathroom has been painted white to suit the new function and aesthetic of the room.

Ffigur 171. Yr ystafell wely yw'r ystafell fwyaf preifat a phersonoleiddiedig yn y cartref. Addurniadau nodweddiadol o ystafell wely yw'r lluniau, y lluniadau a'r ffotograffau sydd wedi'u trefnu'n anffurfiol ar hyd wal yr ystafell wely hon ochr yn ochr â'r trugareddau ar y bwrdd gwisgo yn y gornel. Adlewyrchant bersonoliaeth a diddordebau ei defnyddwyr. Er mai man cysgu yw'r ystafell wely gan mwyaf, fe'i defnyddir yn aml yn lle i wisgo ac i gadw dillad. Mae'r dodrefn yn yr ystafell wely hon ym Mhencraig, Llangefni, yn bodloni'r holl ofynion hynny: wrth ochr y gwely ac mewn trefniant sy'n gyfarwydd i ni heddiw, ceir cwpwrdd dillad, soffa fach, bwrdd gwisgo a drych.

Figure 171. The bedroom is the most private and personalised room in the home. The pictures, drawings and photographs arranged informally on this bedroom wall alongside the trinkets and keepsakes on the dressing table in the corner are typical bedroom decorations, and reflect the personality and interests of its occupants. The bedroom is primarily a sleeping space, but is often used as a place to dress and to store clothes. The furniture in this bedroom at Pen-graig, Llangefni, satisfies all these requirements: a wardrobe, a small sofa, a dressing table and a mirror stand alongside the bed in an arrangement familiar to us today.

PENNOD WYTH - CHAPTER EIGHT

Mannau Cysgu
Bedrooms

Treuliwn ryw draean o'n hoes yn cysgu. Nid yn unig y byddwn ni'n treulio cryn dipyn o'n hamser yn yr ystafell wely ond yno, yn hanesyddol, y gwelir llawer o ddigwyddiadau pwysicaf ein bywyd. O'n geni hyd ein marw, bydd yr ystafell wely'n chwarae rhan bwysig yn ein bywyd domestig.

Gan mai lle preifat i encilio iddo yw'r ystafell wely fodern, hi, yn aml, yw'r gofod mwyaf personol a phersonoleiddiedig yn y cartref. Yn aml, cyfyngir mynediad i'r ystafell wely rhwng gwahanol aelodau'r teulu ac i unrhyw ymwelydd â'r cartref. O ganlyniad, mae'r addurno, y celfi a'r pethau sydd yno yn aml yn wahanol iawn i'r hyn a geir yng ngweddill y tŷ ac yn amlygu mwy ar werthoedd, agweddau a daliadau personol yr unigolion sy'n cysgu yno nag ar y delfrydau a'r safonau a amlygir ym mannau cyffredin a chyhoeddus y cartref.

Er ein bod ni heddiw'n rhoi cymaint o bwys ar breifatrwydd personol yn yr ystafell wely, nid felly y bu hi erioed. Yn yr Oesoedd Canol, cysgai'r mwyafrif o aelodau tai neuadd yng Nghymru i gyd drwy'r trwch am fod cynhesrwydd a diogelwch yn ystod oriau peryglus y nos yn bwysicach bryd hynny na phreifatrwydd yr unigolyn. Dywedai synnwyr cyffredin fod rhannu man cysgu'n ffordd o sicrhau'r diogelwch hwnnw. Yr oedd gan hyd yn oed y dynion a'r menywod cyfoethocaf – gan gynnwys aelodau'r teulu brenhinol – gywely i'w hamddiffyn a'u cadw'n gynnes yn y nos. Yn aml, ni olygai'r trefniadau cyd-gysgu yn yr Oesoedd Canol rannu gwely: er y gallai teulu fod wedi bod â matresi a gwelyau, byddai tenantiaid y brif neuadd wedi cysgu ar gelfi'r neuadd neu o'u cwmpas ac wedi defnyddio clogyn i'w gorchuddio a'u cadw'n gynnes. Oddi ar hynny, gwelwyd cynnydd graddol mewn cysgu mewn ystafelloedd mwyfwy preifat. Yn sgil esblygiad y tŷ canolog ei gynllun, peth cyffredin yng nghartrefi pobl gefnog oedd i bob aelod unigol o'r teulu fod ag ystafell wely. Meistr y tŷ a'i wraig a ddefnyddiai'r brif ystafell wely, a honno fel rheol fyddai'r un fwyaf – a'r helaethaf ei chelfi – yn y cartref. Ambell waith, gall gwŷr a gwragedd yng nghartrefi'r dosbarth uwch a'r dosbarth canol fod wedi cysgu mewn ystafelloedd ar wahân i fodloni syniadau cymdeithasol yr oes ynghylch priodoldeb ac ymddygiad o fewn priodas. Arferai ystafelloedd gwely aelodau eraill y teulu, gan gynnwys y plant, amrywio o ran eu maint a'u celfi, ond fel rheol fe adlewyrchent faint a chyfoeth y cartref.

O ddechrau'r ddeunawfed ganrif tan ddechrau'r ugeinfed, byddai gan y rhai a wasanaethai gartrefi'r cyfoethogion fannau cysgu ar wahân i brif rannau'r tŷ sef, fel rheol, yng nghroglofft y cartref. Er bod yr ystafelloedd hynny'n creu ac yn cadw pellter

About a third of our lifetime is spent sleeping. The bedroom is not only where we spend a significant proportion of our time, but is historically where many of our most significant life events take place: from our birth to our death, the bedroom plays an important part in our domestic lives.

The modern bedroom is a private retreat and is often the most personal and personalised space in the home. Access to the bedroom is often limited, both between different members of the family and to any visitors to the home. As a result, the decoration, furniture and objects displayed in the bedroom are often far removed from those in other areas of the house, reflecting more closely the personal values, attitudes and beliefs of the individuals sleeping there than those displayed in the communal and public rooms of the home.

Despite the value we place on personal privacy in the modern bedroom, sleeping spaces have not always been so confidential. In the medieval period, hallhouses in Wales provided communal sleeping spaces for the majority of the household. At this time, warmth and safety in the dangerous night-time hours was prized far above individual privacy, and sharing a sleeping space was a common-sense way to achieve this security. Even the wealthiest men and women – including royalty – had bedfellows, who provided both protection and a heat source in the night. Communal sleeping arrangements during the medieval period often did not mean sharing a bed: while the family may have mattresses and bedsteads, the tenants of the main hall would have slept on or around the hall furniture, using cloaks for covering and insulation. There has since been a gradual trend towards increasingly private rooms for sleeping. With the evolution of the centrally-planned house, separate bedrooms for members of the family became common in affluent homes. The master bedroom was used by the master of the house and his wife, and was usually the largest and most well-appointed bedroom in the home. Occasionally, husbands and wives in upper and middle-class households may have slept in separate bedrooms to satisfy contemporary social ideas about propriety and conduct within marriage. Bedrooms for other family members – including children – varied in size and furnishing, though both typically reflected the scale and wealth of the home.

Servants supporting wealthy homes from the eighteenth to early twentieth centuries had sleeping spaces separated from the main areas of the house, usually in the attic or loft space of the home. These rooms created and maintained both physical and social

corfforol a chymdeithasol rhwng y teulu a'u staff, byddai'r gwasanaethyddion yn aml yn gorfod rhannu ystafelloedd, a gwely'n fynych, gyda'u cydweithwyr. Parhaodd yr arfer tan flynyddoedd cynnar yr ugeinfed ganrif. Yna, fe achosodd y ddau Ryfel Byd newidiadau sylfaenol yn nhraddodiadau gwasanaeth domestig cartrefi Cymru ac arwain at y pen draw at roi terfyn ar yr arfer yng nghartrefi pawb ond pobl eithriadol o gyfoethog.

Yng nghartrefi'r bobl gyffredin, daliodd pobl i gyd-gysgu mewn mannau cyffredin am gyfnod llawer hwy. Ni chafwyd ystafelloedd gwely ar wahân tan y bedwaredd ganrif ar bymtheg. Dyna pryd y gosododd deddfau tai ac isddeddfau lleol reolau llymach ynghylch tai i weithwyr mewn ardaloedd trefol. Ym mythynnod cefn gwlad cysgid yn y groglofft; mewn llawer teulu, yno y cysgai'r plant tra cysgai'r rhieni a pherthnasau eraill o oedolion yn y gegin a'r prif fannau byw.

Daw enw'r ystafell wely o'r celficyn allweddol sydd yn y gofod hwnnw. Er na allai pob cartref fforddio gwelyau a matresi, mae'r rhestri o gynnwys cartrefi yn yr unfed ganrif ar bymtheg a'r ganrif ddilynol yn amlygu arwyddocâd diwylliannol y gwely ym mywyd y cartref. Cynhwysid y gwely'n aml ymysg tri phrif gelficyn y cartref a gosodid amodau caeth iawn yn eu cylch ar etifeddion eiddo. Diben ffrâm y gwely oedd codi'r fatres oddi ar y llawr i osgoi drafftiau, baw a phlâu a lleihau'r perygl o ddal clefyd. Yn y bedwaredd ganrif ar ddeg y gwelwyd matresi mewn cartrefi ym Mhrydain gyntaf, a'r arfer bryd hynny oedd eu llenwi â gwellt. Erbyn yr unfed ganrif ar bymtheg, ceid matresi plu ym mhrif ystafelloedd gwely cartrefi teuluoedd cyfoethog. Ceid cotwm a gwlân mewn matresi o'r 1700au ymlaen ac yn gynnar yn y 1870au fe ymddangosodd y matresi cyntaf i gynnwys sbringiau coil. Mae matresi modern yn dal i esblygu yn unol â'r datblygiadau technolegol newydd a cheir mwy o amrywiaeth o fathau o welyau heddiw nag erioed o'r blaen.

distance between the family and its staff. However, servants would frequently have to share rooms and often a bed with their colleagues: this practice persisted until the early twentieth century, when the First and Second World War caused fundamental changes to the traditions of domestic service in British homes, leading ultimately to its end in the homes of all but the exceptionally wealthy.

In the homes of ordinary people, sleeping spaces remained communal for much longer: separate, specialist bedrooms did not arise until the nineteenth century, when the construction of workers' housing in urban areas became more closely regulated by housing acts and local by-laws. In rural Welsh cottages, the *croglofft* (half-loft) provided a sleeping area in the loft space of the cottage. In many families, the *croglofft* was used as a sleeping space for children while parents and other adult relatives would bed down in the kitchen and main living areas.

The bedroom derives its name from the key item of furniture that resides in the space. Although bedsteads and mattresses were not affordable in every home, household inventories from homes in the sixteenth and seventeenth centuries demonstrate the cultural significance of the bedstead in domestic life. It was often included among the three 'principal' furniture items of the home and was bequeathed to property heirs on very strict terms. Bedsteads were designed to raise mattresses off the floor away from draughts, grime and pests, and reduce the risk of contracting disease. Mattresses first appeared in British homes in the fourteenth century, when they were filled with straw. By the sixteenth century, wealthy homes had feather mattresses in the main family bedrooms. Cotton and wool were used to stuff mattresses from the 1700s, with the first spring coil mattresses appearing in the early 1870s. Modern mattresses continue to evolve in line with new technological developments, and there is more variety in the types of beds available now than ever before.

Ffigur 172 (gyferbyn). Mae prif ystafell wely Castell Gwydir yn cynnwys paneli pren sydd wedi'u cerfio'n gywrain ynghyd â dodrefn o faint trawiadol – a'r un mor gywrain – mewn pren tywyll. Er bod cymhlethdod yr amrywiol batrymau a ddefnyddiwyd i addurno'r ystafell a'i dodrefn yn mynd dros ben llestri, braidd, yn ôl ein chwaeth ni heddiw, diben gwreiddiol yr ystafell oedd gwneud argraff ar aristocratiaid ac, ambell waith, ar ymwelwyr brenhinol. Yr oedd addurniadau cywrain a dodrefn rhwysgfawr yn ffordd bwysig o amlygu cyfoeth, steil a dylanwad y teulu a breswyliai yno.

Figure 172 (opposite). The state bedroom at Gwydir Castle is an ornately carved, wood-panelled room furnished with equally ornate and impressively sized dark wooden furniture. The complexity of the myriad patterns used to embellish the room and its furnishings is rather overwhelming to the modern eye. However, this room was originally designed to impress high-ranking aristocrats and occasionally royal guests of the household. Intricate decoration and extravagant furnishing were required as tangible demonstration of the wealth, style and influence of the family in residence there.

Ffigur 173 (uchod). Yn aml, defnyddid tapestrïau yng nghartrefi'r dosbarthiadau uchaf i gadw ystafelloedd mawr rhag drafftiau. Yn yr ystafell wely fawr hon ym Maenor Pen-pont fe wneir hynny gan dapestri mawr sy'n darlunio Brenhines Sheba. Mae tecstilau sydd wedi'u gwehyddu'n dynn hefyd wedi'u defnyddio i addurno'r man cysgu a thrwy hynny'n cydlynu'r defnyddiau meddal a'r clustogwaith cadarn mewn ffordd ymarferol ac apelgar.

Figure 173 (above). Tapestries were often used in upper-class homes to insulate large rooms against draughts. In this bedroom at Penpont Manor a large tapestry featuring the Queen of Sheba insulates the spacious bedroom. Thick woven textiles have also been used to decorate the sleeping space, providing coordinating soft furnishings and hard-wearing upholstery that were both practical and visually appealing.

Ffigur 174 (gyferbyn). Er i'r ystafelloedd gwely golli llawer o'u crandrwydd blaenorol pan ddechreuodd plastai'r cyfoethogion edwino, ceir ychydig o ôl y gogoniant a fu. Yn Court Farm, Pen-bre, mae'r paneli pren cain a ffrâm haearn y gwely'n lled-awgrymu moethusrwydd a chyffyrddusrwydd coll yr ystafell wely honno 'slawer dydd. Yr oedd y tŷ wedi bod yn wag am bron i bymtheg mlynedd pan gofnododd y Comisiwn Brenhinol ef ym 1975.

Figure 174 (opposite). When wealthy households fall into decline, the grand bedrooms of the home become far less impressive than they were in their heyday. Despite this, hints of their former grandeur remain. At Court Farm, Pembrey, the fine wooden panelling and iron bedstead hint at the lost luxury and comfort of the bedroom. When the Royal Commission recorded this house in 1975, it had been unoccupied for almost fifteen years.

Ffigur 175. Yn aml, bydd y syniad o 'gartref' yn gyfystyr â'r syniad traddodiadol o 'deulu'. Yr ystafell wely, fel rheol, yw lle bydd y teulu confensiynol yn cychwyn. Dyma lle y caiff plant eu cenhedlu – ac y caent eu geni, fel rheol, tan yn ddiweddar. Yn nhai'r cyfoethogion, cyfyngid plant yn aml i'r feithrinfa i chwarae a chysgu, ond yng nghartrefi llawer teulu llai cefnog byddai'r plant ifanc yn cysgu yn ymyl eu rhieni. Mae'r crud hwn ym Mryndraenog yn Sir Faesyfed yn nodweddiadol o'r mannau cysgu a gynlluniwyd yn arbennig ar gyfer babanod ac yn debyg iawn i'r rhai a ddefnyddir hyd heddiw. Gan nad oedd yno wres canolog, yr oedd angen y botel dŵr poeth sydd i'w gweld yn y preseb i gadw'r babi'n gynnes yn y nos.

Figure 175. The idea of 'home' is often synonymous with the traditional idea of 'family'. The bedroom is normally where the conventional family starts – the place where children are conceived and, until recently, were usually born. In wealthier households, children were frequently confined to the nursery to play and sleep. However, in many less affluent homes, young children would sleep close to their parents. This bedside cot at Bryndraenog in Radnorshire is typical of sleeping spaces specially designed for babies and infants, and is very similar to those still used today. The hot water bottle visible in the crib would have been needed to provide warmth in the night in the absence of central heating.

Ffigur 176. Wrth i blant yng nghartrefi'r cyfoethogion dyfu'n rhy fawr i'r crud a'r feithrinfa, caent eu symud i'w hystafelloedd eu hunain yn aml. Mae'r ystafell wely hon yn Nantclwyd y Dre yn Rhuthun wedi'i pheintio mewn arlliwiau golau ac wedi'i haddurno â sgetsys cartŵn a phlatiau addurnol y bernid eu bod yn gweddu i ystafell plentyn. Mae'r garthen ar y gwely wedi'i gwneud o wlân Cymreig ac yn enghraifft dda o'r mathau o gwrlidau a geir mewn llawer cartref yng Nghymru hyd heddiw.

Figure 176. As children in wealthy homes outgrew the cradle and the nursery, they were often moved into rooms of their own. This bedroom at Nantclwyd House in Denbighshire has been painted in light shades, and has been decorated with cartoon sketches and ornamental plates considered appropriate for a child's room. The blanket on the bed is made from Welsh wool, and is a good example of the types of coverlets favoured in many homes in Wales right up to the modern day.

Ffigur 177 (chwith). Erbyn diwedd yr ugeinfed ganrif, byddai ystafelloedd gwely plant fel rheol yn cynnwys mwy o dechnoleg nag erioed o'r blaen. Yn yr ystafell wely hon ym Mhlas-hen ym Meirionnydd caiff ei hunig breswylydd le i gysgu, desg i wneud gwaith cartref arni a mannau hwylus i gadw teganau meddal ynddynt. Ond mae yma hefyd set deledu a chonsol gemau er difyrrwch.

Figure 177 (left). By the late twentieth century, children's bedrooms typically featured more technology than ever before. This bedroom at Plas-hen in Merioneth provides its sole occupant with a place to sleep, a desk for homework and fun places for stashing soft toys. However, it also provides a television and a games console for entertainment.

Ffigur 178 (chwith). Yn aml, bydd ystafelloedd gwely plant yn ystafelloedd chwarae hefyd. Yn y Neuadd ger Llywel yn Sir Frycheiniog, mae'r doliau a'r anifeiliaid yn awgrymu'r mathau o gemau y byddai plant wedi'u chwarae yma. Mae celfi'r ystafell hefyd wedi'u cynllunio'n arbennig ar gyfer plant am fod yma wely, cadeiriau a bwrdd ymolchi bach sy'n addas ar gyfer dwylo bach a choesau byr.

Figure 178 (left). Children's bedrooms often double as playrooms. At Neuadd near Llywel in Breconshire, dolls and model animals hint at the sorts of games children would have played in this space. The room is also furnished with items that have been designed especially for children: the bed, chairs and washstand have all been scaled down to suit small hands and short legs.

Ffigur 179 (uchod). Yn fynych, bydd y gwaith addurno ar yr ystafell wely yn adlewyrchu delfrydau a daliadau personol ei phreswylydd. Yn yr ystafell wely hon yn Nantclwyd y Dre yn Rhuthun mae'r arysgrif ar y lle tân addurnol a cherfiedig yn gyfarwyddyd i atgoffa'r darllenydd '[to] learn to live and labour day by day, that when the joys and cares of life shall cease, wherever thy name is spoken folk will say, you lived and breathed and loved in peace.'

Figure 179 (above). The decoration of the bedroom frequently reflects the personal ideals and beliefs of its individual occupants. In this bedroom in Nantclwyd House in Ruthin, the decorative carved fireplace has been inscribed with a maxim that reminds the reader to 'learn to live and labour day by day, that when the joys and cares of life shall cease, wherever thy name is spoken folk will say, you lived and breathed and loved in peace'.

Ffigur 180. Yn ôl y sôn, cafodd y gwely pren hwn, a gerfiwyd yn gywrain, ei gludo o India ar ddiwedd y bedwaredd ganrif ar bymtheg pan oedd y 'Dwyrain' ac addurniadau mewnol a ysbrydolwyd gan y Dwyrain yn ffasiynol ymhlith cyfoethogion. Gwerthwyd y gwely, ynghyd â gweddill cynnwys plasty Derwydd yn Llandybïe, mewn ocsiwn a drefnwyd gan Sotheby's ym 1998.

Figure 180. This intricately carved wooden bed was reportedly brought back from India in the late nineteenth century, when 'Oriental' and eastern-inspired interior decoration was in vogue among the wealthy. The bed, along with the other contents of Derwydd in Llandybie, were sold at an auction organised by Sotheby's in 1998.

Ffigur 181. Mewn llawer cartref yng Nghymru, y gwasanaethyddion fyddai'n cysgu yn y groglofft. Yn Aberdeunant yn Sir Gaerfyrddin mae gwely haearn mawr a gwely llai, ac iddo ffrâm o bren, yn y groglofft uwchlaw'r prif fannau byw. Er bod y groglofft fel petai'n fach, mae cwpwrdd dillad bach i'w weld ar ymyl chwith y llun ac mae bwrdd gwisgo â dreiriau ynddo i'r dde o'r prif wely. Er mai prin yw'r addurno cywrain yma, mae'n debyg bod y nenfwd a'r trawstiau wedi'u gorchuddio â defnydd tenau neu bapur i geisio creu naws mwy cartrefol yn yr ystafell.

Figure 181. In many Welsh homes, the loft space was used to provide sleeping spaces for members of the household. In Aberdeunant in Carmarthenshire a large iron bedstead and smaller, wooden-framed bed have been set up in the attic above the main living areas. Although the attic seems small, a compact wardrobe is just visible on the left edge of this image, and a dressing table with drawers for storage stands to the right of the iron-framed bed. While there is little ornate decoration in this space, the ceiling and exposed beams have been covered over, probably with a thin textile or paper, in an attempt to improve the aesthetics of the room.

Ffigur 182 (chwith). Yn ôl perchennog Glan-brân, mae'n debyg i Marie Antoinette ddefnyddio'r gwely hwn un tro. Tynnwyd y llun ohono gan y perchennog, Isaac Haley, tua diwedd y bedwaredd ganrif ar bymtheg. Bu ffotograffiaeth yn hobi poblogaidd ymysg y byddigion yn ystod y ganrif honno, ac am fod llawer o'r ffotograffwyr cynnar wedi tynnu lluniau o'u tai eu hunain, fe adawsant gofnod gwerthfawr o fywyd domestig eu hoes. Dywed nodyn am y llun fod y llenni o amgylch y gwely wedi'u gwneud o ddefnydd cain o liw glas golau.

Figure 182 (left). According to the homeowner at Glan-brân, this bed was supposedly once used by Marie Antoinette. It was photographed by the owner, Isaac Haley, in the late 1800s. Photography was a popular hobby among the upper classes during the nineteenth century, and many aspiring early photographers made records of their own houses and formed a valuable record of contemporary domestic life. A note with this image reports that the drapes around the bed were made from a fine, pale blue fabric.

Ffigur 183 (uchod). Codwyd Wern Isaf yn Sir Gaernarfon ym 1900 gan bensaer amlwg ym mudiad y Celfyddydau a'r Crefftau, Herbert Luck North, i fod yn gartref ac yn swyddfa iddo pan symudodd ef gyntaf o Lundain i ogledd Cymru ym 1901. Diben ffenestri a nenfydau uchel ystafelloedd gwely Wern Isaf oedd gwella cylchrediad yr aer yn y tŷ. Rhwng y ddwy ffenestr, ceir cypyrddau storio cyfleus.

Figure 183 (above). Wern Isaf in Caernarfonshire was constructed in 1900 by the well-known Arts & Crafts architect Herbert Luck North. It was built to provide North with both a home and an office when he first moved to north Wales from London in 1901. The bedrooms at Wern Isaf all had tall windows and high ceilings, which were designed to improve the circulation of air in the home. This room also has convenient, built-in storage cupboards between the two windows.

Ffigur 184. Mae'r ystafell wely hynod o fach yn Ivy Cottage ger y Bers wedi'i gwasgu i blith y trawstiau a fyddai wedi bod yn rhan o neuadd agored gynt. Er mor fach yw hi, mae hi wedi'i dodrefnu'n dda: mae ynddi wely â ffrâm bren, bwrdd gwisgo, cistiau storio a sawl cadair. Yn y drych sydd ar ben y ddresel ceir cip ar seddau a lle storio pellach y tu ôl i'r ffotograffydd.

Figure 184. This remarkable compact bedroom at Ivy Cottage near Bersham has been squeezed into enclosed rafters that would have once been part of an open hall. Regardless of its unusual dimensions, the bedroom is furnished well, with a wooden framed bed, dressing table, several chairs and storage chests. Further seating and storage behind the photographer can be glimpsed in the mirror atop the dresser.

Ffigur 185. Tan ddyfodiad gwres canolog yn y cartref, câi ystafell wely ei gwresogi gan le tân fel rheol. Ond yn aml fe achosai lleoedd tân ddrafftiau pan na ddefnyddid mohonynt ac ni chredid bob amser eu bod yn apelio at y llygad. Mae'n bosibl bod lle tân yr ystafell wely hon yn Marian House yn Llanddyfnan yn dyddio'n ôl i gyfnod y Tuduriaid. Er mor hen yw'r lle tân, mae preswylydd yr ystafell wely wedi gwneud ymdrech fawr i guddio hynny: defnyddiwyd yr un papur wal blodeuog i orchuddio'r silff ben tân ag a ddefnyddiwyd i addurno'r ystafell, ac mae llenni syml â phrintiau blodeuog tebyg yn hongian bob ochr i'r lle tân. O'u tynnu ynghyd, byddai'r lle tân bron o'r golwg yn llwyr.

Figure 185. Until the advent of domestic central heating, a bedroom was usually heated by a fireplace. However, fireplaces often caused draughts when not in use and were not always considered aesthetically appealing. This bedroom fireplace in Marian House in Llanddyfnan possibly dates back to the Tudor period. Despite its antiquity, the occupant of the bedroom has gone to great lengths to disguise it: the mantelpiece has been carefully covered in the same floral wallpaper used to decorate the room, and simple curtains featuring a similar floral print have been hung on either side of the fire surround. When drawn, the fireplace would be cleverly camouflaged and almost entirely hidden from view.

Ffigur 186. Byddai ystafelloedd syml fel hon ger Bro Machno wedi bod yn gyffredin yng nghartrefi cefn gwlad drwy gydol y bedwaredd ganrif ar bymtheg ac ar ddechrau'r ugeinfed ganrif. Tynnwyd y llun ym 1952 pryd y byddai'r bobl a gysgai yn yr ystafell hon wedi dal i ddefnyddio cannwyll i roi golau iddynt yn y nos, a jygiaid o ddŵr, a phowlen, i'w defnyddio ar ôl deffro. Mae'r gannwyll a'r fowlen ymolchi i'w gweld ar y chwith eithaf yn y llun.

Figure 186. Simple bedrooms such as this one near Bro Machno would have been common in rural households throughout the nineteenth and early twentieth centuries. This image was captured in 1952. At that time, the people sleeping in this room were still using a candle to illuminate the space at night, and a jug and bowl to provide water when first waking. Both the candle and the washbowl can be seen on the far left of this image.

Ffigur 187. Gwnaeth Falcon Hildred yr adluniad hwn o ystafell wely yn y Dduallt ger Maentwrog yn 2002. Yr elfen fwyaf yno yw'r gwely pedwar-postyn trawiadol a'i ganopi addurnol. Arferai llenni gwely fod yn ddigon cyffredin ond anaml y cewch chi hwy mewn ystafelloedd gwely modern. Y bwriad oedd iddynt roi mwy o gynhesrwydd a phreifatrwydd i'r cysgwyr ac fe ddaethant yn boblogaidd gyntaf yng nghartrefi'r cyfoethogion yn ystod yr Oesoedd Canol.

Figure 187. This reconstruction drawing of a bedroom at Dduallt near Maentwrog was produced in 2002 by Falcon Hildred. An impressive four-poster bed with a decorative canopy dominates the room. The bed curtains draped around the bed were a once common item of soft furnishing that is largely absent from modern bedrooms. They were designed to provide greater warmth and privacy to sleepers, and first became popular in wealthy homes during the medieval period.

PENNOD NAW - CHAPTER NINE

Croglofftydd

Lofts

Mewn llawer cartref heddiw mae'r groglofft neu'r atig yn ofod ychwanegol y mae ei fawr angen i gadw celfi ac eitemau teuluol diangen ynddo, neu mae hi wedi'i haddasu i greu ystafelloedd ychwanegol ar lawr uchaf y cartref. Yn hanesyddol, serch hynny, mae'r groglofft wedi bod yn fwy nag ystafell storio.

Yn oes y tŷ neuadd, yr oedd ystafelloedd y cartref yn agored hyd y trawstiau. Gan fod mwg o'r lle tân canolog yn crynhoi yn rhannau uchaf y neuadd, doedd dim modd defnyddio'r rhan fwyaf o'r gofod uwchlaw rhyw ddau fetr o uchder. Wrth i dai deulawr newydd gael eu datblygu ganol yr unfed ganrif ar bymtheg, ychwanegwyd simneiau at gynllun y tŷ i dynnu'r mwg ohono. Canlyniad hynny oedd amgáu trawstiau'r cartref ac ychwanegu llawr neu loriau at gynllun y tŷ. Oddi ar hynny, mae'r groglofft wedi'i defnyddio i greu lle ychwanegol yn y cartref.

Croglofft oedd i'r bythynnod a godwyd yng Nghymru yn y ddeunawfed ganrif a'r ganrif ddilynol. Yr ystafell o dan y groglofft oedd y brif ystafell wely bob amser, ac fe'i cyrhaeddid o'r gegin ar hyd ysgol a fyddai'n un sefydlog weithiau ond nid bob tro. Yno, fel rheol, y cysgai plant y cartref. Yng nghartrefi cyfoethogion yr oes, defnyddid croglofftydd y plastai'n fannau cysgu i'r gwasanaethyddion am fod angen i'r rheiny fod wrth law i redeg y cartref o ddydd i ddydd. A thrwy wahanu eu mannau cysgu oddi wrth rai eu meistri ym mhrif ran y tŷ, cedwid pellter cymdeithasol priodol rhwng y cyflogwyr o'r dosbarth uwch neu ganol a'r gweithwyr.

Yn niwedd yr ugeinfed ganrif, defnyddid y term Saesneg 'loft' yn aml i ddisgrifio rhandy cynllun-agored ar un lefel mewn hen adeiladau diwydiannol. Yn fynych, codid y rhandy fel rhan o gynllun adfywio trefol ehangach. Gellir hefyd gyfeirio at y gofod fel 'atig'. Defnyddiwyd y term hwnnw gyntaf yn ystod y cyfnod Sioraidd i gyfeirio at y llawr mewn tŷ clasurol a oedd uwchlaw prif wyneb y tŷ. Pan aeth pensaernïaeth glasurol allan o ffasiwn, defnyddiwyd 'atig' i gyfeirio at lawr uchaf plasty.

In many modern homes, the loft is a much-needed extra space most commonly used for the storage of unused household furniture and family memorabilia, or alternatively converted to provide extra rooms in the upper floors of the home. However, historically the loft has been more than just a storeroom.

During the age of the hallhouse, the rooms of the home were open to the rafters and the central fireplace created a smoky atmosphere in the upper parts of the hall, rendering most of the space above two metres or more off the ground unusable. As new storeyed homes developed in the mid-sixteenth century, chimneys were added to the house plan, clearing the air of smoke. As a result the rafters of the home were enclosed and extra floors were added to the house plan. Since this time, the roof spaces of homes have been used to provide additional occupancy for the household.

Cottages built in Wales in the eighteenth and nineteenth centuries had *crogloffts*. The room below the *croglofft* was always the main bedroom, it was accessed by a ladder – sometimes fixed, sometimes not - leading from the kitchen and was usually used as sleeping area by the children of the household. In wealthy households during this period, the attics of great houses were also used as sleeping spaces, providing accommodation for the servants required for the daily running of the home. By physically segregating the sleeping quarters of servants from those of their masters in the main part of the house, an appropriate social distance was maintained between upper or middle-class employers and working-class employees.

In the late twentieth century, the term 'loft' is often used to describe single-level, open-plan apartments created within reclaimed industrial buildings, frequently built as part of broader urban regeneration schemes. The loft space may also be referred to as an 'attic'. The term was first used during the Georgian period to refer to the storey of a classical house above the main entablature. When classical architecture fell out of fashion, the 'attic' came to mean the uppermost storey in a country house.

Ffigur 188. Caiff yr atig ei defnyddio'n aml yn y cartref i gadw hen gelfi a thrugareddau eraill o'r golwg ynddi. Yn yr atig hon yn Nantllys yn Sir y Fflint, ceir casgliad trawiadol o gistiau a chesys teithio ynghyd â hen gomôd a bwrdd plygu.

Figure 188. Lofts are commonly used as storage spaces in the home, where our outmoded furniture and household ephemera can be kept out of sight and out of mind. In this loft in Nantllys in Flintshire, an impressive collection of travel trunks and suitcases shares space with a disused commode and a folding table.

Ffigur 189. Mewn tai modern, caiff y gofod o dan y to ei addasu'n aml i greu rhagor o ystafelloedd. Mae'r daflod hon yn Nyffryn Llynod wedi'i haddasu'n ofod i hobïau a fyddai fel arall wedi llenwi rhannau mawr o'r prif dŷ: mae model o reilffordd wedi'i godi ar fyrddau trestl yng nghefn y daflod, ac yn y prif ofod mae trac rasio modelau ynghyd â seddau cyffyrddus. Mae'r preswylwyr hefyd wedi gosod lluniaeth ysgafn yn ymyl y drws: mae tun bisgedi, plât a phowlen ar ben y gwresogydd bach.

Figure 189. In modern houses, loft spaces are often converted to provide extra rooms in the home. This loft in Dyffryn Llynod has been converted to provide space for hobbies that would otherwise take up large areas of the main house: a model railway has been built on trestle tables at the back of the loft, while a model racing track, complete with comfortable trackside seating, is in the main area. The occupants have also set up refreshments close to the loft door, where a biscuit tin, plate and bowl can just be seen on top of a small heater.

Ffigur 190 (uchod). Yng nghartrefi'r dosbarthiadau uchaf, defnyddid y grogloft yn aml i letya'r gwasanaethyddion. Yn wreiddiol, byddai amryw o wasanaethyddion wedi cysgu yn y gwelyau ar hyd yr ystafell hon yn Nantllys. Yn wreiddiol, cynhesid yr ystafell gan le tân bach ac fe'i goleuid â chanhwyllau. Yn ddiweddarach, pan foderneiddiwyd y tŷ, gosodwyd golau trydan yma. Rhoddai un bwlb uwchlaw'r lle tân olau i'r ystafell gyfan gan ychwanegu at y golau dydd a ddeuai drwy'r ffenestri sydd ar oledd yn y nenfwd.

Figure 190 (above). In upper-class homes, the attic spaces were often used to house servants. This room in Nantllys would originally have been shared by a number of servants, sleeping in beds arranged along the whole length of the room. The room was initially heated by a small fireplace and illuminated by candles. Later, when the house was modernised, an electric light fitting was installed. A single bulb above the fireplace provided light for the whole room, in addition to the daylight that entered through skylights in the sloped loft ceiling.

Ffigur 191 (isod). Trawsffurfiwyd ffordd y dosbarthiadau uchaf o fyw gan y newidiadau cymdeithasol ac economaidd enfawr a ddaeth yn sgil dau Ryfel Byd yr ugeinfed ganrif. Edwino wnaeth llawer o ystadau mawr Cymru a cholli nid yn unig eu tir a'u nwyddau materol ond hefyd eu gweision a'u morynion. Gan nad oedd angen crogloft bellach i letya staff, fe'i trowyd yn fan i gadw eitemau diangen y cartref ynddo. Am nad oes neb yn byw yn yr ystafell hon bellach, fe'i llenwyd â hen wresogyddion trydan, hen gadeiriau, pennau gwelyau, ffrâm lle tân, sgrin dân sydd wedi colli'i lliw, a hen baentiadau.

Figure 191 (below). The massive social and economic changes brought about in the twentieth century by the First and Second World Wars transformed the upper-class way of life. Many large estates in Wales entered into a period of decline, losing not only land and material goods but servants too. Attics were no longer needed to house staff, and instead became places to store household items. Early electric heaters, surplus chairs, headboards, a fire surround, a faded fire screen and old paintings now fill this unoccupied room.

Ffigur 192. Tŷ neuadd a godwyd yn y bymthegfed ganrif yn wreiddiol oedd Pen-y-bryn yn Llansilin. Ychwanegwyd y llawr uchaf ato yn yr ail ganrif ar bymtheg a defnyddiwyd hwnnw'n ystafell wely. Tynnwyd y llun ohono ym 1952 ac ynddo gwelir dau wely haearn o dan gwpwl ac ateg wynt go drawiadol. Yn ddiddorol ddigon, mae deiliad y tŷ wedi addurno'r ystafell hon yn arddull canol yr ugeinfed ganrif, sef gorchuddio hyd yn oed y pren â phapur wal sydd â border tenau iddo. Adferwyd y tŷ ryw 20 mlynedd ar ôl i'r llun hwn gael ei dynnu.

Figure 192. Pen-y-bryn in Llansilin was a hallhouse originally built in the fifteenth century. The upper floor was added in the seventeenth century and was used as an attic bedroom. This photograph was taken in 1952, and shows two iron bedsteads beneath an impressive truss and wind-brace. Interestingly, the householder has decorated this room in a contemporary mid-twentieth century style using wallpaper and a thin border, which even covers the timbers. The house was restored about 20 years after this photograph was taken.

Ffigur 193. Gwnaeth yr artist Falcon Hildred y llun hwn o groglofft yn Nhai-uncorn yn Ffestiniog ym 1978. Yr oedd yn rhan o bedwar tŷ i weithwyr a godwyd gan Arglwydd Newborough ym 1810 i letya gweithwyr y diwydiant llechi lleol, ac fe'i codwyd o amgylch simnai ganolog. Bu'r groglofft yn ychwanegiad hanfodol at y lle byw uwchben prif ystafell llawr isaf y tŷ.

Figure 193. Artist Falcon Hildred made this drawing of a loft in Tai-uncorn in Ffestiniog in 1978. It was part of four workers' houses built around a shared chimney stack by Lord Newborough in 1810to accommodate local slate industry workers. It provided essential extra living space above the main ground-floor room of the house.

Ffigur 194. Fel yn y mwyafrif o gartrefi parchus y dosbarthiadau uchaf yn y bedwaredd ganrif ar bymtheg, codwyd llyfrgell yn Nantllys, Tremeirchion, Sir Ddinbych, i gadw ac arddangos y llyfrau yr oedd y teulu wedi'u casglu. 'Setiau' llenyddol yw'r mwyafrif o'r llyfrau yn y llyfrgell hon, sef cyfresi o gyfrolau â'r un cloriau mewn lledr tywyll ac arnynt lythrennau a phatrymau o eurwaith gloyw.

Figure 194. As in most respectable upper-class homes during the nineteenth century, a library was built at Nantllys, Tremeirchion, Denbighshire to store and display the books that had been collected by the family. Most of the books in this library are literary 'sets', purchased in a number of volumes with matching covers of dark leather embossed with bright gilt lettering and patterns.

PENNOD DEG - CHAPTER TEN

Llyfrgelloedd
Libraries

Dyfodiad y wasg argraffu yn Ewrop ganol y bymthegfed ganrif a ysgogodd sefydlu'r llyfrgelloedd preifat cyntaf fel ystafelloedd ar wahân mewn cartrefi. Ac er i fwy a mwy o lyfrau gael eu cynhyrchu, yr unig rai a allai eu fforddio ar y cychwyn oedd cyfoethogion llythrennog, y rhai a oedd â digon o fodd i brynu pethau fel llyfrau (yn hytrach na nwyddau hanfodol fel bwyd a dillad) a digon o amser i'w darllen. Wrth i dechnoleg argraffu ddatblygu, arweiniodd y ffaith fod mwy o lyfrau ar gael, a'u bod yn fwy fforddiadwy, at gynnydd yn nifer y cyfrolau a ddelid mewn casgliadau preifat ac yn nifer y tai a oedd â llyfrgell bwrpasol i'w cadw hwy ynddi. Erbyn y ddeunawfed ganrif yr oedd y llyfrgell, fel yng ngweddill Prydain ac Ewrop, wedi ymsefydlu'n ystafell hanfodol yng nghartref unrhyw aelod parchus o'r dosbarthiadau uchaf yng Nghymru.

Nid stordy'n unig oedd y llyfrgell; gellid arddangos llyfrau'r cartref ynddi. Ddoe, fel heddiw, byddai'r mathau o lyfrau yr oedd pobl yn berchen arnynt yn adlewyrchu eu haddysg, eu gwerthoedd a'u hagweddau, ac yr oedd y llyfrgell yn llwyfan bwysig i'w harddangos arno. Gellir dal i weld adleisiau o'r traddodiad hwnnw mewn llawer cartref dosbarth-canol a dosbarth-uwch heddiw: nodwedd gyffredin ar yr ystafelloedd byw ynddynt yw arddangos detholiad gofalus o lyfrau 'bwrdd coffi'. Yr oedd cynllun a chelfi'r llyfrgell yn rhan bwysig o gyflwyniad y llyfrau a'u perchnogion.

Er i lythrennedd y boblogaeth gyffredinol gynyddu o gyfnod i gyfnod, doedd gan y mwyafrif o gartrefi dosbarth-canol na'r mwyafrif llethol o gartrefi dosbarth-gweithiol ddim llyfrgell bwrpasol. O ganol y bedwaredd ganrif ar bymtheg ymlaen, dechreuodd Sefydliadau'r Gweithwyr a llyfrgelloedd cyhoeddus ledled Cymru alluogi pobl na allent sbario na'r arian na'r gofod angenrheidiol i brynu a storio casgliadau mawr o lyfrau i droi at lyfrau. Ym mharlwr a stydi rhai cartrefi, gellid codi silffoedd llyfrau am fod gofod yn aml yn brin, ond ni allai'r mwyafrif o deuluoedd cyffredin neilltuo ystafell yn eu cartref i gadw llyfrau ynddi. Dyna'r sefyllfa'n fras hyd heddiw: er bod gan lawer o bobl amryw byd o lyfrau, anaml y caiff y llyfrau hynny eu cadw mewn ystafell arbenigol.

Mae technoleg cyhoeddi'n dal i esblygu, ac yn union fel y caniataodd y wasg argraffu i berchnogaeth llyfrau a darllen llyfrau greu gofod yn y cartref, mae poblogrwydd cynyddol dyfeisiau darllen electronig a'r cynnydd mewn adloniant a gwybodaeth amlgyfrwng yn peri i ni holi tybed a fydd angen y gofod hwn yn y dyfodol. Bellach, gellir dal llyfrgelloedd cyfan ar gledr y llaw a'u cludo'n hwylus o le i le. Ar ddechrau'r unfed ganrif ar hugain, mae'r llyfrgelloedd preifat mawr a geir yng nghartrefi'r cyfoethogion fel petaent yn hen-ffasiwn ac yn ddiangen mewn cartref modern.

Private libraries first appeared in homes following the advent of the printing press in Europe in the mid-fifteenth century. Although books were being produced in greater numbers than ever before they were initially available only to the very wealthy, who were literate, had the money to spare for the purchase of non-essential goods like books (as opposed to vital goods such as food and clothing), and the free time to indulge in reading. As printing technology developed, the greater availability and affordability of books led to the increase both in the number of volumes held in private collections and in the number of households with a dedicated library to store them. By the eighteenth century, the library was established as an essential room in any respectable upper-class household, in Wales as in the rest of Britain and Europe.

Libraries were not just storerooms but showcases for the books of the household. In the past, as now, the kinds of books people owned were a reflection of their education, values and attitudes, and the library was an important platform for their display. Echoes of this tradition can still be seen in many modern middle and upper-class homes, where carefully selected and assiduously displayed 'coffee-table' books have become a common feature of living rooms. The design and furnishing of the library were an important part of the presentation of books and their owners alike.

While literacy rates among the general population improved through time, most middle-class and the overwhelming majority of working-class homes did not have dedicated libraries. From the mid-nineteenth century, workingmen's institutes and public libraries began to provide access to books for people across Wales, who could spare neither the money nor the space required to purchase and store large collections of books. Bookshelves might appear in drawing rooms, parlours and studies in some households, but specialist rooms for books were simply not practical in most ordinary houses, where space was often at a premium. This situation remains broadly unchanged today: while many people own large numbers of books, they are seldom housed in specialist rooms.

Publishing technology continues to evolve and, just as the printing press allowed book ownership and reading to create a space in the home, the increasing popularity of electronic reading devices and the growing availability of multimedia entertainment and information provision, might now cause us to question the need for this space in the future. Entire libraries can now be held in the palm of the hand, and easily transported from one location to another. At the start of the twenty-first century, the spacious private libraries of wealthy homes appear antiquated and unnecessary to modern domestic life.

Ffigur 195. Er bod y llyfrgell yn lle arbenigol i gadw ac arddangos casgliadau o lyfrau ynddo, yr oedd yn fwy na hynny: fe'i defnyddid ar gyfer darllen, sef un o'r gweithgareddau mwyaf poblogaidd yng nghartrefi Prydain cyn dyfodiad y radio yn y 1920au a'r teledu yn y 1950au. Yn y llyfrgell hon yn Nhreberfedd, Llan-gors, ceid detholiad trawiadol o lyfrau i'w darllen a seddau cyffyrddus wrth y tân i'r darllenwyr.

Figure 195. The library provided a specialised storage and display area for collections of books. However, libraries were more than storerooms or exhibition spaces: they were used for reading, one of the most popular domestic pastimes in Britain prior to the advent of radio and television in the 1920s and 1950s. This library at Treberfydd, Llangors provided comfortable fireside seating (left) for readers and an impressive selection of books for them to peruse.

Ffigur 196. Cafodd Pen-pont ger y Trallwng yn Sir Frycheiniog ei godi'n wreiddiol ym 1666. Pan ailwampiodd Penry Williams y tŷ ym 1802, fe adnewyddwyd y llyfrgell gan osod ffenestri mawr ynddi er mwyn i olau dydd hwyluso'r darllen. Gwnaeth y Comisiwn Brenhinol gofnod ffotograffig o'r tŷ ym 1991, ychydig cyn i'w gynnwys fynd i arwerthiant. Ar lawer o'r eitemau yn y llun ceir labeli gwyn sy'n dangos eu rhifau gwerthu i'r darpar brynwyr. Bu gwerthu'r llyfrau ochr yn ochr â'r celfi a'r gweithiau celf yn arwydd o ddirywiad y llyfrgell fel ystafell arbenigol yn y cartref.

Figure 196. Penpont near Trallong was originally built in 1666, and refurbished by Penry Williams in 1802. The library, with its large windows (left) designed to let in daylight for reading, was renovated at this time. The Royal Commission made a photographic record of Penpont in 1991, shortly before the contents of the house were sold at auction. Many of the items in this image are tagged with white labels, indicating their lot number for prospective buyers. Books were sold alongside furniture and artworks, marking the decline of the library as a specialist room in the home.

Ffigur 197. Doedd dim angen llyfrgelloedd mewn cartrefi mwy cyffredin. Mae'n debyg mai un o brif weision neu brif forynion plasty Trebinshwn, Llan-gors, fyddai wedi defnyddio'r ystafell fyw gymedrol ei maint yn y daflod. Er ei bod hi'n fach, mae'n cynnwys cloc bach, portreadau ac amryw o addurniadau, y peth pwysig i'w nodi yw bod yr ystafell hefyd yn cynnwys silffoedd llyfrau syml wrth y gadair freichiau, trefniant sy'n dangos sut y cafodd llyfrau eu cynnwys yn y prif fannau byw mewn tai cymharol fach.

Figure 197. Separate libraries were not needed in more humble homes. This modest living room in the attic of a large house at Trebinshwn, Llangors would probably have been used by one of the higher ranking household servants. In spite of its small size, this living room is still furnished with a small clock, decorative portraits and a number of ornaments. Importantly, the living room also has a simple bookcase by the armchair, demonstrating how books were incorporated into main living areas in smaller houses.

Ffigur 198. Fel sy'n digwydd mewn llu o dai modern, chaiff y llyfrau hyn yn y Great House yn Nhalacharn mo'u cadw mewn ystafell arbenigol. Yn hytrach, cedwir casgliad llyfrau'r tŷ ar silff fawr yn y brif ystafell fyw. Mae'r mathau o lyfrau sydd ar y silffoedd yn cyferbynnu'n gryf â'r cyfrolau â rhwymiad lledr a nodweddai lyfrgelloedd yn y bedwaredd ganrif ar bymtheg. Mae'r nofelau clawr-caled a'r llyfrau ffeithiol sydd yno ochr yn ochr â llyfrau clawr-papur llachar yn dangos bod llyfrau'n haws eu fforddio a bod mwy o amrywiaeth ohonynt i'w gael ym mlynyddoedd olaf yr ugeinfed ganrif.

Figure 198. As in many modern houses, these books at Great House in Laugharne are not kept in a specialist room. Instead, a large shelf accommodates the household's book collection in the main living room of the home. The sorts of books on these shelves contrast sharply with the leather-bound tomes typical of nineteenth-century libraries: hardback novels and non-fiction sit alongside vibrantly coloured paperbacks, showing the greater affordability and variety of books in the late twentieth century.

SANITARY INSPECTOR

Sut mae cael Gwybod Rhagor
How to Find out More

Mae'r cofnodion sydd gan y Comisiwn Brenhinol yn adnodd cenedlaethol a all ein helpu ni i ddeall rhagor am ein treftadaeth ac am ei pherthnasedd i fywyd heddiw. Fel y corff ymchwilio a'r archif cenedlaethol ar gyfer amgylchedd hanesyddol Cymru, mae gan y Comisiwn rôl flaenllaw iawn o ran sicrhau y caiff treftadaeth adeiledig, archaeolegol ac arforol Cymru ei chofnodi'n awdurdodol. Oddi ar ei sefydlu ym 1908 mae ef wedi crynhoi casgliad helaeth o ryw ddwy filiwn o ffotograffau, 125,000 o luniadau a channoedd o luniau, mapiau a thestunau.

Dydy'r lluniau yn y llyfr hwn ond yn gyfran fach iawn iawn o archif y Comisiwn. Gellir ymgynghori â'r casgliad llawn yn swyddfeydd y Comisiwn yn Aberystwyth lle mae staff wrth law i helpu ymwelwyr i chwilio am wybodaeth am eu cartrefi, hanes eu teulu, am gynlluniau a gwaith cadwraeth ac am orffennol Cymru'n ehangach. Mae'r Comisiwn yn croesawu ymholiadau gan unigolion preifat a sefydliadau masnachol ac, os ceir cais, gall hwyluso ymweliadau gan grwpiau. Mae modd cysylltu hefyd â'r gwasanaeth ymholiadau dros y ffôn neu drwy ffacs neu e-bost, a gellir gweld ein mynegai a'n catalog ar-lein yn *www.coflein.gov.uk*.

Cewch chi hefyd wybod rhagor am hanes Cymru drwy fynd i wefan Casgliad y Werin Cymru, sef: *www.casgliadywerincymru.co.uk*. Ynddi, cewch weld lluniau a gwrthrychau a chlywed hanesion llafar o gasgliadau'r Comisiwn Brenhinol, Llyfrgell Genedlaethol Cymru ac Amgueddfa Cymru ochr yn ochr â'r lluniau a'r storïau sydd wedi'u hychwanegu gan bobl Cymru.

Mae copïau o'r lluniau sydd yn y llyfr hwn ar gael hefyd. I archebu copïau ohonynt, cysylltwch yn uniongyrchol â'r Comisiwn Brenhinol a dyfynnwch rif cyfeiriad ac NPRN (Rhif Cofnodi Sylfaenol Cenedlaethol) y llun: fe'u cewch ym mynegai'r llyfr hwn. Dewis arall yw mynd i'n gwefan a llenwi ffurflen archebu ar-lein. Am y gall fod cyfyngiadau hawlfraint ar rai o'r lluniau, bydd angen i chi nodi hefyd pa ddefnydd y bwriadwch ei wneud ohonynt. Sylwch hefyd y gall fod rhaid talu ffi drwyddedu, ac fe all fod angen i ni roi trwydded i chi a nodi geiriau'r gydnabyddiaeth y bydd gofyn i chi ei chynnwys.

The records held by the Royal Commission are a national resource that can help us understand more about our heritage and its relevance to modern life. As the investigation body and national archive for the historic environment of Wales, the Commission has a lead role in ensuring that Wales' built, archaeological and maritime heritage is authoritatively recorded, and since its inception in 1908 has built an extensive collection of about two million photographs, 125,000 drawings and hundreds of illustrations, maps and pages of text.

The images featured in this book represent a mere fraction of the Commission's archive. The full collection can be consulted at the Commission's base in Aberystwyth, where staff are on hand to help visitors search for information on their homes, their family history, planning and conservation and, more broadly Wales' past. The Commission welcomes enquiries from private individuals, academic researchers, and commercial organisations, and can facilitate group visits on request. The enquiry service can be contacted by telephone, fax or e-mail, and our online site index and archive catalogue can be accessed at *www.coflein.gov.uk*.

You can also find out more about the history of Wales by visiting the People's Collection Wales website, at: *www.peoplescollectionwales.co.uk*. Images, objects and oral histories from the collections of the Royal Commission, the National Library of Wales and the National Museum of Wales are available to view alongside the photographs and stories added by the people of Wales.

Copies of the images featured in this book are also available. To order copies, contact the Royal Commission directly quoting the image reference number and NPRN (National Primary Record Number), which can be found in the List of figures at the back of this book. Alternatively, you can visit our website and complete an online order form. You will also need to indicate the intended use of the material, as some photographs may be subject to copyright restrictions. Please note that a licensing fee may be applicable, and we may need to issue you a license and any acknowledgement wording we require.

Ffigur 199. Codwyd plasty Pentre Mawr yn Abergele rhwng diwedd y ddeunawfed a dechrau'r ganrif ddilynol. Cafodd ei ailwampio yn yr arddull Othig Duduraidd tua 1830, ei ddifrodi gan dân ym 1850 a'i adfer ym 1853. Er hynny, goroesodd y grisiau imperialaidd o'r ddeunawfed ganrif. Tynnwyd y llun ym 1954 pryd y gelwid y tŷ'n Mason's Lodge a'i ddefnyddio'n swyddfeydd.

Figure 199. Pentremawr in Abergele was built between the late eighteenth and early nineteenth century. It was remodelled in the Tudor Gothic style in about 1830, damaged by dire in 1850 and restored in 1853. Despite this, the eighteenth-century imperial staircase survived. This photograph was taken in 1954 when the house was known as Mason's Lodge, and was being used as offices.

• *Cysylltu â Ni*

Comisiwn Brenhinol Henebion Cymru
Adeiladau'r Goron
Plas Crug
Aberystwyth
SY23 1NJ

Ffôn: 01970 621 200
E-bost: chc@cbhc.gov.uk
Gwefan: www.cbhc.gov.uk

• Cyfeillion y Comisiwn Brenhinol

Cewch chi ymuno â Rhwydwaith Cyfeillion y Comisiwn Brenhinol yn rhad ac am ddim, ac mae'n fodd i'r aelodau gael y wybodaeth ddiweddaraf am ein gwaith yn ogystal â chael disgownt ar ein cyhoeddiadau a dod i sgyrsiau ac arddangosiadau blynyddol. I gofrestru, ewch i wefan y Comisiwn Brenhinol neu e-bostiwch *cyfeillion@cbhc.gov.uk*.

• Cyhoeddiadau'r Comisiwn Brenhinol

Mae'r Comisiwn Brenhinol wedi cyhoeddi amryw o lyfrau diffiniol am adeiladau domestig Cymru ac wedi astudio cynllunwaith ac adeiladwaith y cartref – o'r bwthyn Cymreig hyd at bensaernïaeth Herbert Luck North yn null y Celfyddydau a'r Crefftau. I gael gwybod rhagor am y llyfrau hynny ac i brynu copïau ohonynt, ewch i wefan y Comisiwn Brenhinol *www.cbhc.gov.uk*.

Peter Smith, *Houses of the Welsh Countryside*
(Llundain: HMSO, 1975)
(Allan o brint)

Richard Suggett a Greg Stevenson, *Cyflwyno Cartrefi Cefn Gwlad Cymru* (Aberystwyth, CBHC, 2010)

Richard Suggett, *Houses and History in the March of Wales: Radnorshire 1400–1800* (Aberystwyth: CBHC, 2004)
(Allan o brint)

Adam Voelcker, *Herbert Luck North: Arts and Crafts Architecture for Wales* (Aberystwyth: CBHC, 2011)

Eurwyn Wiliam, *Y Bwthyn Cymreig: Arferion Adeiladu Tlodion y Gymru Wledig 1750–1900* (Aberystwyth: CBHC, 2011)

Peter Wakelin a Ralph Griffiths (goln), *Trysorau Cudd: Darganfod Treftadaeth Cymru* (Aberystwyth: CBHC, 2008)

• *Contact Us*

Royal Commission
on the Ancient and Historical Monuments of Wales
Crown Building
Plas Crug
Aberystwyth
SY23 1NJ

Telephone: 01970 621 200
E-mail: nmr.wales@rcahmw.gov.uk
Website: www.rcahmw.gov.uk

• Friends of the Royal Commission

The Royal Commissions' Friends Network is free to join, and allows members to keep up-to-date with our work, while enjoying a discount on our publications, and annual talks and demonstrations. To register, visit the Royal Commission's website, or e-mail *friends@rcahmw.gov.uk*.

• Royal Commission Publications

The Royal Commission has published a number of books about the domestic buildings of Wales, examining the design and construction of the home from the Welsh cottage to the Arts and Crafts architecture of Herbert Luck North. To find out more about these books and to purchase copies, visit the Royal Commission website *www.rcahmw.gov.uk*.

Peter Smith, *Houses of the Welsh Countryside*
(London: HMSO, 1975)
(Out of print)

Richard Suggett and Greg Stevenson, *Introducing Houses of the Welsh Countryside* (Aberystwyth: RCAHMW, 2010)

Richard Suggett, *Houses and History in the March of Wales: Radnorshire 1400–1800* (Aberystwyth: RCAHMW, 2004)
(Out of print)

Adam Voelcker, *Herbert Luck North: Arts and Crafts Architecture for Wales* (Aberystwyth: RCAHMW, 2011)

Eurwyn Wiliam, *The Welsh Cottage: Building Traditions of the Rural Poor 1750–1900* (Aberystwyth: RCAHMW, 2011)

Peter Wakelin and Ralph Griffiths (eds.), *Hidden Histories: Discovering the Heritage of Wales* (Aberystwyth: RCAHMW, 2008)

• Darllen Pellach

Maes poblogaidd yw hanes y cartref, ei gelfi a'i addurniadau. Yn y rhestr ddarllen a awgrymir isod cewch gyflwyniad byr i'r mathau o lyfrau sy'n canolbwyntio'n benodol ar y cartref yng Nghymru ac sydd ar gael ar hyn o bryd. Yn eu plith ceir cyfrolau ar gelfi a murluniau Cymru yn ogystal â llyfrau ar addurno mewnol, cadwraeth ac adnewyddu.

• Richard Bebb, *Welsh Furniture 1250–1950* (Cydweli: Saer Books, 2007)

• Cliff Blundell, *Precious Inheritance: The Conservation of Welsh Vernacular Buildings* (Y Barri: Quinto Press, 2007)

• Bill Bryson, *At Home: A short history of private life* (Efrog Newydd: Doubleday, 2010)

• Judy Corbett, Castle in the Air (Llundain: Random House, 2005)

• Katherine Davies, *Artisan Art: Vernacular Wall Paintings in the Welsh Marches, 1550–1650* (Sir Henffordd: Logaston Press, 2008)

• Michael Davies, *Discovering Welsh Houses* (Caerdydd: Graffeg, 2007)

• Paul Davis, *Hearth and Home: The Story of the Welsh House* (Sir Henffordd: Logaston Press, 2009)

• Gwenda Griffiths a Greg Stevenson, *Cartrefi Cymreig: Welsh Homes* (Y Barri: Quinto Press Cyf, 2006)

• Leslie Hoskins (gol.), *The Papered Wall: History, Pattern and Technique* (Llundain: Thames and Hudson, 1994)

• Charles Kightly, *Living Rooms: Interior Decoration in Wales 400–1960* (Caerdydd: Cadw, 2005)

• Iorwerth Peate, *The Welsh House* (Gwlad yr Haf: Llanerch Press, 2004)

• S. Minwel Tibbott, *Domestic Life in Wales* (Caerdydd: Gwasg Prifysgol Cymru, 2002)

• Further Reading

The history of the home, its furnishing and its decoration is a popular topic. This suggested further reading list gives a brief introduction to the sorts of books that are currently available, focusing specifically on the home in Wales. It includes volumes on Welsh furniture and wall paintings, as well as books on interior decoration, conservation and renovation.

• Richard Bebb, *Welsh Furniture 1250–1950* (Kidwelly: Saer Books, 2007)

• Cliff Blundell, *Precious Inheritance: The Conservation of Welsh Vernacular Buildings* (Barry: Quinto Press, 2007)

• Bill Bryson, *At Home: A short history of private life* (New York: Doubleday, 2010)

• Judy Corbett, *Castle in the Air* (London: Random House, 2005)

• Katherine Davies, *Artisan Art: Vernacular Wall Paintings in the Welsh Marches, 1550–1650* (Herefordshire: Logaston Press, 2008)

• Michael Davies, *Discovering Welsh Houses* (Cardiff: Graffeg, 2007)

• Paul Davis, *Hearth and Home: The Story of the Welsh House* (Herefordshire: Logaston Press, 2009)

• Gwenda Griffiths and Greg Stevenson, *Cartefi Cymreig: Welsh Homes* (Barry: Quinto Press Ltd, 2006)

• Leslie Hoskins (ed.), *The Papered Wall: History, Pattern and Technique* (London: Thames and Hudson, 1994)

• Charles Kightly, *Living Rooms: Interior Decoration in Wales 400–1960* (Cardiff: Cadw, 2005)

• Iorwerth Peate, *The Welsh House* (Somerset: Llanerch Press, 2004, revised edition)

• S. Minwel Tibbott, *Domestic Life in Wales* (Cardiff: University of Wales Press, 2002)

Ffigur 200. Codwyd Plasty Botryddan yn Rhuddlan tua diwedd yr ail ganrif ar bymtheg. Gwelir yr ystafell ym 1958 pryd y cawsai ei haddurno â phapur wal damasg graddfa-fawr. Yr oedd ffrâm hynod gelfydd i'r tân, a cheid yno ddodrefn cydwedd. Serch yr addurno cywrain ac eithafol ar yr ystafell, cymharol blaen yw'r lle tân o haearn bwrw.

Figure 200. Bodrhyddan Hall in Rhuddlan was built in the late seventeenth century. This image shows the room in 1958, when it was decorated with a large-scale damask wallpaper, and a highly ornate fire surround, with co-ordinating furniture. Despite the extreme, intricate embellishment of the room, the fire itself is a relatively plain cast-iron model.

Nodiadau a Chyfeiriadau

• PENNOD UN

1 Caneuon Mynyddog (Richard Davies, 1833-77)

2 E. Campbell ac A. Lane, 'Llangorse: a 10th-century royal crannog in Wales' yn Antiquity 63 (1989), tt. 675-81.

3 Gweler, yn gyffredinol, Richard Suggett, 'The interpretation of late medieval houses in Wales', yn *From Medieval to Modern Wales: Historical Essays in Honour of Kenneth O. Morgan and Ralph A. Griffiths*, goln R.R. Davies a Geraint H. Jenkins (Caerdydd: Gwasg Prifysgol Cymru, 2004), tt. 81-103; idem, 'Living like a lord: social emulation and the great house', yn *The Medieval Great House*, goln Malcolm Airs a P. S. Barnwell (Shaun Tyas, Rewley House Studies in the Historic Environment, 2012).

4 Nicholas Riall a Rachel Hunt, 'A Tudor cupboard at Cotehele, Cornwall' yn *The Archaeological Journal* 163 (2006), tt. 147-79. Sonnir am ddyddio blwyddgylchau gan D. Miles mewn adroddiad na chyhoeddwyd mohono (2011).

5 Ceir enghreifftiau o 'karver'ac ati yn rholiau'r Cymorth Lleyg a chofnodion y Sesiwn Fawr. Ceir enghreifftiau printiedig ohono o'r Gororau yn M. A. Faraday (gol.), *Herefordshire Taxes in the Reign of Henry VIII* (Woolhope Naturalists' Field Club, 2005). Digwydd y ffurf Gymraeg 'cerfwr' gyntaf mewn llawysgrif o 1592 (Geiriadur Prifysgol Cymru, td. 467).

6 Mae'r enghreifftiau, yn eu trefn gronolegol, yn cynnwys: 1553-3 Dyffryn Mymbyr; 1536-56 Tŷ-mawr, Llandwrog; 1557 Brynyrodyn; Cae-glas, Bron Goronwy; Y Garreg Fawr. Testun adroddiad gan D. Miles ac eraill yn y gyfres 'Welsh dendrochronology' yn *Vernacular Architecture*.

7 Cyril Fox ac Arglwydd Rhaglan, *Monmouthshire House, Part II: Sub-medieval Houses, c.1550-1610* (Caerdydd: Amgueddfa Genedlaethol Cymru, 1953), td. 4. Cymh. Peter Smith, *Houses of the Welsh Countryside* (Llundain: HMSO, 1975) tt. 235-36.

8 Llyfrgell Genedlaethol Cymru, Cofnodion Profiannaeth Llandaf: NLW Dolfriög 21.

9 Darlunnir enghreifftiau yn Peter Smith, *Houses of the Welsh Countryside* (Llundain: HMSO, 1975).

10 Richard Suggett, *Houses and History in the March of Wales: Radnorshire 1400-1800* (Aberystwyth: CBHC, 2004), tt. 10-12.

11 David Jenkins, *The Agricultural Community in South-West Wales at the Turn of the Twentieth Century* (Caerdydd, Gwasg Prifysgol Cymru, 1971), tt. 96-101.

12 Gweler, yn gyffredinol, S. Minwel Tibbott, 'Liberality and hospitality: food as communication in Wales' yn Folk Life 24 (1985-1986), tt. 33-344.

Notes and References

• CHAPTER ONE

1 T.S. Eliot, 'East Coker' in *Four Quartets* (London: Faber and Faber, 2001).

2 E. Campbell and A. Lane, 'Llangorse: a 10th-century royal crannog in Wales', *Antiquity* 63 (1989), pp. 675-81.

3 See generally Richard Suggett, 'The interpretation of late medieval houses in Wales', in *From Medieval to Modern Wales: Historical Essays in Honour of Kenneth O. Morgan and Ralph A. Griffiths*, R.R. Davies and Geraint H. Jenkins (eds) (Cardiff: University of Wales Press, 2004), pp. 81-103; idem, 'Living like a lord: social emulation and the great house', in *The Medieval Great House*,. Malcolm Airs and P.S. Barnwell (eds) (Shaun Tyas, Rewley House Studies in the Historic Environment, 2012).

4 Nicholas Riall and Rachel Hunt, 'A Tudor cupboard at Cotehele, Cornwall', *The Archaeological Journal* 163 (2006), pp. 147-79. Tree-ring dating reported by D. Miles, unpublished report (2011).

5 Examples of 'karver' etc. occur in the Lay Subsidy rolls and the Great Sessions records. Printed examples from the Marches can be found in M.A. Faraday (ed.), *Herefordshire Taxes in the Reign of Henry VIII* (Woolhope Naturalists' Field Club, 2005).

6 Examples in chronological order include: 1553-3 Dyffryn Mymbyr; 1536-56 Tŷ-mawr, Llandwrog; 1557 Brynyrodyn; Cae-glas, Brongoronwy; Y Garreg Fawr. Reported by D. Miles *et al.* in the series 'Welsh dendrochronology' in *Vernacular Architecture*.

7 Cyril Fox and Lord Raglan, *Monmouthshire House, Part II: Sub-medieval Houses, c.1550-1610* (Cardiff: National Museum of Wales, 1953), p. 4. *Cf.* Peter Smith, *Houses of the Welsh Countryside* (London: HMSO, 1975), pp. 235-36.

8 National Library of Wales, Llandaff Probate Records: NLW Dolfriög 21.

9 Examples are illustrated in Peter Smith, *Houses of the Welsh Countryside* (London: HMSO, 1975).

10 Richard Suggett, *Houses and History in the March of Wales: Radnorshire 1400 – 1800* (Aberystwyth: RCAHMW, 2004), pp. 10-12.

11 David Jenkins, *The Agricultural Community in South-West Wales at the Turn of the Twentieth Century* (Cardiff: University of Wales Press, 1971), pp. 96-101.

12 See generally S. Minwel Tibbott, 'Liberality and hospitality: food as communication in Wales', *Folk Life* 24 (1985-1986), pp. 33-34.

13 Notably by David Jenkins, *op. cit.*, and Trefor M. Owen, 'Cottage and stable loft: the relevance of non-material evidence in the study of material culture', *Archaeologia Cambrensis* 139 (1990), pp. 1-11.

13 Yn bennaf gan David Jenkins, op. cit., a Trefor M Owen, 'Cottage and stable loft: the relevance of non-material evidence in the study of material culture' yn *Archaeologia Cambrensis* 139 (1990), tt. 1-11.

14 Eurwyn Wiliam, *Y Bwthyn Cymreig: Arferion Adeiladu Tlodion y Gymru Wledig* (Aberystwyth: CBHC, 2010).

15 *ibid.*

16 *ibid.*

17 Gweler tu mewn y bwthyn yn Nolgellau, Meirionnydd, gan E. P. Owen tua 1836, a atgynhyrchwyd yn Trefor M Owen, *A Pocket Guide to the Customs and Traditions of Wales* (Caerdydd: Gwasg Prifysgol Cymru, 1991) td. 31. Gweler hefyd Richard Bebb, *Welsh Furniture 1250-1950: A Cultural History of Craftsmanship and Design* (Cydweli: Saer Books, 2007).

18 H. Brooksby, 'Bed-outshuts in the Gower, West Glamorgan' yn *Vernacular Architecture* 7 (1976), tt. 21-3; CBHC, *An Inventory of the Ancient Monuments in Glamorgan, Volume IV, Part II: Farmhouses and Cottages* (H.M.S.O.: Llundain, 1988), tt. 152-3, 266 a 298-9; J. Romilly Allen, 'Old farm-houses with round chimneys near St. David's' yn *Archaeologia Cambrensis* (1902), tt. 1-24.

19 Richard Suggett, 'Iolo Morganwg: stonecutter, builder, and antiquary' yn *A Rattleskull Genius: The Many Faces of Iolo Morganwg*, gol. Geraint H. Jenkins (Gwasg Prifysgol Cymru: Caerdydd, 2005), tt. 211-12.

20 C. A. Gresham a W. J. Hemp, 'Llasynys', *Journal of the Merioneth Historical Society* 3 (1957-60), td. 83. Pan dynnir y 'buffet', gall adael cilfach hanner-cylch sy'n peri tipyn o ddryswch (fel yn Court Farm, Pen-bre).

21 T. Alun Davies, *The Welsh Dresser and Associated Cupboards* (Gwasg Prifysgol Cymru: Caerdydd, 1991 a Richard Bebb, Welsh Furniture 1250-1950: A Cultural History of Craftsmanship and Design (Cydweli: Saer Books, 2007).

22 Catherine Weston, 'A North Wales interior by Cornelius Varley' yn *Regional Furniture* 15 (2001), tt. 32-42.

23 Muriel Bowen Evans, 'Sir Gaeriaid': some comments on Carmarthenshire and its people by Iolo Morganwg' yn *The Carmarthenshire Antiquary* 24 (1988), td. 51. Mae ffotograff o du mewn Pen-lôn, Trefilan, Sir Aberteifi, yn dangos rhes o jygiau ar fachau uwchlaw'r lle tân (NPRN 35092).

24 Edmund Hyde Hall, *A Description of Caernarvonshire (1809-11)*, gol. Emyr Gwynne Jones (Cymdeithas Hanes Sir Gaernarfon, 1952), td. 78. Ychwanega Hall fod '(this) sort of traffic has now pretty generally fallen into the hands of native dealers, but upon its first introduction into the country the importers were chiefly Englishmen from the potteries in the midland counties.'

25 David Jenkins, *The Agricultural Community in South-west Wales at the Turn of the Twentieth Century* (Caerdydd, 1971), tt. 94-5. Trafodir parhad arwyddocâd y ddresel gan Moira Vincentelli, 'Artefact and identity: the Welsh dresser as domestic display and cultural symbol' yn *Our Sisters' Land: the Changing Identities of Women in Wales*, gol. Jane Aaron ac eraill (Gwasg Prifysgol Cymru: Caerdydd, 1994), tt. 228-41.

14 Eurwyn Wiliam, *The Welsh Cottage: Building Traditions of the Rural Poor* (Aberystwyth: RCAHMW, 2010).

15 *ibid.*

16 *ibid.*

17 See the cottage interior at Dolgellau, Merioneth, by E.P. Owen *c.*1836, reproduced in Trefor M. Owen, *A Pocket Guide to the Customs and Traditions of Wales* (Cardiff: University of Wales Press, 1991) 31. *See also* Richard Bebb, *Welsh Furniture 1250-1950: A Cultural History of Craftsmanship and Design* (Kidwelly: Saer Books, 2007).

18 H. Brooksby, 'Bed-outshuts in the Gower, West Glamorgan', *Vernacular Architecture* 7 (1976), pp. 21-3; RCAHMW, *An Inventory of the Ancient Monuments in Glamorgan, Volume IV, Part II: Farmhouses and Cottages* (London, HMSO: 1988), pp.152-3, 266 and 298-9; J. Romilly Allen, 'Old farm-houses with round chimneys near St. Davids', *Archaeologia Cambrensis* (1902), pp. 1-24.

19 Richard Suggett, 'Iolo Morganwg: stonecutter, builder, and antiquary' in *A Rattleskull Genius: The Many Faces of Iolo Morganwg*, Geraint H. Jenkins (ed.) (Cardiff: University of Wales Press, 2005), pp. 211-12.

20 C.A. Gresham and W.J. Hemp, 'Llasynys', *Journal of the Merioneth Historical Society* 3 (1957-60), p. 83. The 'buffet' when removed can leave a somewhat baffling semicircular recess (as at Court Farm, Pembrey).

21 T. Alun Davies, *The Welsh Dresser and Associated Cupboards* (University of Wales Press: Cardiff, 1991; Richard Bebb, *Welsh Furniture 1250-1950: A Cultural History of Craftsmanship and Design* (Kidwelly: Saer Books, 2007).

22 Catherine Weston, 'A North Wales interior by Cornelius Varley', *Regional Furniture* 15 (2001), pp. 32-42.

23 Muriel Bowen Evans, "Sir Gaeriaid": some comments on Carmarthenshire and its people by Iolo Morganwg', *The Carmarthenshire Antiquary* 24 (1988), p. 51. A photograph of the interior of Pen-lôn, Trefilan, Cardiganshire, shows a row of jugs on hooks above the fireplace (NPRN 35092).

24 Edmund Hyde Hall, *A Description of Caernarvonshire* (1809-11), Emyr Gwynne Jones (ed.) (Caernarvonshire Historical Society, 1952), p. 78. Hall adds that this 'sort of traffic has now pretty generally fallen into the hands of native dealers, but upon its first introduction into the country the importers were chiefly Englishmen from the potteries in the midland counties'.

25 David Jenkins, *The Agricultural Community in South-west Wales at the Turn of the Twentieth Century* (Cardiff, 1971), pp. 94-5. The continuing significance of the dresser is discussed by Moira Vincentelli, 'Artefact and identity: the Welsh dresser as domestic display and cultural symbol' in *Our Sisters' Land: the Changing Identities of Women in Wales*, Jane Aaron *et al.* (eds.) (University of Wales Press: Cardiff, 1994), pp. 228-41.

26 Dafydd Ifans, 'Lewis Morris ac arferion priodi yng Ngheredigion', yn Ceredigion 8 (1976-9), tt. 194-5; Richard Bebb, *Welsh Furniture 1250-1950: A Cultural History of Craftsmanship and Design* (Cydweli: Saer Books, 2007). Gweler yn gyffredin y cyfeiriadau yn *Geiriadur Prifysgol Cymru* (Prifysgol Cymru: Caerdydd, 1950-2002).

27 David Jenkins, *The Agricultural Community in South-west Wales at the Turn of the Twentieth Century* (Caerdydd, Gwasg Prifysgol Cymru, 1971) td. 137-8.

28 Fel rheol, ceir llythyren gyntaf enw'r wraig uwchlaw llythrennau cyntaf enw'r gŵr. Ceir lluniau o enghreifftiau o hynny yn *An Inventory of the Ancient Monuments in Glamorgan, Volume IV, Part II: Farmhouses and Cottages* (Llundain: H.M.S.O. 1988), td. 58.

29 Llyfrgell Genedlaethol Cymru, D.T.M. Jones 4719. Y llyfrau oedd *Y Beibl a Cannwyll y Cymry* gan Rhys Pritchard ('llyfr hen Ficer Llanymddyfri').

30 Richard Suggett, 'The unit system revisited: dual domestic planning and the developmental cycle of the family' yn *Vernacular Architecture* 38 (2007), tt. 19-34.

31 Patricia Jalland, *Death in the Victorian Family* (Rhydychen: Gwasg Prifysgol Rhydychen, 1999) tt. 210 – 212; Julie-Marie Strange *Death, Grief and Poverty in Britain* (Caergrawnt: Gwasg Prifysgol Caergrawnt, 2005, tt. 80 – 89). Yr oedd sawl cam i'r angladd. Dynodwyd galar drwy dynnu'r llenni a byddai'r arch ar agor mewn ystafell ffrynt eithaf tywyll. Ar ôl gwasanaeth yn yr ystafell ffrynt, cludid yr arch i'r eglwys neu'r capel ar gyfer gwasanaeth pellach, neu'n syth i'r fynwent. Tuedd y teuluoedd dosbarth-canol oedd defnyddio'r parlwr angladdau.

32 Gweler, yn gyffredinol, Martin Daunton, *House and Home in the Victorian City: Working Class Housing 1850-1914* (Llundain: Hodder and Arnold H&S, 1983).

33 Eurwyn Wiliam, *Rhyd-y-car: A Welsh Mining Community* (Caerdydd: Amgueddfa Genedlaethol Cymru, 1987).

34 M. J. Daunton, 'Miners' Housing: South Wales and the Great Northern Coalfield, 1880-1914' yn *International Review of Social History* 25 (1980), td. 147; Malcolm J. Fisk, *Housing in the Rhondda 1800-1940* (Caerdydd: Merton Priory Press, 1996).

35 Dot Jones, 'Counting the cost of coal: women's lives in the Rhondda, 1881-1911' yn *Our Mothers' Land: Chapters in Welsh Women's History 1830-1939*, gol. Angela V. John (Caerdydd: Gwasg Prifysgol Cymru, 1991), tt. 109-133; Neil Evans a Dot Jones, ''A blessing for the miner's wife': the campaign for pithead baths in the south Wales coalfield 1908-1950' yn *Llafur* 6 (1994), tt. 5-28.

36 Gweler, yn gyffredinol, Richard Morris, *John Dillwyn Llewelyn 1810-1882: the First Photographer in Wales* (Caerdydd: Cyngor Celfyddydau Cymru, 1980).

37 Helen C. Long, *The Edwardian House: the Middle-class Home in Britain 1880-1914* (Manceinion: Gwasg Prifysgol Manceinion, 1993).

26 Dafydd Ifans, 'Lewis Morris ac arferion priodi yng Ngheredigion', *Ceredigion* 8 (1976-9), pp. 194-5; Richard Bebb, *Welsh Furniture 1250-1950: A Cultural History of Craftsmanship and Design* (Kidwelly: Saer Books, 2007). See generally the references in *Geiriadur Prifysgol Cymru: The University of Wales Dictionary* (Cardiff: University of Wales, 1950-2002).

27 David Jenkins, *The Agricultural Community in South-west Wales at the Turn of the Twentieth Century* (Cardiff: University of Wales Press, 1971), p. 137-8.

28 Generally with the wife's single initial superscript over the husband's initials. Examples are illustrated in *An Inventory of the Ancient Monuments in Glamorgan, Volume IV, Part II: Farmhouses and Cottages* (London: HMSO, 1988), p. 58.

29 National Library of Wales, D.T.M. Jones 4719. The books were *The Bible* and *Rhys Pritchard's Canwyll yr Cymru* ('the old Vicar of Llandovery's book').

30 Richard Suggett, 'The unit system revisited: dual domestic planning and the developmental cycle of the family', *Vernacular Architecture* 38 (2007), pp. 19-34.

31 Patricia Jalland, *Death in the Victorian Family* (Oxford: Oxford University Press, 1999), pp. 210-212; Julie-Marie Strange, *Death, Grief and Poverty in Britain* (Cambridge: Cambridge University Press, 2005), pp. 80-89. There were several stages to the funeral. Mourning was signalled by drawn curtains and the open coffin was viewed in the darkened front room. After a service in the front room, the coffin was then taken to church or chapel for a further service or directly to the cemetery. Middle-class families tended to use the funeral home.

32 See generally Martin Daunton, *House and Home in the Victorian City: Working Class Housing 1850-1914* (London: Hodder and Arnold H&S, 1983).

33 Eurwyn Wiliam, *Rhyd-y-car: A Welsh Mining Community* (Cardiff: National Museum of Wales, 1987).

34 M.J. Daunton, 'Miners' Housing: South Wales and the Great Northern Coalfield, 1880-1914', *International Review of Social History* 25 (1980), p. 147; Malcolm J. Fisk, *Housing in the Rhondda 1800-1940* (Cardiff: Merton Priory Press, 1996).

35 Dot Jones, 'Counting the cost of coal: women's lives in the Rhondda, 1881-1911' in *Our Mothers' Land: Chapters in Welsh Women's History 1830-1939*, Angela V. John (ed.) (Cardiff: University of Wales Press, 1991), pp. 109-133; Neil Evans and Dot Jones, ' "A blessing for the miner's wife": the campaign for pithead baths in the south Wales coalfield 1908-1950', *Llafur* 6 (1994), pp. 5-28.

36 See generally Richard Morris, *John Dillwyn Llewelyn 1810-1882: the First Photographer in Wales* (Cardiff: Welsh Arts Council, 1980).

37 Helen C. Long, *The Edwardian House: the Middle-class Home in Britain 1880-1914* (Manchester: Manchester University Press, 1993).

38 Abigail Beach a Nick Tiratoo,'The planners and the public' yn *The Cambridge Urban History of Britain, Volume 3: 1840-1950*, gol. Martin Daunton (Caergrawnt: Gwasg Prifysgol Caergrawnt, 2000), tt. 528-9; Standish Meacham, 'Raymond Unwin (1863-1940): designing for democracy in Edwardian England' yn Susan Pedersen a Peter Mandler (goln), *After the Victorians: Private Conscience and Public Duty in Modern Britain* (Llundain: Routledge, 1994), tt. 86 a 94.

39 Greg Stevenson, *Palaces for the People: Prefabs in Post-war Britain* (Llundain, 2003), tt. 103-5.

40 Zoe Smith (gol.), *Improving Housing Quality: Unlocking the Market* (Sefydliad Brenhinol Penseiri Prydain: Llundain, 2009) td. 7.

• PENNOD DAU

1 *Census 2001: National Report for England and Wales* (HMSO: 2003). Tabl S051.

2 Zoe Smith (gol.), *Improving Housing Quality: Unlocking the Market* (Sefydliad Brenhinol Penseiri Prydain: Llundain, 2009) td. 7.

3 Y Parchedig John Evans, *Letters written during a Tour through South Wales* (Llundain, 1804).

• PENNOD TRI

1 Enghreifftiau yn Peter Smith, *Houses of the Welsh Countryside* (Llundain: HMSO, 1975).

• PENNOD PEDWAR

1 Richard Suggett, *Houses and History in the March of Wales: Radnorshire 1400-1800* (Aberystwyth: CBHC) td. 214, 229-30.

2 O ran parlwr y ffermdy, gweler John Rhŷs a David Brynmor Jones, *The Welsh People* (Llundain, ail arg., 1900), td. 577. Wrth roi ei sylwadau ar Ystâd Bodorgan i'r Comisiwn Brenhinol ar y Tir (1896), *Minutes of Evidence*, honnodd un tyst na châi rhai parlyrau mo'u defnyddio o gwbl.

38 Abigail Beach and Nick Tiratoo,'The planners and the public' in *The Cambridge Urban History of Britain, Volume 3: 1840-1950*, Martin Daunton (ed.) (Cambridge: Cambridge University Press, 2000), pp. 528-9; Standish Meacham, 'Raymond Unwin (1863-1940): designing for democracy in Edwardian England' in Susan Pedersen and Peter Mandler (eds.), *After the Victorians: Private Conscience and Public Duty in Modern Britain* (London: Routledge, 1994), pp. 86 and 94.

39 Greg Stevenson, *Palaces for the People: Prefabs in Post-war Britain* (London, 2003), pp. 103-5.

40 Zoe Smith (ed.), *Improving Housing Quality: Unlocking the Market* (London: Royal Institute of British Architects, 2009), p. 7.

• CHAPTER TWO

1 *Census 2001: National Report for England and Wales* (HMSO: 2003). Table S051.

2 Zoe Smith (ed.), *Improving Housing Quality: Unlocking the Market* (London: Royal Institute of British Architects, 2009), p. 7.

3 Reverend John Evans, *Letters written during a Tour through South Wales* (London, 1804).

• CHAPTER THREE

1 Examples in Peter Smith, *Houses of the Welsh Countryside* (London: HMSO, 1975).

• CHAPTER FOUR

1 Richard Suggett, *Houses and History in the March of Wales: Radnorshire 1400-1800* (Aberystwyth: RCAHMW), p. 214, 229-30.

2 On the farmhouse parlour, *see* John Rhys and David Brynmor Jones, *The Welsh People* (London, 2nd. edn., 1900), p. 577. A witness commenting on the Bodorgan Estate, Royal Commission on Land (1896), *Minutes of Evidence*, claimed that some parlours were not used at all.

Rhestr o'r Ffigurau - List of Figures

Nodyn: Mae © Hawlfraint y Goron: Comisiwn Brenhinol Henebion Cymru ar bob llun, oni nodir fel arall.

Note: All figures are © Crown Copyright: Royal Commission on the Ancient and Historical Monuments of Wales, unless otherwise stated.

Page 74 top, Figure 50, The Billy Banks
Reference: DS2010_213_026, NPRN 410775

Page 74 left, Figure 51, The Billy Banks
Reference: DS2010_213_030, NPRN 410775

Page 75, Figure 52, Peniarth fawr
Reference: DI2012_0082, NPRN 27603

Page 76, Figure 53, Gwrych Castle
Reference: DI2012_0083, NPRN 27250

Page 77, Figure 54, Tyddyn Cynar
Reference: DI2012_0089, NPRN 35429

Page 78, Figure 55, Aberdeunant
Reference: DI2012_0131, NPRN 17066

Page 79, Figure 56, Glygyrod-wen
Reference: DI2012_0085, NPRN 28440

Page 80, Figure 57, Garthgynan House
Reference: DI2012_0087, NPRN 27188

Page 81, Figure 58, Uwchllaw'r Ffynnon
Reference: FHA 01_112, NPRN 28882

Page 82, Figure 59, Bryn-ffiangl Uchaf
Reference: DI2012_0088, NPRN 26854

Page 83, Figure 60, Stradey Castle
Reference: DI2012_0065, NPRN 17825

Page 84, Figure 61, Plas Uchaf
Reference: DI2012_0090, NPRN 27777

Page 85, Figure 62, Cefn Mine
Reference: DI2012_0126, NPRN 26426

Page 86, Figure 63, Ty-faenor
Reference: DS2010_088_006, NPRN 81548

Page 87, Figure 64, Yscir-fechan
Reference: DI2011_1044, NPRN 16485

Page 88, Figure 65, Plas Mawr
Reference: DI2011_1038, NPRN 16754

Page 89, Figure 66, Plas Berw
Reference: DI2011_1037, NPRN 15801

Page 90, Figure 67, Nannau & Plas Newydd
References: (top right) DI2012_0030, NPRN 28585 and (below) DI2011_1012, NPRN 15824

Page 91, Figure 68, Presaddfed
Reference: DI2011_3117, NPRN 15842

Page 93, Figure 70, 12 Castle Street
Reference: DI2011_1045, NPRN 25239

Page 94, Figure 71, Bryn-celyn
Reference: DI2012_0037, NPRN 27724

Page 95, Figure 72, Cefn Isaf
References: (top) DS2010_674_014, NPRN 472 and (below) DS2010_674_025, NPRN 472

Page 96, Figure 73, Castle House
References: DI2011_1052, NPRN 26635

Page 97, Figure 74, The Billy Banks
Reference: DS2010_213_028, NPRN 410775

Page 98, Figure 75, Tregyb
Reference: DI2012_0118, NPRN 300534.
From a private collection via Thomas Lloyd.

Page 104, Figure 76, Plas-uchaf
Reference: DI2010_1321, NPRN 28689

Page 105, Figure 77, Great Cilwch
Reference: DI2012_0114, NPRN 36965

Page 106, Figure 78, Gloddaeth
Reference: DS2007_397_003, NPRN 26514

Page 107, Figure 79, Plas Mawr
Reference: DI2012_0093, NPRN 16754

Page 108, Figure 80, Maenan
Reference: DS2007_341_002, NPRN 16489

Page 109, Figure 80, Maenan
Reference: DS2007_341_007, NPRN 16489

Page 110, Figure 81, Gwydir Castle
Reference: DI2011_1053, NPRN 26555

Page 111, Figure 82, Waun
References: (top) DS2011_525_006 and (left) DS2011_525_002, NPRN 403167

Page 112, Figure 83, Ciliau
References: (below) DS2007_024_002, and (right) DS2007_024_006, NPRN 81106

Page 113, Figure 84, Nantclwyd
Reference: DI2012_0048, NPRN 27555

Page 114, Figure 85, Plas-yn-Cefn
Reference: DI2012_0073, NPRN 27786

Page 115, Figure 86, Garthewin
References: (below) DI2012_0069, and (top right) DI2012_0074, NPRN 27186

Page 116, Figure 87, Gloddaeth
Reference: DI2012_0062, NPRN 26514

Page 117, Figure 87, Gloddaeth
Reference: DI2012_0063, NPRN 26514

Page 118, Figure 88, Castell Coch
Reference: DI2006_1486, NPRN 305401

Page 119, Figure 89, Nantllys
Reference: DS2006_014_018, NPRN 36043

Page 120, Figure 90, Monachty
Reference: DI2012_0040, NPRN 5816

Page 121, Figure 91, Bodfean Hall
Reference: DI2012_0127, NPRN 26062

Page 122, Figure 92, Middleton Hall
Reference: DI2007_0092, NPRN 17569

Page 123, Figure 93, Treberfydd
References: (top) DI2011_1050 and (right) DI2011_1051, NPRN 16280

Page 124, Figure 94, Hafod Uchtryd
Reference: (top) DI2012_0022, NPRN 5577

Page 124, Figure 95, Pantglas Hall
Reference: (below) DI2012_0021, NPRN 17621

Page 125, Figure 96, Glan-brân
References: (right) DI2012_0140, and (below) DI2012_0180, NPRN 96046.
From a private collection via Thomas Lloyd.

Page 126, Figure 97, Old Pool Park
Reference: DI2012_0035, NPRN 27812.
From a private collection via Thomas Lloyd.

Page 126, Figure 98, Cefn Mine
Reference: DI2011_0160, NPRN 26246

Page 127, Figure 99, Tŷ-uchaf
Reference: DS2010_069_008, NPRN 410371

Page 128, Figure 100, Egryn
References: (top) DI2102_0039, and (left) DS2010_104_014, NPRN 28371

Page 129, Figure 101, Pontbrenmydyr
Reference: DS2010_117_007, NPRN 503

Pages 130 and 131 (top), Figure 102, Pen-lôn
References: DI2012_0024, and DI2009_0034, NPRN 35092

Page 131, Figure 103, Pen-lôn
Reference: DI2009_0033, NPRN 35092

Page 132, Figure 104, Tyn-bedw
Reference: DI2012_0126, NPRN 309742

Page 133, Figure 105, Blaen-waun-ganol
Reference: DI2012_0025, NPRN 5136

Page 134, Figure 106, Aberdeunant
References: (top) DI2012_0132, and (left) DI2012_0133, NPRN 17066

Page 135, Figure 106, Aberdeunant
Reference: DI2012_0134, NPRN 17066

Page 136, Figure 107, Aberconwy House
Reference: DI2012_0137, NPRN 25978

Page 137, Figure 108, Gwindy-mawr
Reference: DI2012_0129, NPRN 35853

Page 138, Figure 109, Uwchllaw'r Ffynnon
References: (top) DI2009_0969, and (right) DI2009_0968, NPRN 28882

Page 139, Figure 110, Tŷ Mawr
Reference: DS2010_083_007, NPRN 21452

Page 140, Figure 111, Gloddfa-ganol
Reference: FHA01_066, NPRN 302225

Page 141, Figure 112, Trecastell
Reference: CD2003_635_009, NPRN 15893

Page 142, Figure 113, Ivy Cottage
Reference: DI2012_0061, NPRN 27375

Page 143, Figure 114, Cefn Isaf
References: (top) DS2010_064_018, and (right) DS2010_064_021, NPRN 142

Page 144, Figure 115, Wern Isaf
References: (inset) DS2010_076_034, and DS2010_076_035, NPRN 17037

Page 145, Figure 116, Plas Rhianfa
Reference: DI2012_0056, NPRN 15830

Page 146, Figure 117, The Billy Banks
Reference: DS2010_213_032, NPRN 410775

Page 147, Figure 118, Derry Ormond
Reference: DI2010_0927, NPRN 96038

Page 147. Figure 119, Council Street
Reference: DI2009_0532, NPRN 408831

Page 148, Figure 120, Bishpool prefab estate
Reference: DI2008_0473, NPRN 309133

Page 149, Figure 121, Malator
Reference: DI2006_1035, NPRN 039561

Page 150, Figure 122, Nantclwyd
Reference: DI2011_1007, NPRN 27555

Page 155, Figure 123, Tai Uncorn
Reference: FHA 01_140, NPRN 28880

Page 156, Figure 124, Bryndraenog
Reference: DI2009_1122, NPRN 81056

Page 157, Figure 125, Rhydarwen
Reference: DI2011_1013, NPRN 17769

Page 158, Figure 126, Council Street
Reference: DI2009_0533, NPRN 408831

Page 159, Figure 127, 2 High Street
Reference: DI2009_0520, NPRN 33103

Page 160, Figure 128, Penpont Manor
References: (top) DI2011_1020, and (left) DI2011_1021, NPRN 16026

Page 161, Figure 129, Henryd
Reference: DI2012_0138, NPRN 26615

Page 162, Figure 130, Hen Felin
Reference: DI2011_1023, NPRN 5600

Page 163, Figure 131, Plas-y-llan
Reference: DI2007_1987, NPRN 27782

Page 164, Figure 132, Rhiwson-uchaf
Reference: DI2011_1034, NPRN 3042

Page 165, Figure 133, Bishpool prefab estate
Reference: DI2012_0042, NPRN 309133

Page 166, Figure 134, Tŷ Mawr
Reference: DI2012_0081, NPRN 35457

Page 167, Figure 135, Plas Cregennen
Reference: D2012_0059, NPRN 28673

Page 168, Figure 136, Faenol Fawr
Reference: DI2012_0124, NPRN 35813

Page 169, Figure 137, Nantllys
Reference: DS2006_014_025, NPRN 36043

Page 170, Figure 138, 32 Marine Terrace
Reference: DS2007_021_034, NPRN 5723

Page 171, Figure 139, The Billy Banks
Reference: DS2010_213_031, NPRN 410775

Page 172, Figure 140, Plas Penmynydd
Reference: DI2012_0049, NPRN 15829

Page 173, Figure 141, Plas Penmynydd
Reference: DI2012_ 0036, NPRN 15829

Page 174, Figure 142, Penydarren
Reference: DI2012_0139, NPRN 19696

Page 177, Figure 143, Middleton Hall
Reference: DI2007_0094, NPRN 17569

Page 178, Figure 144, Plas-y-wern
Reference: DI2011_1032, NPRN 35388

Page 179, Figure 145, Egryn
Reference: DS2010_104_013, NPRN 28371

Page 180, Figure 146, Penrhyn Old Hall
Reference: DI2011_1057, NPRN 16691

Page 181, Figure 147, Gwydir Castle
Reference: DI2011_1054, NPRN 26555

Page 182, Figure 148, Nantclwyd House
Reference: DI2011_1027, NPRN 27555

Page 183, Figure 149, Garthgynan House
References: (left) DI2012_0075, and (below) DI2012_0079, NPRN 27188

Page 184, Figure 150, Tregunter
Reference: DI2011_1046, NPRN 16296

Page 185, Figure 151, Cefn Isaf
Reference: DS2010_674_012, NPRN 472

Page 186, Figure 152, Berth-llwyd
Reference: DI2011_1017, NPRN 405967

Page 187, Figure 153, Bryn-hir
Reference: DI2011_1062, NPRN 26110

Page 188, Figure 154, Penpont Manor
Reference: DI2011_1019, NPRN 16026

Page 189, Figure 155, Nannau
Reference: DI2012_1066, NPRN 28585

Page 190, Figure 156, Plasnewydd
Reference: DI2012_0115, NPRN 36156

Page 191, Figure 157, Wern Isaf
Reference: DS2010_076_018, NPRN 17037

Page 192, Figure 158, Nantllys
Reference: DS2006_014_039, NPRN 36043

Page 196, Figure 159, Caerau privy
Reference: DI2011_1008, NPRN 31056

Page 197, Figure 160, Caerau privy
Reference: DI2011_1009, NPRN 31056

Page 198, Figure 161, High Street
Reference: DI2009_0521, NPRN 33103

Page 199, Figure 162, Plas Cregennen
Reference: DI2010_0028, NPRN 28673

Page 200, Figure 163, Plas Cregennen
Reference: DI2010_0027, NPRN 28673

Page 201, Figure 164, Nantllys
Reference: DS2006_014_038, NPRN 36043

Page 202, Figure 165, 2 Birchfield Cottages
Reference: DI2009_0540, NPRN 408851

Page 203, Figure 166, 2 Birchfield Cottages
Reference: DI2009_0541, NPRN 408851

Page 204, Figure 167, 32 Marine Terrace
Reference: DS2007_021_007, NPRN 5723

Page 205, Figure 168, Pigeonsford
Reference: DI2011_1025, NPRN 35118

Page 206, Figure 169, Cefn Isaf
Reference: DS2010_674_028, NPRN 472

Page 207, Figure 170, Pontbrenmydyr
Reference: DS2010_117_008, NPRN 503

Page 208, Figure 171, Pen-graig
Reference: DI2012_0044, NPRN 15781

Page 211, Figure 172, Gwydir Castle
Reference: DI2012_1055, NPRN 26555

Page 212, Reference 173, Penpont Manor
Reference: DI2012_0034, NPRN 16026

Page 213, Figure 174, Court Farm
Reference: DI2006_1248, NPRN 17245

Page 214, Figure 175, Bryndraenog
Reference: DI2009_1126, NPRN 81056

Page 215, Figure 176, Nantclwyd
Reference: DI2012_0043, NPRN 27555

Page 216, Figure 177, Plas-hen
Reference: (top) DI2012_0054, NPRN 28675

Page 216, Figure 178, Neuadd
Reference: (top, left) DI2012_0123, NPRN 25926

Page 217. Figure 179, Nantclwyd
Reference: D2012_0046, NPRN 27555

Page 218, Figure 180, Derwydd
Reference: DI2012_0067, NPRN 17296

Page 219, Figure 181, Aberdeunant
Reference: DI2012_0130, NPRN 17066

Page 220, Figure 182, Glan-brân
Reference: DI2012_0141, NPRN 96046.
From a private collection via Thomas Lloyd.

Page 221, Figure 183, Wern Isaf
Reference: DS2010_076_038, NPRN 17037

Page 222, Figure 184, Ivy cottage
Reference: DI2012_0050, NPRN 27375

Page 223, Figure 185, Marian House
Reference: DI2012_0045, NPRN 15747

Page 224, Figure 186, Benar
Reference: DI2012_0128, NPRN 26006

Page 225, Figure 187, Dduallt
Reference: FHA 02_03, NPRN 28336

Page 226, Figure 188, Nantllys
Reference: DS2006_014_051, NPRN 36043

Page 228, Figure 189, Dyffryn Llynog
Reference: DI2011_1030, NPRN 5383

Page 229, Figure 190, Nantllys
Reference: DS2006_014_050, NPRN 36043

Page 229, Figure 191, Nantllys
Reference: DS2006_014_049, NPRN 36043

Page 230, Figure 192, Pen-y-bryn
Reference: DI2012_0072, NPRN 27668

Page 231, Figure 193, Tai Uncorn
Reference: FHA 01 139, NPRN 28880

Page 232, Figure 194, Nantllys
Reference: DS2006_014_014, NPRN 36043

Page 234, Figure 195, Treberfydd
Reference: DI2012_0058, NPRN 16280

Page 235, Figure 195, Treberfydd
Reference: DI2011_1049, NPRN 16280

Page 236, Figure 196, Penpont Manor
Reference: DI2011_1014, NPRN 16026

Page 237, Figure 196, Penpont Manor
Reference: DI2011_1018, NPRN 16026

Page 238, Figure 197, Trebinshwn
Reference: DI2012_0181, NPRN 16281

Page 239, Figure 198, Great House
Reference: DS2010_112_012, NPRN 17401

Page 240, Figure 199, Pentremawr
Reference: DI2012_0078, NPRN 27650

Page 244, Figure 200, Bodrhyddan
Reference: DI2012_0086, NPRN 35670